El oro de los siglos.
Antología

Clásica
Poesía

EL ORO DE LOS SIGLOS

ANTOLOGÍA

GARCILASO DE LA VEGA
FRAY LUIS DE LEÓN
SAN JUAN DE LA CRUZ
LUIS DE GÓNGORA
LOPE DE VEGA
FRANCISCO DE QUEVEDO

Edición, prólogo y notas
de José María Micó

AUSTRAL

El papel utilizado para la impresión de este libro está calificado como **papel ecológico** y procede de bosques gestionados de manera **sostenible**.

Avinguda Diagonal, 662, 6.ª planta. 08034 Barcelona (España)
www.planetadelibros.com

Diseño de la colección: Compañía
Primera edición en Austral: marzo de 2017
Segunda impresión: mayo de 2019
Tercera impresión: noviembre de 2020
Cuarta impresión: marzo de 2022

Depósito legal: B. 2.454-2017
ISBN: 978-84-08-16790-7
Composición: Moelmo, SCP
Impresión y encuadernación: QP Print
Printed in Spain - Impreso en España

Biografía

José María Micó es poeta, traductor y catedrático de literatura en la Universitat Pompeu Fabra, donde fundó y codirige el Máster en Creación Literaria. Su libro poético más reciente es *Caleidoscopio*. De su obra filológica y ensayística destacan diversas ediciones de clásicos españoles y los libros *Las razones del poeta*, *Clásicos vividos* y *Para entender a Góngora*. Ha traducido a grandes autores europeos antiguos como Ramon Llull, Petrarca, Jordi de Sant Jordi, Ausiàs March y Ludovico Ariosto, además de poetas contemporáneos catalanes e italianos. A lo largo de su trayectoria ha obtenido premios de literatura (Hiperión y Generación del 27), de traducción (Premio Nacional de Traducción en España y en Italia) y de investigación (ICREA/Acadèmia). En los últimos años ha iniciado una actividad musical y como parte del dúo Marta y Micó ha grabado los discos *En una palabra* y *Memoria del aire* (PICAP, 2015 y 2016).

Índice

San Juan de la Cruz

Luis de Góngora

Lope de Vega

Francisco de Quevedo

Prólogo

Un libro y un amigo

Uno de los impresos más importantes de la historia de la literatura española, y sin duda el más importante de la poesía de los siglos XVI y XVII, apareció en Barcelona en 1543 con el título de *Las obras de Boscán y algunas de Garcilaso repartidas en cuatro libros*. Se trata de un volumen doblemente póstumo, porque Garcilaso murió en 1536 a consecuencia de una acción militar en Provenza (tenía treinta y seis o treinta y siete años), y Juan Boscán murió en 1542, sin poder asistir al proceso final de corrección e impresión del volumen. El poeta barcelonés tuvo tiempo, sin embargo, de decidir la organización del texto, e incluyó las obras del toledano «por el amistad grande que entrambos mucho tiempo tuvieron, y porque después de la muerte de Garcilaso le entregaron a él sus obras para que las dejase como debían de estar» (así lo explica la advertencia preliminar «A los lectores»).

Como justificación de las muchas novedades que iba a encontrar el lector, Boscán escribió poco antes de morir el prólogo al libro segundo. El libro primero contenía la poesía octosilábica, en la línea de la lírica castellana representada por el *Cancionero general* recopilado y publicado por Hernando del Castillo en Valencia en 1511, pero los libros segundo, tercero y cuarto (este último con las obras de Garcilaso) contenían poemas en un estilo y, sobre todo, con unas formas métricas y estróficas completamente nuevas.

> Este libro segundo terná otras cosas hechas al modo italiano, las cuales serán sonetos y canciones, que las trovas de esta arte así han sido llamadas siempre. La manera destas es más grave y de más artificio, y (si no me engaño) mucho mejor que la de las otras.

Como dice el mismo Boscán, «en tanta novedad era imposible no temer con causa, y aun sin ella», y sus temores se fundaban en las críticas de los partidarios del viejo estilo: estos le reprochaban que, al alargarse el verso, las rimas no sonaban tanto ni tan frecuentemente como en las coplas castellanas, que no se distinguía si era verso o si era prosa y que su laxitud era propia de una poesía afeminada e insustancial. Boscán se defiende con gracia:

> ¿Quién ha de responder a hombres que no se mueven sino al son de los consonantes? ¿Y quién se ha de poner en pláticas con gente que no sabe qué cosa es verso, sino aquel que calzado y vestido con el consonante os entra de un golpe por el un oído y os sale por el otro? [...] Si a estos mis obras les parecieren duras y tuvieren soledad de la multitud de los consonantes, ahí tienen un Cancionero, que acordó de llamarse General, para que todos ellos vivan y descansen con él generalmente.

La renovación obrada por Boscán y Garcilaso había empezado en 1526, a raíz de una conversación que el barcelonés mantuvo con el escritor veneciano Andrea Navagero. No hay duda de que esa renovación se habría producido de todos modos como resultado del intenso contacto entre las culturas española e italiana, que en el caso de algunos escritores y cortesanos crecidos en el ambiente humanístico, como el mismo Garcilaso, era el modo principal de acceder a la literatura. De hecho hubo varios síntomas y se hicieron probaturas en el siglo anterior, como los *Sonetos fechos al itálico modo* del Marqués de Santillana y otros ecos dantescos o petrarquescos en algunos autores castellanos, aragoneses y catalanes del Cuatrocientos, pero la célebre conversación entre Boscán y Navagero sigue conservando el encanto de señalar una fecha simbólica para el alumbramiento de una nueva era en la poesía hispánica y el comienzo de una década prodigiosa (1526-1536) que se cierra con la muerte —prematura, pero en un momento de asombrosa plenitud creativa— de su protagonista. Vale la pena releer con detalle el testimonio de Boscán:

> Cuanto más, que vino sobre habla. Porque estando un día en Granada con el Navagero [...] tratando con él en cosas de ingenio y de letras, y especialmente en las variedades de las muchas lenguas, me dijo por qué no probaba en lengua castellana sonetos y otras artes de trovas usadas por los buenos autores de Italia; y no solamente me lo dijo así livianamente, mas aun me rogó que lo hiciese. Partime pocos días después para mi casa, y con la largueza y soledad del camino discurriendo por diversas cosas, fui a dar muchas veces en lo que el Navagero me había dicho. Y así comencé a tentar este género de verso, en el cual al principio hallé alguna dificultad, por ser muy artificioso y tener muchas particularidades diferentes del nuestro. Pero después, pareciéndome, quizá con el amor de las cosas propias, que esto comenzaba a sucederme

> bien, fui poco a poco metiéndome con calor en ello. Mas esto no bastara a hacerme pasar muy adelante, si Garcilaso con su juicio (el cual no solamente en mi opinión, mas en la de todo el mundo ha sido tenido por regla cierta) no me confirmara en esta mi demanda. Y así, alabándome muchas veces este mi propósito, y acabándomele de aprobar con su ejemplo, porque quiso él también llevar este camino, al cabo me hizo ocupar mis ratos ociosos en esto más fundadamente.

Con todo lo que hay ahí de testimonio personal de alguien muy consciente y orgulloso de la novedad de su propósito, Boscán tuvo un gran mérito, no solo por su apuesta por el cambio, sino porque era ya un poeta experto en el viejo estilo de la poesía octosilábica, tanto en castellano como en catalán. Su obra acabó siendo oscurecida, como él mismo intuyó, por la de su inspirado amigo Garcilaso.

Un poeta soldado en estado de gracia

Aparte de algunas coplas octosilábicas de valor poco más que anecdótico y no recogidas en el volumen de 1543, la obra conocida del poeta toledano Garcilaso de la Vega puede organizarse en tres grandes secciones. En primer lugar, un cancionero petrarquista, no terminado ni configurado como el *Canzoniere* de Petrarca, pero con signos de una cierta organicidad sin duda mejorada o acentuada por Boscán, con un soneto introspectivo que hace las veces de prólogo, cuatro canciones que no configuran un bloque independiente, sino que aparecen elementalmente entreveradas con los sonetos, una variedad temática y estilística afín a la del cantor de Laura (salvando las obvias diferencias de extensión), e incluso con la dualidad o convivencia de unos poemas *in vita* y otros *in morte*.

La que podemos llamar segunda sección contiene cuatro poemas contados: una oda, dos elegías y una epístola. Su evidente clasicismo recoge, con la mediación ocasional de otros poetas italianos por lo que se refiere a la experimentación métrica, el deseo de adaptar los temas y formas de la poesía latina, en particular las odas, elegías y epístolas de Horacio, Tibulo, Propercio y otros poetas latinos no siempre antiguos, pues Garcilaso conocía la poesía neolatina contemporánea y también escribió ocasionalmente en latín.

La tercera y última sección de la obra garcilasiana (en esta descripción sumaria que aquí intentamos y que sigue la ordenación de las *Obras* de 1543, después generalmente aceptada) es la compuesta por las tres églogas, unidas por el ejemplo de la autoridad de Virgilio y por la común idealización del ambiente pastoril, pero métricamente distintas. La primera, en estancias de canción petrarquista; la segunda polimétrica, y la tercera en octavas.

De esas tres grandes facetas de la obra de Garcilaso (petrarquismo, clasicismo y bucolismo) saldrá casi todo lo mejor de la poesía clásica española, ya sea por su condición de ejemplo temático o de modelo formal: una gran cantidad de cancioneros amorosos más o menos estructurados, la estrofa predilecta de fray Luis y de San Juan, las elegías en tercetos, las epístolas morales y las fábulas mitológicas. En la poesía posterior hay otras formas, corrientes y modalidades que no vienen de ahí (por ejemplo, el nuevo auge del octosílabo popular, sobre todo del romancero, o el gusto por la poesía burlesca), pero Garcilaso de la Vega fue, desde muy temprano y durante mucho tiempo, el poeta *clásico* de la literatura española. En las ediciones del siglo XVI, sus obras se desgajaron pronto de las de Boscán y siguieron su propio camino; fueron contrahechas a lo divino y merecieron, además de no pocas parodias, no uno sino dos importantes comentarios en el mismo siglo XVI, el del humanista Francisco Sánchez de las Brozas (también comentarista y traductor de Virgilio) y el del poeta y en cierto modo padre de la crítica literaria moderna en español Fernando de Herrera. Las *Anotaciones* de este último, publicadas en Sevilla en 1580 y convertidas en libro de cabecera de los poetas entonces jóvenes, muestran hasta qué punto fue importante y duradera la influencia de Garcilaso.

El primer poeta catedrático: fray Luis de León

A pesar de la profunda renovación que supuso la adopción de los nuevos modos y de los novísimos moldes, desde un punto de vista social o ambiental, la figura de poeta que encarna Garcilaso de la Vega sigue siendo la típica de las cortes aristocráticas, reales o imperiales, y no demasiado distinta de la de algunos trovadores medievales, o de otros cortesanos y poetas soldados educados en un ambiente humanístico incipiente (como el de los grandes líricos catalanes y castellanos del siglo XV: basta pensar en Ausiàs March y en Jorge Manrique) o ya plenamente desarrollado tras una sucesión de intensos contactos personales con la cultura italiana. Fray Luis de León encarna un tipo distinto de poeta. Sus versos originales, y buena parte de los traducidos, derivan de la línea horaciana, clásica y humanística, y parecen una expansión, o mejor dicho constituyen una aplicación consecuente, de la lección implícita en la breve obra garcilasiana y en el ejemplo de sus prestigiosos modelos latinos. Baste como prueba la adopción de la lira, estrofa extravagante que se convierte en canónica en sus odas.

Pero la escritura poética de fray Luis tuvo otros valores, que no dependían tanto de la inspiración y la sensibilidad cuanto de la vocación y el estudio, y que no se asentaban tanto en la esperanza de una difusión social cuanto en la intimidad y en la ética de una ocupación privada. Todo eso, naturalmente, en un plano ideal, pero en agridulce sintonía con las circunstancias de la vida, ya fuese por el veto parcial del superior de los agustinos a propósito de la difusión impresa de sus escritos, por las envidias y mezquindades de los colegas de la Universidad de Salamanca, que carecían de su talento, o por los disgustos derivados de su *Exposición al Cantar de los Cantares*, una labor filológicamente impecable pero peligrosa doctrinalmente y que, con el malintencionado aderezo de otras denuncias, le acabó llevando a la prisión inquisitorial desde marzo de 1572 hasta diciembre de 1576. En cualquier caso, la escritura poética estuvo siempre «entre las ocupaciones de mis estudios», como le confiesa a su amigo Pedro Portocarrero en la dedicatoria que sirvió de prólogo a la primera edición, notoriamente póstuma, de sus versos, preparada y publicada por Quevedo en 1631.

Fray Luis de León es uno de los pocos casos de la historia en que la frase vida académica no constituye un oxímoron. La creación y el estudio se alimentaban mutuamente, y tal vez por eso su aportación más valiosa a la renovación de la cultura europea, y no solo española, esté en el terreno de la traducción, desarrollada en un momento crucial para las lenguas vulgares, en cuya defensa acudió y a cuya madurez contribuyó también con algunas obras doctrinales próximas a lo que entendemos por ensayo, pero que cualquier lector agnóstico de hoy podría tomar por vibrante prosa de ficción: *De los nombres de Cristo* y *La perfecta casada*.

Aparte de su labor de exégesis bíblica, fray Luis tradujo las églogas de Virgilio (cinco de ellas en tercetos y las otras cinco en octavas) y nos dejó versiones métricas de los Salmos, de parte de las *Geórgicas*, de un buen número de odas de Horacio y de varias piezas sueltas de poetas griegos, latinos e italianos. Dejemos que sea él mismo quien se reinvindique por esta labor:

> De lo que es traducido, el que quisiere ser juez pruebe primero qué cosa es traducir poesías elegantes de una lengua extraña a la suya, sin añadir ni quitar sentencia y con guardar cuanto es posible las figuras del original y su donaire, y hacer que hablen en castellano y no como extranjeras y advenedizas, sino como nacidas en él y naturales. No digo que lo he hecho yo, ni soy tan arrogante, mas helo pretendido hacer, y así lo confieso. Y el que dijere que no lo he alcanzado, haga prueba de sí, y entonces podrá ser que estime mi trabajo más; al cual yo me incliné sólo por mostrar que nuestra lengua recibe bien todo lo que se le encomienda, y que no es dura ni pobre, como algunos dicen, sino de cera y abundante para los que la saben tratar.

«Las cosas que yo compuse mías», es decir, los versos que recoge como «obras propias» el primer libro de la prínceps de 1631, son solamente veintitrés composiciones: aparentemente muy poquita cosa, muy pocas «obrecillas» (es tópico diminutivo luisiano) para pasar a la historia como poeta, sobre todo si se trata de ponderar la originalidad, palabra inadecuadísima cuando se entiende, como es habitual, en términos posrománticos de autonomía creativa. Para fray Luis, el poeta es un émulo, un gramático, un erudito, un glosador, un taraceador que modela los textos sobre la base de una imponente tradición y, siguiendo la retórica clásica y las prácticas académicas, ejerce lo que entonces se llamaba —de hecho es el título de alguno de sus ejercicios de estilo— «imitación de diversos». Sus poesías son, para bien y para mal, las poesías de un filólogo que adopta latinismos, matiza significados y aventura acepciones, y que, cuando más osado e innovador parece (como en ciertos encabalgamientos que tanto le gustarían a Blas de Otero), está en realidad incorporando, con gran conciencia etimológica, un recurso de la poesía grecolatina. El suyo es un mundo de abstracciones morales y concreciones léxico-semánticas, en el que la poesía se culturaliza y se dignifica porque debe ser capaz de asumir un ideal superior, «de lo cual es argumento que convence haber usado Dios della en muchas partes de sus Sagrados Libros».

San Juan de la Cruz o la utilidad de la poesía

Podría decirse que San Juan de la Cruz es el poeta de las paradojas. No lo es solo por el hecho de que el lenguaje místico, que con él llegó a su cima en castellano, se nutre de expresiones paradójicas que son la cifra de su inspiradísima creación (como *música callada* o *soledad sonora*), sino porque su actitud poética y el sentido de su obra presentan características excepcionales que en algún caso, más que paradojas, pudieran llegar a parecer contradicciones. Una de ellas radica en la condición misma de poeta, que en su caso, y a diferencia de las formas de vida y de las variadas motivaciones literarias de los demás autores de esta antología, está en realidad supeditada a la condición de místico. Es decir, uno de los autores más sublimes de la creación poética en español no tuvo intención ni conciencia de ser poeta, sino que compuso sus versos con la intención, la conciencia y la convicción de que podían servir para expresar una realidad superior de carácter espiritual.

San Juan fue un místico que se valió de la poesía, y ello nos conduce a otra asombrosa paradoja: su obra nos habla del despego, del desasimiento, de la entrega desinteresada y de la unión del alma con Dios, pero lo cierto es que nunca en la historia del verso español ha tenido la escritura poética una función más práctica ni una utilidad más concreta: explicar los misterios de la experiencia mística y hacerlo para el público fiel, y reducidísimo, de las monjas del Carmelo. Para San Juan, la poesía no era un fin en sí misma ni el resultado de una serie de mecanismos de invención literaria; la confección de melodiosos endecasílabos y heptasílabos no era un simple modo de crear belleza, sino un medio para expresar una realidad de fe que las formas más convencionales de la expresión oral o escrita no logran verbalizar. El gran acierto de San Juan fue comprender que el lenguaje más próximo a esa necesidad de expresar lo inefable es el lenguaje de la poesía, hecho de melodías y de ritmos, de símiles y de metáforas, de imágenes y de símbolos, de figuraciones y de alegorías. Y sus versos sencillos, humildes y catequizadores acabaron adquiriendo alcance universal.

Una última paradoja afecta a la interpretación de sus poemas. San Juan los dotó de un pormenorizado aparato exegético en forma de prolijos comentarios en prosa que revelan las claves de un mundo de referencias alegóricas en el que no hay detalle sustantivo del texto que no tenga equivalencia teológica:

> *El silbo de los aires amorosos.* Dos cosas dice el alma en el presente verso, es a saber, aires y silbo. Por los aires amorosos se entienden aquí las virtudes y gracias del amado, las cuales, mediante la dicha unión del esposo embisten en el alma, y amorosísimamente se comunican y tocan en la substancia de ella. Y al silbo de estos aires llama una subidísima y sabrosísima inteligencia de Dios y de sus virtudes, la cual redunda en el entendimiento del toque que hacen estas virtudes de Dios en la substancia del alma, y este es el más subido deleite que hay en todo lo demás que gusta el alma aquí. Y para que mejor se entienda lo dicho, es de notar que ansí como en el aire se sienten dos cosas, que son toque y silbo o sonido, ansí en esta comunicación del esposo se sienten otras dos cosas, que son sentimiento de deleite e inteligencia. Y ansí como el toque del aire se gusta con el sentido del tacto y el silbo del mesmo aire con el oído, ansí también el toque de las virtudes del amado se sienten y gozan en el tacto de esta alma, que es en la substancia de ella; y la inteligencia de las tales virtudes de Dios se sienten en el oído del alma, que es el entendimiento.

No es más que el principio de la «declaración» o comentario a un solo endecasílabo, que ocupa quince morosas páginas salpicadas de precisiones filosóficas, matizaciones semánticas y citas bíblicas. Pero a pesar de esos reveladores ejercicios de autoexégesis, el *Cántico*, la *Noche* y la *Llama* pueden ser leídos como piezas exentas, como ejemplos de poesía desnuda, como pura evocación del deseo amoroso, y aun han sido a menudo interpretados como poesía erótica de carácter profano. Ello fue así porque San Juan conoció y unió las dos grandes corrientes de la poesía de su tiempo, en las que el tema amoroso ocupaba un lugar central: por un lado, la poesía culta de Garcilaso de la Vega, que fue vuelta a lo divino por Sebastián de Córdoba en 1575, y por otro, la lírica tradicional, que hundía sus raíces en la Edad Media y abundaba también en eufemismos de carácter erótico. Además de eso, obviamente, San Juan tuvo en cuenta la tradición específicamente bíblica del *Cantar de los Cantares*, cuya imaginería confiere al verso castellano decoraciones y sonoridades hasta entonces desconocidas.

De la imitación a la invención

Una generación llamada a transformar la poesía en castellano fue la de los autores nacidos en torno a 1560, como Góngora y Lope. Su marco métrico y temático era heredero de una doble tradición: la poesía de métrica italiana y de carácter culto, que seguía siendo el gran referente, y la poesía octosilábica castellana de carácter popular, que en realidad nunca se abandonó del todo y ya llevaba un tiempo recuperando protagonismo de manera progresiva. Pero podría decirse que el concepto de imitación, tan importante para los poetas renacentistas, fue sustituido por el de invención, que, además de esconder un asombroso alarde de memoria creativa basado en los mejores poetas de la Antigüedad, suponía una relación distinta con el pasado, pues implicaba el deseo y aun la necesidad de superarlo, y con el presente, al que se iban incorporando nuevos modelos genéricos y estilísticos. Ese deseo de superación basado en la invención lingüística es un mérito obvio que debe ponerse siempre por encima de todas las demás posibles virtudes y que debe considerarse como la obligación primordial de cualquier creador literario, y en la época de Góngora, Lope y Quevedo —nacido en la generación siguiente— constituía además la piedra de toque de todo poeta y debe explicarse en relación con la corriente literaria del *conceptismo*, cuyos fundamentos teóricos quedaron expuestos y ejemplificados, por lo que se refiere a España, en la obra *Agudeza y arte de ingenio* del escritor aragonés Baltasar Gracián (la primera versión se publicó en 1642 y la definitiva en 1648). La definición del *concepto* de Gracián sigue siendo válida para entender la esencia del lenguaje poético:

> Consiste, pues, este artificio conceptuoso en una primorosa concordancia, en una armónica correlación entre dos o tres cognoscibles extremos, expresada por un acto del entendimiento. [...] De suerte que se puede definir el concepto: es un acto del entendimiento que exprime la correspondencia que se halla entre los objetos.

Gracián nos ofrece una muestra muy completa de la poesía de sus contemporáneos y un buen puñado de pistas seguras para entender tanto a Góngora como a Quevedo, aunque a este último lo recuerde sobre todo por los «equívocos continuados» (*Agudeza*, discurso XXXIII) de sus poemas burlescos. Muchos de los procedimientos sintácticos, semánticos y retóricos que caracterizan la lengua poética de la época (hipérboles, comparaciones, paralelismos, sinécdoques, metáforas, hipálages, retruécanos, paronomasias) tienen su raíz en una suerte de ley de la analogía promovida por el ingenio, y cualquier objeto, dicción, tema o mito se ofrecía al poeta acompañado del espectáculo y el desafío de la disparidad.

Góngora y la claridad abisal del lenguaje

Luis de Góngora fue el artífice de una de las principales renovaciones del lenguaje poético, quizá la más profunda, y sin duda la más discutida y polémica, de cuantas conoce la historia de la literatura en castellano. A Góngora lo entendieron muy bien, mejor que sus propios contemporáneos, sus admiradores de la Generación del 27, el Dámaso Alonso del bello ensayo «Claridad y belleza de las *Soledades*», el Jorge Guillén del libro *Lenguaje y poesía*, o el Federico García Lorca conferenciante en la Residencia de Estudiantes de Madrid, en Granada o en La Habana. Don Luis, como escribió Lorca,

> Armoniza y hace plásticos de una manera violenta en ocasiones los mundos más distintos. En sus manos no hay desorden ni desproporción. [...] Une las sensaciones astronómicas con detalles nimios de lo infinitamente pequeño, con una idea de las masas y de las materias desconocida en la poesía española hasta que él las compuso.

Los pasajes más complejos de la poesía de Góngora pueden ser reducidos a una especie de *concordia discors* que resulta de un prodigioso e implacable alarde de inteligente simplicidad, que no de sencillez. Es un viaje a la semilla del lenguaje para apurar su virtualidad poética. Un ejemplo llamativo puede ser el inicio de la trabajadísima y altisonante *Canción a la toma de Larache*, un poema de ocasión escrito a finales de 1610 que no hemos creído necesario incluir en nuestra selección, pero en el que se concentran todos los recursos de pensamiento y dicción característicos de Góngora: hipérbatos, latinismos sintácticos y semánticos, metáforas en cascada y complejas alusiones mitológicas:

En roscas de cristal serpiente breve,
por la arena desnuda el Luco yerra,
el Luco, que, con lengua al fin vibrante,
si no niega el tributo, intima guerra
al mar, que el nombre con razón le bebe
y las faldas besar le hace de Atlante.
De esta, pues, siempre abierta, siempre hiante
y siempre armada boca,
cual dos colmillos, de una y de otra roca,
África (o ya sean cuernos de su luna
o ya de su elefante sean colmillos)
ofrece al gran Filipo los castillos
(carga hasta aquí, de hoy más militar pompa);
y del fiero animal hecha la trompa
clarín ya de la Fama, oye la cuna,
la tumba ve del Sol, señas de España
los muros coronar que el Luco baña.

La transmutación poética del río en serpiente no puede ser menos original en un lector de los clásicos, pero lo verdaderamente asombroso es el espectáculo de las concatenaciones conceptuales que es capaz de enristrar el poeta. Primero compara el río Luco con una serpiente que yerra por el desierto y declara guerra al mar con su lengua vibrante; dice después que África ofrece al monarca español los castillos de esa boca siempre abierta y armada de dos rocas que son como colmillos; estos, por una nueva traslación, se relacionan con dos emblemas del continente africano: la luna y el elefante, equiparados conceptualmente por la *dubitatio* («o una cosa u otra...») y por la correspondencia entre cuernos y colmillos; la trompa sale del elefante y conduce por afinidad al clarín, y en la estrofa siguiente siguen las transmutaciones en cascada y los sobrentendidos de raigambre culta o mitológica, pero todo ello sin descuidar, sino, al contrario, dignificando poéticamente los sentidos patrimoniales y las metáforas lexicalizadas: aquí, la *lengua* como «orilla», la *boca* como «desembocadura» o la *roca* como «fortificación».

No hace falta poner más ejemplos porque para eso están los comentarios y las notas de la presente antología. En definitiva, Luis de Góngora tuvo un sentido integral de la lengua y una capacidad de innovación poética como tal vez nadie ha tenido en toda la historia de la literatura en castellano, al menos antes de Rubén Darío.

Lope y la poesía como ostentación de la vida

En el Madrid del siglo XVII, para decir que una cosa era muy buena se usaba coloquialmente en algunos ambientes la expresión «Es de Lope». El autor de *El caballero de Olmedo* debió de ser un hombre arrollador capaz de agotar a cualquiera, incluso después de muerto, a juzgar por la exacerbada retahíla de ponderaciones y antonomasias con que lo definió Juan Pérez de Montalbán en la *Fama póstuma*:

> Portento del orbe, gloria de la nación, lustre de la patria, oráculo de la lengua, centro de la fama, asunto de la envidia, cuidado de la fortuna, fénix de los siglos, príncipe de los versos, Orfeo de las ciencias, Apolo de las musas, Horacio de los poetas, Virgilio de los épicos, Homero de los heroicos, Píndaro de los líricos, Sófocles de los trágicos y Terencio de los cómicos; único entre los mayores, mayor entre los grandes, y grande a todas luces y en todas materias.

Falta solo la frase más famosa de «Fénix de los ingenios». Lo cierto es que para admirar a Lope sirve incluso la ironía de sus rivales, no menos conscientes de la dimensión extraordinaria del personaje: Cervantes lo llamó ambiguamente —o no— «el monstruo de naturaleza», y Góngora lo dejó retratado en un endecasílabo: «potro es gallardo, pero va sin freno».

De los bríos y fogosidades de Lope hay tantas pruebas en su intensa vida amorosa o íntima —no diré privada, porque él mismo la aireó a menudo— como en la condición omnímoda de su literatura. No hay género que no probase y en el que no descollase. No solo se alzó «con la monarquía cómica» (otra frase cervantina), sino que avasalló a todo el mundo, en todo momento y en cualquier palestra con una fertilidad y una facilidad inigualables. Todo lo que intentaban sus contemporáneos, Lope ya lo había hecho o lo acabaría haciendo, y por lo general mejor que los demás. Le tocó una época de profundas transformaciones en el sistema literario y de intensos debates estéticos a los que contribuyó con muchos textos, entre ellos el *Arte nuevo de hacer comedias en este tiempo*, pero además era ducho en tirar la piedra y esconder la mano, como hizo a propósito del *Quijote* (el de Cervantes y tal vez también el de Avellaneda) y de la «nueva poesía» de Góngora, porque se dio cuenta de que representaban dos serias amenazas a su hegemonía.

Hizo de la explotación de su talento algo parecido a una profesión y fue un autor de éxito capaz de abastecer los teatros al exigente ritmo que pedían los empresarios y deseaba el público de las comedias, cuyas leyes, fórmulas y automatismos conoció mejor que nadie. Tuvo buen acceso al mecenazgo, entonces imprescindible para un escritor, e intervino en el incipiente mercado editorial de la literatura de ficción, apañándoselas para publicar incluso sus poemas líricos, algo excepcional si se tiene en cuenta que la poesía se difundía casi exclusivamente de manera manuscrita y que ni Garcilaso, ni fray Luis, ni San Juan, ni Góngora, ni Quevedo vieron impresas sus obras poéticas.

Cuando se habla de Lope suele aludirse a la identificación de vida y literatura como un rasgo esencial que él mismo contribuyó a convertir en definitorio de su obra. A propósito, por ejemplo, de la expresión de los afectos le pregunta en un soneto a Lupercio Leonardo de Argensola: «¿Que no escriba decís, o que no viva?», y se defiende al modo de los estilnovistas italianos y sus protestas de autenticidad:

Haced vos con mi amor que yo no sienta,
que yo haré con mi pluma que no escriba.

Creo que Lope no confundió nunca la vida y la literatura, pero comprendió mejor que nadie que, si se alimentaban de manera recíproca, ambas mejorarían. Fue un maestro de esa alquimia y convirtió en literatura, mixtificándolas, muchas de sus experiencias: cada episodio de su nutrida biografía (los pleitos de juventud, el destierro, la Armada, su relación con el duque de Sessa, la muerte de los suyos, la crisis religiosa, las polémicas con otros escritores, las últimas angustias), cada uno de sus amores, matrimoniales o no (Elena Osorio, Isabel de Urbina, Micaela Luján, Juana de Guardo, Marta de Nevares y algunos otros), tuvo sitio, y no pequeño, en sus escritos, y en el trasvase resultó particularmente beneficiada su obra poética, una de las más originales de su tiempo y no menos digna de memoria que su ingente producción teatral. No menos digna de memoria, igualmente asombrosa por su volumen y más admirable, si cabe, porque abarcó todas las especies y subespecies genéricas conocidas.

En la línea petrarquista, por ejemplo, Lope ofreció a sus lectores, de manera diferenciada y progresiva, el cancionero amoroso (*Rimas*, 1602) y el cancionero del arrepentimiento cristiano (*Rimas sacras*, 1614), para terminar con la superación paródica de ambos (*Rimas humanas y divinas del licenciado Tomé de Burguillos*, 1634). Fue uno de los grandes renovadores del romancero y desarrolló un ambicioso y completo programa épico en todas sus variantes: nacionalista (*La dragontea*, 1598), hagiográfica (*Isidro*, 1599), inspirada en el modelo de Ariosto (*La hermosura de Angélica*, 1602), atenta a la propuesta de Torquato Tasso (*Jerusalén conquistada*, 1609), y también escribió extensas fábulas de trasfondo clásico que sirvieron de soporte editorial a otros textos de carácter misceláneo (*La Filomena*, 1621; *La Circe*, 1624).

Quevedo y la constatación de lo humano

Para hacerse una idea de la fascinante versatilidad de la obra de Quevedo —quien, en citadísima frase de Jorge Luis Borges, «es menos un hombre que una dilatada y compleja literatura»— bastaría con aludir a sus escritos en prosa, entre los que figuran tratados de doctrina cristiana (como la *Virtud militante*), ensayos de filosofía política (*Marco Bruto*, *Política de Dios*), ficciones satíricas (los *Sueños* y *La hora de todos*) o una novela picaresca (*La vida del Buscón*), además de un largo etcétera de opúsculos festivos, estudios humanísticos y alegatos polémicos. La alternancia o, mejor, la coincidencia de asuntos serios y temas jocosos, de propósitos morales e intenciones humorísticas, se dio en otros autores de la época, pero fue quizá en la obra de Quevedo donde se manifestó más intensamente, hasta el punto de ser reconocida como característica por sus contemporáneos. En el *Laurel de Apolo*, publicado en 1630, Lope de Vega definió a Quevedo como una especie de suma «de cuanto ingenio ilustra el universo», equiparándolo en sus distintas facetas al prestigioso humanista Justo Lipsio y a escritores clásicos que representaban la excelencia en la poesía satírica (Juvenal), en la lírica (Píndaro) y en la fabulación narrativa (Petronio). Para Lope, Quevedo era un

espíritu agudísimo y suave,
dulce en las burlas y en las veras grave.

Por lo que se refiere en concreto a la poesía, su primer editor, José Antonio González de Salas, señaló en *El Parnaso español* (1648) que «la felicidad del ingenio» de Quevedo había sido capaz de dar culto a todas y cada una de las nueve Musas, y siguiendo, según dijo, un «dictamen» del propio poeta, decidió «distribuir las especies todas de sus poesías en clases diversas, a quien las nueve Musas diesen sus nombres». Esa versatilidad, ajena a los grandes autores del Renacimiento, constituye uno de los rasgos principales de la época barroca y es perceptible al menos desde la generación anterior a la del autor del *Buscón*, pero en sus versos se ofrece, de nuevo, con un contraste más llamativo y más impresionante: Quevedo es el cantor del amor acendrado y el maestro del humor chocarrero, el forjador de demoledoras sentencias metafísicas y el rimador de chistes excrementales.

Desde un punto de vista temático, podemos distinguir tres grandes apartados en su obra poética: poesía moral, poesía amorosa y poesía satírico-burlesca. Los temas principales de la poesía moral derivan en buena medida de la tradición clásica: la crítica severa de las costumbres contemporáneas, la certificación desengañada del paso del tiempo, la vanidad de lo humano o la aceptación de la muerte. Alguna vez estos temas, característicos de la moral estoica, merecieron un tratamiento religioso que alcanza su expresión más perfecta en la colección titulada *Heráclito cristiano*.

En la lírica amorosa se reconoce la influencia predominante del petrarquismo (ya naturalizado en España por Garcilaso y enriquecido con diversos elementos neoplatónicos) y la presencia de otras dos tradiciones: la lírica de los cancioneros castellanos de los siglos XV y XVI, y la poesía elegíaca latina. Aunque algunos poemas se limitan a recrear motivos y artificios de la poesía galante, hay un puñado de sonetos magníficos que, alejándose de las convenciones expresivas que imponía un género tan codificado, logran transmitir con autenticidad la fe del amante en la inmortalidad de su sentimiento o la conmoción con que confiesa su desesperanza. También en la sección de poesía amorosa hay una serie de textos que fue concebida como colección unitaria, *Canta sola a Lisi y la amorosa pasión de su amante*.

Casi la mitad de los poemas de Quevedo y bastante más de la mitad del número total de versos conservados son satíricos y burlescos. Su autor fue conocido en su tiempo sobre todo por esta faceta, circunstancia que vale también para la prosa, como demuestran el *Buscón*, los *Sueños* o los muchos opúsculos festivos que se difundieron manuscritos o impresos. Los temas suelen ser los habituales en la sátira de costumbres y en la caricatura de tipos sociales y morales ya martirizados por una larga tradición que tiene sus raíces en la época clásica (especialmente en Juvenal, Marcial y la *Antología griega*) y que fue renovada en los siglos XVI y XVII gracias a la aportación de otros muchos autores. En Francisco de Quevedo aparecen satirizados el poder del dinero, el cornudo, el narizotas, la vieja pintarrajeada, el poeta alambicado, la épica antigua, la novela contemporánea y otros muchos tipos y asuntos, pero no con intención moralizante, sino con medios y propósitos claramente humorísticos en los que destaca y asombra la prodigiosa capacidad del autor para la creación verbal, la invención de metáforas descabelladas, el retrato vejatorio de personas y animales o la descripción ridiculizante de objetos y situaciones.

Toda la poesía de Quevedo, la seria y la cómica, abunda en ejemplos prodigiosos de elaboración y concatenación de conceptos complejos que dan sentido a una frase, tan irrebatible como obvia, que vuelve a ser de Borges: «La grandeza de Quevedo es verbal».

Un sueño breve

Las edades de oro suelen durar menos que las de piedra. Son un violento fogonazo, o una sucesión de fuegos fatuos en la noche del mundo. La edad más brillante de la poesía española en la península ibérica duró el siglo y pico que corrió entre los primeros versos de Garcilaso y los últimos de Quevedo. Tal vez el arco temporal de la prosa fue más abarcador: podría decirse que va de *La Celestina* a Gracián, con las dos cumbres asimétricas del *Lazarillo* y el *Quijote*; y las piezas teatrales de entonces que hoy nos parecen memorables se escribieron y estrenaron en el curso de pocas décadas. Son destellos de un siglo elástico y simbólico que arrastró también, como todos, su peltre y su cascajo.

Lo cierto es que, entre los libros que conocemos, los antológicos son precisamente los que con más frecuencia pecan por exceso, porque todo lo que es susceptible de ser elegido corre el peligro de tener, en el fondo, condición de superfluo. Esta es otra antología de la poesía del Siglo de Oro. Una más, pero precisamente por eso puede que presente, queriendo o sin querer, alguna novedad (y no precisamente en la inversión del título, más sencilla que ingeniosa y ya usada a otros efectos por el poeta mexicano José Javier Villarreal). No es una selección de los mejores poemas escritos durante los siglos XVI y XVII, sino una reunión de los seis mejores poetas de esa época, una muestra razonable de su trayectoria y una presentación razonada de sus textos más importantes, anotada con voluntad de servicio y preparada con la idea de que, aunque se trata solo de media docena de autores entre varias docenas de valiosos poetas coetáneos, estos seis son los únicos que transformaron con su ejemplo la historia de la poesía en español, pues en cualquiera de los rincones de su obra destella un talento superior. Comparados con ellos, los otros talentosos poetas del llamado Siglo de Oro son inevitablemente menores, por más que escribieran algunas composiciones muy hermosas y muy célebres. Es la excelencia de esos otros poetas la que nos da la medida de la grandeza de los seis maestros que señalaron, con su imprevisible complementariedad y su indudable influencia, seis maneras distintas de entender y ejercer la creación poética: Garcilaso, fray Luis, San Juan, Lope, Góngora y Quevedo. Sus vidas nos interesan por lo que resultó de ellas, y aquí se reúnen y comentan sus obras más significativas, que son, al fin y al cabo, las verdaderas razones de su perennidad.

J. M. M. J.,
Barcelona y Madrid, diciembre de 2016

Nota editorial, métrica y bibliográfica

Por un extraño concepto del rigor, se suele seguir editando a nuestros clásicos con cosas como «Quién está 'llà», «de do 'l vivir su causa iva ganando», «ardiente ginete» o «En los claustros de l'alma». Esa fidelidad mal entendida (porque a menudo las formas más modernas y hoy correctas suelen estar documentadas en los mismos testimonios manuscritos o impresos que conservan las arcaicas) redunda en una cierta ilegibilidad de los poetas antiguos, que no nos parece buena en un volumen como el presente. Naturalmente hay cosas que deben respetarse, porque no crean confusión alguna al lector avisado y porque son pertinentes histórica o poéticamente, como ciertas peculiaridades gramaticales y fonéticas (*antigos, aqueste, escuridad, felice, invidia, ñudo, sauz, sincel, sotil...*), que a veces afectan a la rima (*contino*, *indino...*); no pocas formas verbales (*estó*, *fuerdes*, *llevastes*, *mirá*, *vierdes...*), o la convivencia de ciertos dobletes como *ahora/agora* o *así/ansí*, forma esta última que es claramente aliterativa, por ejemplo, en un verso de fray Luis de León («se c*an*sa *an*sí y *en*dura»). Pero una cosa es respetar las peculiaridades de la época y los recursos propios de una lengua más maleable que la nuestra, y otra cosa muy distinta mantener arcaísmos o caprichos gráficos de los testimonios antiguos cuando podemos modernizarlos sin perjuicio alguno. Aquí hemos modernizado la grafía de los poemas con algo más de decisión que en las ediciones filológicas, pero intentando no desvirtuar su condición de textos del pasado. Nuestra transcripción de los textos es, pues, otra de las maneras con que intentamos aproximarlos al lector, poniéndolos a la altura de su permanente contemporaneidad, porque la poesía de los clásicos no es solamente objeto de estudio, sino, sobre todo, objeto de deseo y fuente de placer. Las notas pretenden entender los textos y darlos a entender a un lector actual, y por eso unas veces contienen meras aclaraciones léxicas y otras veces llaman la atención sobre aspectos estilísticos, procurando no desvirtuar en exceso la cohesión de los poemas.

Algunas de las peculiaridades de estos textos tienen que ver con la escansión métrica. El verso castellano se rige por dos pautas fundamentales: el número de sílabas y la disposición de los acentos. La sílaba que determina la medida de un verso es la última acentuada: se añade una sílaba cuando la palabra final es aguda y se descuenta cuando es esdrújula. Así, el verso de once sílabas tiene invariablemente su último acento en la décima sílaba, el de ocho en la séptima, etcétera. El cómputo silábico se atiene a unos criterios específicos relativos a la unión de las vocales y a la acentuación, de manera que las sílabas métricas no siempre coinciden con las fonológicas. Por un lado, la última vocal de una palabra puede unirse con la inicial de la palabra siguiente mediante la sinalefa, como sucede en el verso de Góngora *en tierra, en humo, en polvo, en sombra, en nada*, que tiene once sílabas (y no quince, como resultaría de un cómputo aislado de sus unidades silábicas). Para muchos textos antiguos debe tenerse en cuenta que la pronunciación de la época no admitía la sinalefa en algunas situaciones en las que hoy se aplicaría normalmente; es el caso de la aspiración de la *h* inicial (procedente de *f* latina), que es general en los textos del siglo XVI (como en el endecasílabo garcilasiano *por no hacer mudanza en su costumbre*) y que aún está presente en los poetas andaluces del XVII (como en el heptasílabo gongorino *ni emprenderá hazaña*).

También es normal que la métrica exija una acentuación y, por tanto, una pronunciación diferente de la habitual. Un recurso frecuente en las ediciones filológicas es marcar la sinéresis quitando el acento a palabras como *habia* («había»), *rio* («río»), *seria* («sería»); sin embargo, se deja el acento en palabras esdrújulas que también se ven afectadas por el mismo fenómeno (por ejemplo, *purpúreo* con frecuencia debe pronunciarse trisílabo), y también se obra por omisión cuando la sinéresis afecta a una palabra sin tilde (como *deseo* o *desee* cuando exigen, y sucede varias veces, ser palabras bisilábicas). Así las cosas, en la presente edición no se modifica la acentuación normativa para indicar la sinéresis, pues sin duda el lector tiene la suficiente sindéresis para reconocer el ritmo del verso, que es el que al final se impone, y adaptar su lectura sin que le extrañe, le desazone o le perturbe una palabra mal acentuada.

Un problema distinto, pero no menos complejo, es el de la diéresis. No es raro que en poesía se separen algunos diptongos. En un verso como el de Lope *tiene pausas de música suave*, la misma melodía del endecasílabo impone al lector la pronunciación trisílaba del adjetivo, y no hay necesidad de marcarlo —como casi siempre se hace— con una diéresis gráfica cuando en la lengua hablada, en ese y otros casos parecidos (valga uno más famoso, el heptasílabo garcilasiano *Con un manso ruido*), también alternan de manera natural el hiato y el diptongo. Otras veces, en cambio, la violencia o extrañeza del hiato aconseja marcar la diéresis (como en los endecasílabos *y el antiguo valor italïano* y *por el hervor del sol demasïado*, o los heptasílabos *tu glorïosa frente* y *con sed insacïable*), pero hemos preferido no abusar de ella para preservar y destacar su verdadera función de recurso fonético y gráfico (como la que tiene, de modo extraordinario, en el soneto de Góngora «Prisión del nácar era articulado» y en otros versos del cordobés).

Las ya mencionadas *Obras* de Boscán y Garcilaso introdujeron y naturalizaron en la poesía española las principales formas poéticas de la literatura italiana. Destaca entre todas ellas el soneto, la más numerosa en esta selección y la más utilizada hasta nuestros días. Consta de catorce versos distribuidos en dos cuartetos y dos tercetos con rima consonante, siguiendo el esquema *ABBA ABBA CDE CDE*, aunque los últimos seis versos podían disponerse de otras maneras, por ejemplo *CDC EDE*, *CDE DCE*, *CCD EED*. Por su acentuación, los tipos de endecasílabo más frecuentes eran el sáfico, con acentos en cuarta y sexta u octava (*por el hermoso cuello, blanco, enhiesto*); el melódico, con la tercera y la sexta sílabas acentuadas (*y que vuestro mirar ardiente, honesto*); el heroico, con segunda y sexta tónicas (*en tanto que de rosa y azucena*) y el enfático, con acentos en primera y sexta (*todo lo mudará la edad ligera*). También se sirvieron exclusivamente del endecasílabo la octava real, con rima consonante *ABABABCC*, y los tercetos, un número indeterminado de versos dispuestos con rima encadenada (*ABA BCB CDC...*) y rematados con un cuarteto o serventesio (*...XYX YZYZ*).

Las otras formas métricas de la lírica culta del siglo XVI (lira, madrigal y canción de estancias) combinan versos de once y siete sílabas. La lira, adoptada por Garcilaso en la *Oda a la flor del Gnido* y consagrada por fray Luis de León y San Juan de la Cruz, consta de cinco versos, de los cuales son endecasílabos el segundo y el último (*aBabB*); afín a ella es el sexteto-lira (*abCabC* o *aBaBcC*). El madrigal es un poema monostrófico que combina versos de siete y once sílabas hasta un número cercano a la docena. En la canción petrarquista, todas las estrofas o estancias tienen el mismo número de versos (normalmente, entre diez y veinte) y repiten el mismo esquema de rimas, que es peculiar de cada composición, si bien hubo algunos esquemas consagrados por el uso o por el prestigio del autor, entre ellos varios de Petrarca, que fueron usados por Garcilaso y, a su zaga, por otros poetas, incluso del siglo XX; al final solía figurar el envío, una estrofa más breve en la que el poeta se dirige a su poema.

Los principales hallazgos métricos de la poesía del siglo XVI pervivieron o evolucionaron, y aun dieron sus mejores frutos, en la centuria siguiente. La idea barroca de variedad se extiende también a las cuestiones métricas, e implicó una ampliación de las posibilidades expresivas de los metros del Renacimiento, acompañada de la práctica desaparición de los límites y relaciones entre estrofas, géneros y temas. La aportación principal de la generación de los poetas nacidos hacia 1560 (entre ellos destacan Lope y Góngora) fue la renovación del romancero, a un tiempo temática y métrica: subversión o parodia de la poesía petrarquista y otras tradiciones ilustres, clara distribución por cuartetas, presencia ocasional de estribillos —a veces heterométricos—, gusto creciente por los romancillos (romances con versos de menos de ocho sílabas) y cambios en la estructura musical.

La recuperación de la poesía octosilábica con rima consonante acentuó las agudezas y los juegos de ingenio característicos de la poesía conceptista; buen ejemplo de ello son las redondillas. Mención aparte merece la décima; aunque podríamos encontrarle modelos o precedentes en algunas canciones trovadorescas del siglo XV, su forma más característica (*abbaaccddc*: es decir, dos redondillas con dos versos centrales de enlace) se fijó y desarrolló a finales del siglo XVI y adquirió gran perfección en el teatro de Lope de Vega y de Calderón de la Barca. La disposición del villancico y los poemas tradicionales en general (estribillo, mudanza y vuelta) da forma a otra de las variedades características del siglo XVII, la letrilla, usada principalmente por los poetas satíricos.

La misma alternancia entre continuidad e innovación puede advertirse en la métrica de origen italiano. El soneto se convirtió en forma hegemónica al mostrarse capaz de todo tipo de temas y estilos (sacro, panegírico, heroico, fúnebre, amoroso, moral, satírico, burlesco). La lira se usó menos que otras combinaciones afines, pero se mantuvo el prestigio de la canción de estancias, reservada para temas ilustres o graves. Los tercetos prosperaron enormemente como molde de las elegías y las epístolas, y la poesía mitológica siguió mostrando su predilección por las octavas. En el terreno de la poesía culta, la principal innovación métrica del siglo XVII fue la silva, combinación libérrima de endecasílabos y heptasílabos; por sus características específicas (ausencia de estrofas y de un esquema previo de rimas, aunque a veces cada unidad de pensamiento se cerraba con un pareado), tan pronto servía para un poema breve como para uno extenso y el mejor ejemplo son las *Soledades* de Góngora.

Entre la inabarcable bibliografía especializada, selecciono las ediciones más recientes y rigurosas, algunas biografías y unos pocos estudios de conjunto para quien quiera saber más sobre los autores y entender mejor su obra y su época.

EDICIONES: Garcilaso de la Vega, *Obra poética y textos en prosa*, ed. B. Morros, estudio preliminar de R. Lapesa, Barcelona, Crítica, 1995 (y ed. abreviada, Barcelona, 2001); fray Luis de León, *Poesía*, ed. A. Ramajo Caño, Madrid, Real Academia Española, 2012; San Juan de la Cruz, *Cántico espiritual y poesía completa*, ed. P. Elia y M. J. Mancho, estudio preliminar de D. Ynduráin, Barcelona, Crítica, 2002; Luis de Góngora, *Antología poética*, edición a cargo de A. Carreira, Barcelona, Austral-Crítica, 2009; Lope de Vega, *Rimas humanas y otros versos*, ed. A. Carreño, Barcelona, Crítica, 1998; Francisco de Quevedo, *Un Heráclito cristiano, Canta sola a Lisi y otros versos*, ed. L. Schwartz e I. Arellano, Barcelona, Crítica, 1998 (se anuncia una nueva edición, Real Academia Española, 2017), o también *Poemas metafísicos y Heráclito cristiano* y *Sonetos morales*, ed. E. Moreno Castillo, Pamplona, Eunsa, 2012 y 2014.

BIOGRAFÍAS Y ESTUDIOS LITERARIOS: Dámaso Alonso, *Poesía española. Ensayo de métodos y límites estilísticos*, Madrid, Gredos, 1950 (y numerosas reimpresiones); Ignacio Arellano, *Comentarios a la poesía satírico burlesca de Quevedo*, Madrid, Arco Libros, 1998; Mercedes Blanco, *Góngora o la invención de una lengua*, León, Universidad de León, 2012; Mercedes Blanco, *Góngora heroico. Las «Soledades» y la tradición épica*, Centro de Estudios Europa Hispánica, 2012; Santiago Fernández Mosquera, *La poesía amorosa de Quevedo. Disposición y estilo desde «Canta sola a Lisi»*, Madrid, Gredos, 1999; Antonio Gargano, *Con canto acordado. Estudios sobre la poesía entre Italia y España en los siglos* XV-XVII, Sevilla, Ediciones de la Universidad de Sevilla, 2012; Robert Jammes, *La obra poética de Luis de Góngora y Argote*, Madrid, Castalia, 1987; Pablo Jauralde, *Francisco de Quevedo (1580-1645)*, Madrid, Castalia, 1998; Begoña López Bueno (coord.), *La renovación poética del Renacimiento al Barroco*, Madrid, Síntesis, 2006; Rafael Lapesa, *Garcilaso: estudios completos*, Madrid, Istmo, 1985; José María Micó, *Para entender a Góngora*, Barcelona, Acantilado, 2015; Felipe B. Pedraza Jiménez, *El universo poético de Lope de Vega*, Madrid, Ediciones del Laberinto, 2003; Jesús Ponce Cárdenas, *Góngora y la poesía culta del siglo* XVII, Madrid, Ediciones del Laberinto, 2001; Alfonso Rey, *Quevedo y la poesía moral española*, Madrid, Castalia, 1996; Efrén de la Madre de Dios y Otger Steggink, *Tiempo y vida de San Juan de la Cruz*, Madrid, Biblioteca de Autores Cristianos, 1992; María del Carmen Vaquero Serrano, *Garcilaso, príncipe de poetas. Una biografía*, Madrid, Centro de Estudios Europa Hispánica y Marcial Pons, 2013; Domingo Ynduráin, *Aproximación a San Juan de la Cruz. Las letras del verso*, Madrid, Cátedra, 1990.

GARCILASO DE LA VEGA

(Toledo, h. 1499 – Niza, 1536)

[1]

De entre todos los sonetos de Garcilaso, el que cumple mejor la condición de poema introspectivo, a la manera del soneto-prólogo del *Canzoniere* de Petrarca («Voi ch'ascoltate in rime sparse il suono...») y de otros sonetos recapitulativos del poeta italiano (como el que comienza «Quand'io mi volgo in dietro a mirar gli anni») es el que aparece efectivamente en primer lugar en las *Obras de Boscán y Garcilaso* publicadas en 1543. El poeta se detiene para reflexionar sobre su pasado y sobre su estado actual. Por su estilo, este poema parece de los más tempranos de Garcilaso: los tercetos introducen el tema amoroso, formulado con expresiones que se muestran todavía próximas, a pesar de la profunda transformación métrica, a la tradición de la lírica octosilábica castellana, visible sobre todo en algunos términos característicos (como el *cuidado* o cuita amorosa) y en la formulación derivativa de los versos 7 a 14: *acabo*, *acabar*, *acabaré*, *acabarme*; *quisiere*, *querello*; *hará*, *hacello*. Léxica y temáticamente no está todavía muy lejos de la poesía amorosa medieval, pero la melodía del verso ha cambiado por completo. Esta composición gozó de tanta fortuna que se conocen versiones de muy distinta índole: imitaciones, divinizaciones y reelaboraciones burlescas, y sumado su ejemplo al de Petrarca, sirvió de modelo a los muchos sonetos-prólogo y otras composiciones palinódicas (es decir, de balance y arrepentimiento) de los mejores poetas españoles de los siglos XVI y XVII, como Francisco de Aldana, Lope de Vega, Francisco de Quevedo, el conde de Villamediana o Gabriel Bocángel.

SONETO I

Cuando me paro a contemplar mi estado
y a ver los pasos por dó me han traído,
hallo, según por do anduve perdido,
que a mayor mal pudiera haber llegado;

5 mas cuando del camino estó olvidado,
a tanto mal no sé por dó he venido;
sé que me acabo, y más he yo sentido
ver acabar conmigo mi cuidado.

Yo acabaré, que me entregué sin arte
10 a quien sabrá perderme y acabarme
si quisiere, y aún sabrá querello;

que pues mi voluntad puede matarme,
la suya, que no es tanto de mi parte,
pudiendo, ¿qué hará sino hacello?

1 *mi estado*: «mi situación».
2 *dó*: «dónde».
5 *estó*: «estoy».
7 *me acabo*: «llego a mi fin, me muero».
8 *cuidado*: «preocupación amorosa».
9 *acabaré*: «llegaré a mi fin, moriré»; *sin arte*: «sin artificio, sin fingimiento, sinceramente».
10 *acabarme*: «matarme».
11 *y aún*: con valor intensificativo, «y claro está que sabrá quererlo».
13 *la suya, que no es tanto de mi parte*: «su voluntad, que no está de mi parte tanto como la mía».
14 Téngase en cuenta que en la época de Garcilaso se aspiraba la *h* procedente de *f* inicial latina (impidiendo, como en este caso, la sinalefa).

[2]

El siguiente soneto, quinto en la ordenación de las *Obras* de 1543, recoge un motivo antiguo de la poesía amorosa especialmente apreciado por los poetas del llamado *dolce stil novo* (Guido Guinizzelli, Guido Cavalcanti y Dante Alighieri) y por Petrarca y que se fue cargando de elementos neoplatónicos: el rostro de la amada impreso o grabado en el alma del amante. En este soneto, además, Garcilaso se libera de la casi inevitable exaltación de la dama mediante la hipérbole sagrada (frecuentemente expuesta en términos de veneración religiosa, como en el verso 8, «tomando ya la fe por presupuesto»), y confiere a sus palabras un tono de sinceridad y vehemencia que extrema la identificación de los amantes mediante la voluntad de sacrificio del enamorado. La adoración del poeta es tal que, como exigía el amor cortés, puede y aun debe producirse en secreto, y el adorador asume íntimamente como dogma de fe la belleza de su amada, tan extraordinaria que su intelecto no alcanza a comprenderla. En la vehemente declaración de los tercetos influyó otro de los grandes poetas medievales leídos por Garcilaso, el valenciano Ausiàs March.

SONETO V

Escrito está en mi alma vuestro gesto
y cuanto yo escribir de vos deseo:

1 *escrito*: «impreso, grabado»; *gesto*: «rostro, semblante».

vos sola lo escribistes; yo lo leo
tan solo, que aun de vos me guardo en esto.

5 En esto estoy y estaré siempre puesto,
que aunque no cabe en mí cuanto en vos veo,
de tanto bien lo que no entiendo creo,
tomando ya la fe por presupuesto.

Yo no nací sino para quereros;
10 mi alma os ha cortado a su medida;
por hábito del alma misma os quiero;

cuanto tengo confieso yo deberos;
por vos nací, por vos tengo la vida,
por vos he de morir, y por vos muero.

[3] *escribistes*: «escribisteis»; *lo leo*: puede entenderse también «lo contemplo y lo interpreto».

[4] *me guardo*: «me escondo, me privo». El poeta afirma que contempla la imagen de su amada en soledad (es decir, en secreto, sin necesidad de presenciarla).

[5] *en esto*: nótese el enlace entre los cuartetos mediante la anadiplosis.

[7-8] El poeta asume como dogma de fe la belleza de su amada, tan extraordinaria que su intelecto no alcanza a comprenderla.

[11] *hábito*: dilogía que alude primero al «vestido» (confeccionado o *cortado a su medida* para que entalle con el alma del enamorado), y como «costumbre» ya adquirida sin remedio. Vale la pena comparar estos versos con otros de Ausiàs March: «per vós amar fon lo meu naximent» (LVIII, 30) y «Amor, Amor, un hàbit m'he tallat» (LXXVII, 25, también imitado por Garcilaso en su soneto XXVII).

[3]

Soneto en el que el poeta lamenta la ausencia de la amada, cuyo recuerdo es avivado dolorosamente por la contemplación de unas «prendas» de amor (motivo literario conocido al menos desde Virgilio) que ella le había entregado en otros tiempos. La antigua felicidad se contrapone a la tristeza que le causa en el presente la contemplación de dichos dones. No hay ningún dato fidedigno por el que pueda decirse que se trata de un lamento tras la muerte de Isabel Freire, pero así quiso entenderlo la tradición y así lo ha interpretado buena parte de la crítica moderna. La emocionada formulación aliterativa del último verso (*verme morir entre memorias tristes*) ofrece un broche inmejorable a este poema, que fue rememorado por Camões, Cervantes y otros escritores.

SONETO X

¡Oh dulces prendas por mi mal halladas,
dulces y alegres cuando Dios quería,
juntas estáis en la memoria mía
y con ella en mi muerte conjuradas!

1 *prendas*: «objetos, regalos amorosos»; *por mi mal*: «para mi mal, para mi desgracia».

4 *y con ella en mi muerte conjuradas*: «y conjuradas, aliadas con mi memoria para causarme la muerte».

5 ¿Quién me dijera, cuando las pasadas
horas que en tanto bien por vos me vía,
que me habíades de ser en algún día
con tan grave dolor representadas?

Pues en una hora junto me llevastes
10 todo el bien que por términos me distes,
llevame junto el mal que me dejastes;

si no, sospecharé que me pusistes
en tantos bienes porque deseastes
verme morir entre memorias tristes.

5-6 *cuando las pasadas / horas...*: «en aquellos momentos felices del pasado».

6 *vía*: «veía».

7 *me habíades*: «me habíais»; la forma verbal debe pronunciarse con sinéresis (es decir, *habiades*, trisílaba) por razones métricas.

9 *junto*: «de golpe, de una sola vez»; *me llevastes*: «me llevasteis, me quitasteis». En el castellano de la época eran correctas y usuales estas terminaciones verbales.

10 *por términos*: «poco a poco, por partes y limitadamente»; *me distes*: «me disteis».

11 *llevame*: «llevadme, quitadme»; *me dejastes*: «me dejasteis».

12 *me pusistes*: «me pusisteis».

13 *deseastes*: «deseasteis».

14 *memorias*: «recuerdos».

[4]

El siguiente es el más importante de los sonetos de carácter mitológico escritos por Garcilaso. Se inspira en una célebre transformación relatada por Ovidio en las *Metamorfosis* y que tuvo un enorme protagonismo simbólico en la poesía de Petrarca: Dafne, acosada por Apolo y herida con la flecha del desdén, se convirtió en árbol (en laurel) cuando el dios estaba a punto de darle alcance. A la espléndida descripción de su transformación en los cuartetos, en los que destaca una gran abundancia de epítetos (*luengos*, *verdes*, *áspera*, *tiernos*, *blancos* y *torcidas*), le sigue en los tercetos una consideración de la desdicha del amante que trasciende lo mitológico: Apolo, cuyo nombre no se menciona, se erige de hecho en emblema del sufrimiento del enamorado. Garcilaso volvió a recrear este mito, con parecido lujo descriptivo, en la *Égloga III*, vv. 153-168.

SONETO XIII

A Dafne ya los brazos le crecían
y en luengos ramos vueltos se mostraban;
en verdes hojas vi que se tornaban
los cabellos que el oro escurecían;

2 *y en luengos ramos vueltos se mostraban*: «y aparecían convertidos en largas ramas».

4 *los cabellos que el oro escurecían*: «los cabellos que con su resplandor hacían que el oro pareciese oscuro».

5 de áspera corteza se cubrían
los tiernos miembros que aún bullendo estaban;
los blancos pies en tierra se hincaban
y en torcidas raíces se volvían.

Aquel que fue la causa de tal daño,
10 a fuerza de llorar, crecer hacía
este árbol, que con lágrimas regaba.

¡Oh miserable estado, oh mal tamaño,
que con llorarla crezca cada día
la causa y la razón por que lloraba!

6 *miembros*: «partes del cuerpo», incluidos los órganos internos; *bullendo*: «agitándose, moviéndose».

7 *se hincaban*: «se clavaban» (debe pronunciarse sin sinalefa, aspirando la *h* inicial).

9 *aquel que fue...*: se refiere a Apolo.

12 *tamaño*: «tan grande, enorme».

14 Como sucede alguna vez en el *Canzoniere* de Petrarca, la condición de Apolo (también dios de la poesía) como emblema del dolor amoroso parece estar relacionada con la escritura poética, simbolizada por el *laurel* (*causa* y *razón* de su llanto). El desdichado Apolo solo consigue con su llanto regar y hacer crecer el motivo de su sufrimiento.

[5]

El siguiente soneto, el número XXIII en la ordenación clásica de la poesía de Garcilaso, fue escrito seguramente durante la estancia del poeta en Nápoles, entre 1533 y 1536, y representa mejor que ningún otro la enorme transformación rítmica, métrica, léxica y estilística de la poesía española del Renacimiento por influencia de la italiana. En él se recrean dos tópicos clásicos que solían confluir en el tema de la necesidad de aprovechar la juventud mientras dura: el *collige, virgo, rosas* («coge, muchacha, las rosas»), llamado de este modo por un verso atribuido al poeta latino Ausonio, y el *carpe diem* («aférrate al día») de Horacio. Los cuartetos describen a la dama (el color del rostro, la mirada, el cabello y el cuello) siguiendo el canon renacentista de la belleza femenina, de modo que el color rojo de la rosa simboliza la sensualidad, y el blanco de la azucena, la honestidad. El primer terceto completa la oración que estructura el texto, incitando al goce de la juventud («coged el dulce fruto de vuestra alegre primavera»), y el terceto final contiene una sentenciosa enunciación del paso del tiempo expresada con efectivas metáforas. El tema y la sintaxis del soneto revelan que Garcilaso se inspiró en otro del veneciano Bernardo Tasso (1493-1569).

SONETO XXIII

En tanto que de rosa y de azucena
se muestra la color en vuestro gesto,

1 *en tanto que*: «Mientras».
2 El sustantivo *color* era entonces de género femenino; *gesto*: «rostro» o, más vagamente, «semblante».

y que vuestro mirar ardiente, honesto,
con clara luz la tempestad serena;

5 y en tanto que el cabello, que en la vena
del oro se escogió, con vuelo presto
por el hermoso cuello blanco, enhiesto,
el viento mueve, esparce y desordena,

coged de vuestra alegre primavera
10 el dulce fruto antes que el tiempo airado
cubra de nieve la hermosa cumbre.

Marchitará la rosa el viento helado,
todo lo mudará la edad ligera
por no hacer mudanza en su costumbre.

[5] *vena*: «filón»; el cabello es tan rubio que parece extraído de la mejor vena de oro.

[6] *presto*: «rápido».

[7] *enhiesto*: «erguido, derecho».

[9-12] La *alegre primavera* simboliza, obviamente, la juventud, frente al *tiempo airado* («enojado y desapacible»), la *nieve* invernal y el *viento helado* de la vejez.

[14] *por no hacer mudanza en su costumbre*: «para no cambiar de hábitos», *la edad ligera* (el tiempo velocísimo) lo transformará todo. Nótese en este último verso la aspiración de la *h* inicial que impide la sinalefa.

[6]

Soneto de tema mitológico compuesto entre 1533 y 1536 en el que Garcilaso parafrasea un epigrama del poeta latino Marcial. El mito relata cómo el joven Leandro cruzaba nadando cada anochecer el Helesponto para ver a su amada Hero, hasta que una noche de tempestad murió ahogado. Cabe destacar que en el segundo terceto Leandro le suplica al mar que le permita llegar hasta la orilla para que su destino se ejecute a la vuelta. La difusión de esta fábula en el Siglo de Oro se debe, en gran parte, a la enorme influencia y popularidad de este soneto, que fue imitado por otros destacados poetas como Boscán, Cetina, Montemayor y Camões.

SONETO XXIX

Pasando el mar Leandro el animoso,
en amoroso fuego todo ardiendo,
esforzó el viento, y fuese embraveciendo
el agua con un ímpetu furioso.

5 Vencido del trabajo presuroso,
contrastar a las ondas no pudiendo,

3 *esforzó*: «creció de golpe, aumentó, se desató».
6 *contrastar*: «resistir».

y más del bien que allí perdía muriendo
que de su propia vida congojoso,

como pudo esforzó su voz cansada
10 y a las ondas habló de esta manera,
mas nunca fue su voz de ellas oída:

«Ondas, pues no se excusa que yo muera,
dejadme allá llegar, y a la tornada
vuestro furor esecutá en mi vida».

7 *perdía* debe pronunciarse bisílabo, con sinéresis.

8 *congojoso*: «angustiado»; es decir, «más preocupado por no ver más a su amada (el bien que perdía al morir) que por su propia vida».

12 *no se excusa*: «es inexcusable, inevitable».

13 *tornada*: «vuelta».

14 *esecutá*: «ejecutad, cumplid».

[7]

Con ocasión de las acciones victoriosas de las tropas de Carlos V en Túnez en el verano de 1535, y en concreto tras la toma de La Goleta, Garcilaso escribe a su amigo Boscán con el tono confidencial propio de la comunicación privada y adopta el recuerdo de las cenizas de Cartago como representación de su sufrimiento amoroso. La asociación de las ruinas con las cuitas amorosas de quien las contempla gozó de gran fortuna entre los poetas renacentistas.

SONETO XXXIII

A Boscán desde La Goleta

Boscán, las armas y el furor de Marte,
que, con su propia fuerza el africano
suelo regando, hacen que el romano
imperio reverdezca en esta parte,

5 han reducido a la memoria el arte
y el antiguo valor italïano,

[1] *furor*: «furia desatada», en este caso del dios de la guerra.
[2-3] Porque las victorias de Carlos V recuerdan, según el poeta, a las de Escipión en Cartago.
[4] *reverdezca*: «vuelva a florecer».
[5] *reducido*: «vuelto a traer, recuperado»; *arte* tiene, en este contexto, un sentido general de «habilidad, destreza, virtud».

por cuya fuerza y valerosa mano
África se aterró de parte a parte.

Aquí donde el romano encendimiento,
10 donde el fuego y la llama licenciosa
solo el nombre dejaron a Cartago,

vuelve y revuelve amor mi pensamiento,
hiere y enciende el alma temerosa,
y en llanto y en ceniza me deshago.

8 *se aterró*: «quedó aterrada».
9 *encendimiento*: «arrojo, ardor guerrero».
10 *licenciosa*: «impetuosa, desatada».

[8]

Canción temprana que puede y suele fecharse entre 1526 y 1532, tanto por su tono cancioneril como por el empleo del verso agudo (el v. 53, curiosamente el primero del envío, que solía quedar suelto, sin rima, como es el caso). En la primera estrofa el poeta confiesa una total devoción y sumisión ante la amada para lamentar más adelante la falta de piedad que ella le manifiesta. El juego de antítesis de los primeros versos, representado por la región desierta y las tierras polares, procede de Petrarca.

CANCIÓN I

Si a la región desierta, inhabitable
por el hervor del sol demasïado
y sequedad de aquella arena ardiente,
o a la que por el hielo congelado
5 y rigurosa nieve es intratable,
del todo inhabitada de la gente,
por algún accidente
o caso de fortuna desastrada

1-13 El sentido de la primera estancia es el siguiente: «Si por algún imprevisto o infortunio os llevasen a la región desierta o a la polar, aun sabiendo que allí vuestra crueldad llegaría a su punto máximo, yo os iría a buscar desesperadamente».

2 *demasïado*: «excesivo».

7 *accidente*: «suceso imprevisto».

8 *caso*: «suceso casual o infortunado»; *desastrada*: «desgraciada».

me fuésedes llevada,
10 y supiese que allá vuestra dureza
estaba en su crüeza,
allá os iría a buscar, como perdido,
hasta morir a vuestros pies tendido.

Vuestra soberbia y condición esquiva
15 acabe ya, pues es tan acabada
la fuerza de en quien ha de esecutarse;
mirá bien que el amor se desagrada
de eso, pues quiere que el amante viva
y se convierta adó piense salvarse.
20 El tiempo ha de pasarse,
y de mis males arrepentimiento,
confusión y tormento
sé que os ha de quedar, y esto recelo,
que aunque de mí me duelo,
25 como en mí vuestros males son de otra arte,
duélenme en más sensible y tierna parte.

11 *crüeza*: «crueldad».

12 *iría*: debe pronunciarse bisílabo, con sinéresis; *perdido*: «desesperado».

13 El poeta manifiesta que seguiría a la amada hasta cualquier lugar inhóspito, aunque ella siguiera siéndole esquiva.

16 *esecutarse*: «ejecutarse».

17 *mirá*: «mirad».

17-18 *el amor se desagrada / de eso*: «al amor no le complace eso».

19 «Se dirija (*convierta*) adonde (*adó*) crea que puede salvarse».

23 *recelo*: «temo».

25 *de otra arte*: «de otra naturaleza, de otro tipo».

26 *en más sensible y tierna parte*: es decir, en el corazón.

Así paso la vida acrecentando
materia de dolor a mis sentidos,
como si la que tengo no bastase,
30 los cuales para todo están perdidos
sino para mostrarme a mí cuál ando.
Pluguiese a Dios que aquesto aprovechase
para que yo pensase
un rato en mi remedio, pues os veo
35 siempre con un deseo
de perseguir al triste y al caído:
yo estoy aquí tendido,
mostrándoos de mi muerte las señales,
y vos viviendo sólo de mis males.

40 Si aquella amarillez y los sospiros
salidos sin licencia de su dueño,
si aquel hondo silencio no han podido
un sentimiento grande ni pequeño
mover en vos que baste a convertiros
45 a siquiera saber que soy nacido,
baste ya haber sufrido
tanto tiempo, a pesar de lo que basto,

31 *sino para*: «excepto para». Es decir, que los sentidos solo le sirven al enamorado para hacerle consciente de su triste situación.

36 *perseguir*: «hacer sufrir».

40-45 «La amarillez, los suspiros y el silencio no han podido ocasionar en vos ningún sentimiento que baste para atraer vuestra atención (para *convertiros*) sobre mi existencia».

41 *sin licencia*: «sin permiso».

44 *mover*: «provocar, producir».

47 *a pesar de lo que basto*: «a pesar de lo que aguanto, de lo que soy capaz de sufrir».

que a mí mismo contrasto,
dándome a entender que mi flaqueza
50 me tiene en la estrecheza
en que estoy puesto, y no lo que yo entiendo:
así que con flaqueza me defiendo.

Canción, no has de tener
conmigo ya que ver en malo o en bueno,
55 trátame como ajeno,
que no te faltará de quien lo aprendas.
Si has miedo que me ofendas,
no quieras hacer más por mi derecho
de lo que hice yo, que el mal me he hecho.

[48] *a mí mismo contrasto*: «me contradigo».
[49] *flaqueza*: «debilidad».
[51] *puesto*: «inmerso, sumido».
[53] El poeta se dirige ahora al poema (envío).
[55] *ajeno*: «extraño».
[56] Se refiere a la dama desdeñosa.
[57] *Si has miedo que me ofendas*: «si tienes miedo de ofenderme».
[58] *por mi derecho*: «en mi favor».

[9]

En 1532, Garcilaso fue desterrado a una isla del Danubio, cerca de Ratisbona, por haber asistido al matrimonio de un sobrino suyo, prohibido expresamente por el emperador. En esta canción, escrita durante su cautiverio, destaca el contraste entre la descripción del paisaje que abre y cierra el poema, y el tema de la integridad del espíritu expuesto en las estrofas centrales, en las que domina la queja contenida por las penas del destierro y del amor.

CANCIÓN III

Con un manso ruido
de agua corriente y clara,
cerca el Danubio una isla que pudiera
ser lugar escogido
5 para que descansara
quien, como estó yo agora, no estuviera;
do siempre primavera
parece en la verdura
sembrada de las flores,
10 hacen los ruiseñores
renovar el placer o la tristura

1 *ruido*: «sonido»; debe pronunciarse trisílabo, *ruïdo*.
3 *cerca*: «rodea».
6 *como estó yo agora*: «como estoy yo ahora».
8 *parece*: «se muestra»; *la verdura*: «el verdor» de la naturaleza.
11 *tristura*: «tristeza».

con sus blandas querellas,
que nunca, día ni noche, cesan de ellas.

Aquí estuve yo puesto,
15 o por mejor decillo,
preso y forzado y solo en tierra ajena;
bien pueden hacer esto
en quien puede sufrillo
y en quien él a sí mismo se condena.
20 Tengo sola una pena,
si muero desterrado
y en tanta desventura:
que piensen por ventura
que juntos tantos males me han llevado,
25 y sé yo bien que muero
por solo aquello que morir espero.

El cuerpo está en poder
y en mano de quien puede
hacer a su placer lo que quisiere,
30 mas no podrá hacer
que mal librado quede

12 *blandas querellas*: «suaves lamentos».
13 *nunca ... cesan de ellas*: «nunca desisten de ellas, nunca las interrumpen».
15 *decillo*: «decirlo».
16 *ajena*: «extraña, extranjera».
18 *sufrillo*: «sufrirlo, soportarlo».
24 *me han llevado*: «me han quitado la vida».
26 *que*: «por lo que». Aquí posiblemente se alude al amor y no al destierro.
31 *mal librado*: «mal parado».

mientras de mí otra prenda no tuviere:
cuando ya el mal viniere
y la postrera suerte,
35 aquí me ha de hallar
en el mismo lugar,
que otra cosa más dura que la muerte
me halla y me ha hallado,
y esto sabe muy bien quien lo ha probado.

40 No es necesario agora
hablar más sin provecho,
que es mi necesidad muy apretada,
pues ha sido en un hora
todo aquello deshecho
45 en que toda mi vida fue gastada.
¿Y al fin de tal jornada
presumen de espantarme?
Sepan que ya no puedo
morir sino sin miedo,
50 que aun nunca qué temer quiso dejarme
la desventura mía,
que el bien y el miedo me quitó en un día.

32 *otra prenda*: se refiere al alma. El sujeto de *tuviere* es el emperador Carlos V, que puede hacer lo que quiera con el cuerpo del poeta (vv. 27-29), pero no con su alma.

34 *postrera suerte*: «último destino», la muerte.

42 *que es mi necesidad muy apretada*: «que mi situación es muy difícil».

45 Se refiere a su servicio al emperador.

46 *jornada* conserva aquí el sentido de «expedición o misión militar», además de otro más vago y figurado de «tiempo de la vida o experiencia».

50-51 «Que mi desventura nunca me ha propiciado nada, ni siquiera algo a lo que temer».

Danubio, río divino,
que por fieras naciones
55 vas con tus claras ondas discurriendo,
pues no hay otro camino
por donde mis razones
vayan fuera de aquí sino corriendo
por tus aguas, y siendo
60 en ellas anegadas,
si en tierra tan ajena,
en la desierta arena,
de alguno fueren a la fin halladas,
entiérrelas siquiera
65 porque su error se acabe en tu ribera.

Aunque en el agua mueras,
canción, no has de quejarte,
que yo he mirado bien lo que te toca;
menos vida tuvieras
70 si hubiera de igualarte
con otras que se me han muerto en la boca.
Quién tiene culpa en esto,
allá lo entenderás de mí muy presto.

[54] *fieras naciones*: las tierras bárbaras por las que discurre el río.
[57] *razones*: «palabras», las quejas del poeta. Será el sujeto de los restantes versos que componen esta estrofa.
[60] *anegadas*: «ahogadas».
[63] *de alguno fueren ... halladas*: «fuesen halladas por alguien».
[65] *error*: «errar, vagar».
[68] *te toca*: «te conviene».
[71] Se refiere a las canciones que no ha llegado a componer.
[73] «Allá, en el otro mundo, lo escucharás de mi boca muy pronto». El poeta piensa reunirse con la canción enterrada a orillas del Danubio.

[10]

La fama de la *Oda a la flor de Gnido*, inadecuadamente llamada a veces *Canción V* (inadecuadamente porque es muy distinta formal y temáticamente de las cuatro canciones de carácter petrarquista que la preceden), se advierte ya en su primer verso, pues con la última de sus palabras (*lira*) se bautizó esta forma estrófica ensayada en Italia por Bernardo Tasso (entre sus muchos intentos de remedar la métrica de las odas horacianas) y consagrada por influencia del poeta toledano como forma esencial de la lírica española del siglo XVI: fue la estrofa predilecta de fray Luis de León y de San Juan de la Cruz, una estrofa de cinco versos que combinaba tres heptasílabos (el primero, el tercero y el cuarto) y dos endecasílabos (el segundo y el quinto). Esta pieza, de una enorme habilidad retótica, es un delicado juego galante que Garcilaso dirige a una dama napolitana (Violante Sanseverino) para interceder por su enamorado amigo Mario Galeota. Hay varias alusiones a la identidad del amante y la desdeñosa dama: la mención del amigo «convertido en viola» (en alusión al nombre de ella, Violante) y el cautiverio amoroso de él como forzado o *galeote*, «al remo condenado» (vv. 28 y 34). Esos juegos se dan ya en el título de la composición, pues *Gnido* alude, al tiempo, al barrio de Nápoles donde residía la dama y a uno de los templos consagrados a Venus, diosa del amor.

ODE AD FLOREM GNIDI

Si de mi baja lira
tanto pudiese el son que en un momento
aplacase la ira
del animoso viento
5 y la furia del mar y el movimiento,

y en ásperas montañas
con el suave canto enterneciese
las fieras alimañas,
los árboles moviese
10 y al son confusamente los trujese,

no pienses que cantado
sería de mí, hermosa flor de Gnido,
el fiero Marte airado,

1-10 Los primeros versos aluden a Orfeo, cuya música calmaba la furia de la naturaleza.

1 El adjetivo *baja* aplicado a la *lira* (instrumento simbólico de la poesía) recoge un tópico de modestia característico de la poesía clásica y alude a la condición de la materia que va a tratarse: el poeta no va a hablar de asuntos heroicos («el fiero Marte airado» o «aquellos capitanes»), sino de la belleza de la esquiva dama a la que se dirige el poema y del amigo que anda enamorado de ella.

4 *animoso*: «tempestuoso».

8 *alimañas*: «animales salvajes».

10 *trujese*: «atrajese».

12 *sería*: debe pronunciarse bisílabo, con sinéresis (como en los vv. 22 y 24). Llama a la dama *flor de Gnido* por el barrio de Nápoles en que vivía (Nido) y por el templo consagrado a Venus en la ciudad de ese nombre.

13 *Marte*: dios de la guerra, y por ello *fiero*, *airado* y *convertido* («encaminado, dirigido, revuelto») hacia la muerte.

a muerte convertido,
15 de polvo y sangre y de sudor teñido,

ni aquellos capitanes
en las sublimes ruedas colocados,
por quien los alemanes,
el fiero cuello atados,
20 y los franceses van domesticados;

mas solamente aquella
fuerza de tu beldad sería cantada,
y alguna vez con ella
también sería notada
25 el aspereza de que estás armada,

y cómo por ti sola
y por tu gran valor y hermosura,
convertido en vïola,

16-20 Estos versos describen la victoria de los capitanes españoles, comparados con los del antiguo imperio romano, sobre alemanes y franceses. Posiblemente haga referencia a la entrada en Nápoles de Carlos V en 1535, quien expulsó a los franceses de Italia y, temporalmente, contuvo a los protestantes en Alemania.
17 *sublimes*: «altas»; *ruedas*: metonimia por los «carros» triunfales.
19 *el fiero cuello atados*: «atados por el fiero cuello» (es una construcción sintáctica conocida como acusativo griego).
22 *beldad*: «belleza».
24 *notada*: «señalada y criticada».
25 *armada*: «provista, adornada».
28-30 Recogiendo el tema de la transformación de los amantes, el enamorado se diría transformado en la forma (*figura*) de la amada, en este caso una violeta (*vïola*, con pronunciación trisilábica).

llora su desventura
30 el miserable amante en tu figura.

Hablo de aquel cativo
de quien tener se debe más cuidado,
que está muriendo vivo,
al remo condenado,
35 en la concha de Venus amarrado.

Por ti, como solía,
del áspero caballo no corrige
la furia y gallardía,
ni con freno la rige,
40 ni con vivas espuelas ya le aflige.

Por ti, con diestra mano
no revuelve la espada presurosa,
y en el dudoso llano

31 *cativo*: «cautivo».
32 *de quien tener se debe más cuidado*: «que merece más atención».
34-35 Ahora el juego verbal remite al apellido del amigo de Garcilaso, *Galeota*, que sufre como un galeote «al remo condenado». Como su suplicio es amoroso, no está «amarrado» a una galera, sino «en la concha de Venus», expresión justificada por la relación de Violante con la diosa del amor, nacida de una venera (y véase el v. 12), pero que en este contexto resulta divertida y deliberadamente maliciosa, por la obscenidad del término *concha* y por la acción de remar (véase el soneto de Lope núm. 54).
37 *corrige*: «refrena».
40 *aflige*: «castiga».
42 *presurosa*: «presta, ágil», en referencia a la pasada habilidad y a la antigua disposición guerrera del amigo, que ahora evita la lucha.
43 *dudoso*: «incierto» (en referencia al resultado de un combate).

huye la polvorosa
45 palestra como sierpe ponzoñosa.

Por ti, su blanda musa,
en lugar de la cítera sonante,
tristes querellas usa
que con llanto abundante
50 hacen bañar el rostro del amante.

Por ti, el mayor amigo
le es importuno, grave y enojoso:
yo puedo ser testigo,
que ya del peligroso
55 naufragio fui su puerto y su reposo,

y agora en tal manera
vence el dolor a la razón perdida,
que ponzoñosa fiera
nunca fue aborrecida
60 tanto como yo de él, ni tan temida.

44 *huye*: «rehúye, evita».

45 *palestra*: «lugar de la lucha»; *sierpe ponzoñosa*: «serpiente venenosa».

47 *cítera*: «cítara», aquí símbolo de la poesía heroica, frente a la *blanda musa* de los lamentos del enamorado.

48 *querellas*: «quejas, lamentos».

52 *le es importuno, grave y enojoso*: «le resulta molesto, pesado y enfadoso».

54 *ya*: «antes».

55 *naufragio*: en referencia al percance amoroso y en correspondencia con la imagen náutica de los vv. 34-35.

No fuiste tú engendrada
ni producida de la dura tierra;
no debe ser notada
que ingratamente yerra
65 quien todo el otro error de sí destierra.

Hágate temerosa
el caso de Anajárete, y cobarde,
que de ser desdeñosa
se arrepintió muy tarde,
70 y así su alma con su mármol arde.

Estábase alegrando
del mal ajeno el pecho empedernido
cuando, abajo mirando,
el cuerpo muerto vido
75 del miserable amante allí tendido,

y al cuello el lazo atado
con que desenlazó de la cadena

61-62 Alude a ciertos belicosos gigantes nacidos, según la mitología, de la tierra, cuya dureza es comparada con la actitud desdeñosa de Violante.

63-65 «No debe ser criticada (*notada*, veáse el v. 24) por ingrata quien no presenta ningún otro defecto».

67 Garcilaso intercala a modo de ejemplo una fábula mitológica: Anajárete, insensible ante los requerimientos y el suicidio de su enamorado Ifis, fue castigada por Afrodita y convertida en una estatua de mármol.

72 *empedernido*: «insensible y duro como el pedernal».

74 *vido*: «vio».

75 *miserable*: «digno de pena y compasión».

76-77 Describe la escena contemplada por Anajárete con un efectivo contraste entre el cuello del joven ahorcado y su corazón ya liberado de la cadena del amor.

el corazón cuitado,
y con su breve pena
80 compró la eterna punición ajena.

Sentió allí convertirse
en piedad amorosa el aspereza.
¡Oh tarde arrepentirse!
¡Oh última terneza!
85 ¿Cómo te sucedió mayor dureza?

Los ojos se enclavaron
en el tendido cuerpo que allí vieron;
los huesos se tornaron
más duros y crecieron
90 y en sí toda la carne convertieron;

las entrañas heladas
tornaron poco a poco en piedra dura;
por las venas cuitadas
la sangre su figura
95 iba desconociendo y su natura,

78 *cuitado*: «con cuitas, penas amorosas».
80 *punición*: «castigo».
81 *sentió*: «sintió».
84-85 Se expresa aquí mediante una efectiva paradoja la metamorfosis de Anajárete, que pasó de un asomo de tardía *terneza* («ternura, piedad») a la *mayor dureza* del mármol en que se convirtió. El proceso es descrito con todo detalle en las tres liras siguientes.
86 *se enclavaron*: «se quedaron clavados, fijos».
90 *y en sí toda la carne convertieron*: porque la carne se volvió dura como los huesos.
91 *heladas* por la frialdad que habían mostrado.
92 *tornaron*: «se volvieron».
94 *figura*: «forma».
95 *natura*: «naturaleza».

hasta que finalmente,
en duro mármol vuelta y transformada,
hizo de sí la gente
no tan maravillada
100 cuanto de aquella ingratitud vengada.

No quieras tú, señora,
de Némesis airada las saetas
probar, por Dios, agora;
baste que tus perfetas
105 obras y hermosura a los poetas

den inmortal materia,
sin que también en verso lamentable
celebren la miseria
de algún caso notable
110 que por ti pase, triste, miserable.

99-100 La gente se admiró más de la venganza a causa de su ingratitud que de la propia metamorfosis.

102 *Némesis*: diosa que personificaba la venganza.

107 *lamentable*: «adecuado para la lamentación»; es decir, en un poema elegíaco.

108 *miseria*: «pena, tristeza» (véanse los vv. 75 y 110).

[11]

Las églogas de Garcilaso son la más perfecta expresión del bucolismo del Renacimiento, que logró dar nueva vida a los temas y a las imágenes de la poesía pastoril grecolatina, representada en particular por Teócrito y Virgilio. La Égloga primera, dedicada al tío del duque de Alba, don Pedro de Toledo, que fue virrey de Nápoles y a quien Garcilaso sirvió, fue escrita hacia 1534. El tema del poema es una vieja discusión medieval: cuál de los amantes padece más, aquel que llora la pérdida de la amada, o aquel que lamenta su desdén. Se han visto referencias biográficas en los personajes de Salicio y Nemoroso, entendidos como un desdoblamiento de Garcilaso. Galatea y Elisa serían, a su vez, el desdoblamiento de Isabel Freyre, quien se casó con Antonio Fonseca y murió tempranamente de sobreparto. En cuanto a la estructura, se sigue el mismo patrón que se observa en la égloga VIII de Virgilio: una breve introducción (vv. 1-6), la dedicatoria (vv. 7-42) y la intervención de los dos pastores en forma de dos largos monólogos consecutivos: Salicio (anagrama parcial de Garcilaso) lamenta el desdén de Galatea, y después Nemoroso (es decir, «de la Vega») llora la muerte de Elisa. Los dos parlamentos están enmarcados, al uso de la poesía bucólica, entre bellas descripciones del amanecer y el anochecer.

ÉGLOGA I

Al virrey de Nápoles

Personas: Salicio, Nemoroso

El dulce lamentar de dos pastores,
Salicio juntamente y Nemoroso,
he de cantar, sus quejas imitando,
cuyas ovejas al cantar sabroso
5 estaban muy atentas, los amores,
de pacer olvidadas, escuchando.
Tú, que ganaste obrando
un nombre en todo el mundo
y un grado sin segundo,
10 agora estés atento sólo y dado
al ínclito gobierno del estado
albano, agora vuelto a la otra parte,
resplandeciente, armado,
representando en tierra el fiero Marte;

15 agora, de cuidados enojosos
y de negocios libre, por ventura

2 *juntamente*: «de forma consecutiva». Téngase en cuenta que *Salicio* es un anagrama parcial de «Garcilaso» y que *Nemoroso* significa «boscoso, del bosque o del campo». Ambos resultan, por tanto, efectivo trasuntos del nombre y los apellidos del autor.

4 *sabroso*: «deleitable, placentero».

9 *sin segundo*: «sin igual».

11 *ínclito*: «ilustre».

11-12 *estado albano*: «Nápoles», por la pertenencia de su virrey a la casa de Alba.

16 *por ventura*: «acaso».

andes a caza, el monte fatigando
en ardiente jinete que apresura
el curso tras los ciervos temerosos,
20 que en vano su morir van dilatando:
espera, que en tornando
a ser restituido
al ocio ya perdido,
luego verás ejercitar mi pluma
25 por la infinita, innumerable suma
de tus virtudes y famosas obras,
antes que me consuma,
faltando a ti, que a todo el mundo sobras.

En tanto que este tiempo que adevino
30 viene a sacarme de la deuda un día
que se debe a tu fama y a tu gloria
(que es deuda general, no sólo mía,
mas de cualquier ingenio peregrino
que celebra lo digno de memoria),
35 el árbol de victoria
que ciñe estrechamente
tu gloriosa frente

17 *fatigando*: «recorriendo».
18 *jinete*: «caballo ligero».
19 *curso*: «carrera».
20 *dilatando*: «posponiendo».
28 *sobras*: «superas».
29 *En tanto que*: «mientras»; *adevino*: «adivino».
33 *peregrino*: «raro, singular».
35-38 Es decir, que el laurel deje paso a la hiedra, porque el laurel (*el árbol de victoria*) representa a los héroes y a la poesía épica, y la *hiedra* es, en cambio, emblema de una poesía más humilde como la del episodio pastoril que se propone cantar.

dé lugar a la hiedra que se planta
debajo de tu sombra y se levanta
40 poco a poco, arrimada a tus loores;
y en cuanto esto se canta,
escucha tú el cantar de mis pastores.

Saliendo de las ondas encendido,
rayaba de los montes el altura
45 el sol, cuando Salicio, recostado
al pie de una alta haya, en la verdura
por donde una agua clara con sonido
atravesaba el fresco y verde prado;
él, con canto acordado
50 al rumor que sonaba
del agua que pasaba,
se quejaba tan dulce y blandamente
como si no estuviera de allí ausente
la que de su dolor culpa tenía,
55 y así como presente,
razonando con ella, le decía:

[38] *se planta*: «echa raíces»; es decir, «que crece bajo tu amparo».
[40] *loores*: «alabanzas».
[41] *en cuanto esto se canta*: «mientras llega el momento de cantar tus hazañas».
[43-45] Nótese que el canto de los pastores se inicia con el amanecer y cesará con el crepúsculo (vv. 411-413).
[46] *verdura*: «verdor».
[49] *acordado*: «en armonía», porque el canto de Salicio concordaba con el sonido del agua.
[55] *como presente*: «como si estuviera presente».

Salicio

¡Oh más dura que mármol a mis quejas
y al encendido fuego en que me quemo
más helada que nieve, Galatea!
60 Estoy muriendo, y aun la vida temo;
témola con razón, pues tú me dejas,
que no hay sin ti el vivir para qué sea.
Vergüenza he que me vea
ninguno en tal estado,
65 de ti desamparado,
y de mí mismo yo me corro agora.
¿De un alma te desdeñas ser señora
donde siempre moraste, no pudiendo
de ella salir un hora?
70 Salid sin duelo, lágrimas, corriendo.

El sol tiende los rayos de su lumbre
por montes y por valles, despertando
las aves y animales y la gente:
cuál por el aire claro va volando,
75 cuál por el verde valle o alta cumbre
paciendo va segura y libremente,
cuál con el sol presente

62 *que no hay sin ti el vivir para qué sea*: «que sin ti no tiene sentido vivir».

63 *vergüenza he*: «me da vergüenza».

66 *me corro*: «me avergüenzo».

70 *sin duelo*: «sin lástima, sin compadeceros de mí». Este verso se repite a modo de estribillo al final de cada una de las estrofas cantadas por Salicio, acentuando el dramatismo de su dolor.

74 *cuál* funciona como elemento correlativo en la enumeración (vv. 74, 75, 77): «uno..., otro..., otro...».

va de nuevo al oficio
y al usado ejercicio
80 do su natura o menester le inclina;
siempre está en llanto esta ánima mezquina,
cuando la sombra el mundo va cubriendo
o la luz se avecina.
Salid sin duelo, lágrimas, corriendo.

85 Y tú, de esta mi vida ya olvidada,
sin mostrar un pequeño sentimiento
de que por ti Salicio triste muera,
dejas llevar, desconocida, al viento
el amor y la fe que ser guardada
90 eternamente sólo a mí debiera.
¡Oh Dios!, ¿por qué siquiera,
pues ves desde tu altura
esta falsa perjura
causar la muerte de un estrecho amigo,
95 no recibe del cielo algún castigo?
Si en pago del amor yo estoy muriendo,
¿qué hará el enemigo?
Salid sin duelo, lágrimas, corriendo.

Por ti el silencio de la selva umbrosa,
100 por ti la esquividad y apartamiento

78 *oficio*: «obligación, deber».
79 *usado ejercicio*: «ocupación habitual».
80 «Hacia donde se siente inclinado por naturaleza (*natura*) o por oficio (*menester*)».
81 *ánima mezquina*: «alma desgraciada».
88 *desconocida*: «desagradecida».
94 *estrecho*: «íntimo».
97 *hará*: debe pronunciarse aspirando la *h*.
100 *esquividad*: «soledad».

del solitario monte me agradaba;
por ti la verde hierba, el fresco viento,
el blanco lirio y colorada rosa
y dulce primavera deseaba.
105 ¡Ay, cuánto me engañaba!
¡Ay, cuán diferente era
y cuán de otra manera
lo que en tu falso pecho se escondía!
Bien claro con su voz me lo decía
110 la siniestra corneja, repitiendo
la desventura mía.
Salid sin duelo, lágrimas, corriendo.

¡Cuántas veces, durmiendo en la floresta,
reputándolo yo por desvarío,
115 vi mi mal entre sueños, desdichado!
Soñaba que en el tiempo del estío
llevaba, por pasar allí la siesta,
a abrevar en el Tajo mi ganado;
y después de llegado,
120 sin saber de cuál arte,
por desusada parte

109-111 Referencia a la *corneja*, considerada tradicionalmente un mal augurio cuando aparecía a la izquierda (*siniestra*), ya fuese volando o, como parece mejor aquí, graznando, pues con su graznido iba *repitiendo* («recalcando, anunciando repetidamente») la desventura de Salicio.

114 *reputándolo yo por desvarío*: «considerándolo como una enajenación, como una locura». Salicio tenía frecuentes sueños premonitorios en los que la naturaleza aparecía trastocada.

116 *estío*: «verano».

120 *de cuál arte*: «de qué modo».

121 *desusada parte*: «lugar inusual».

y por nuevo camino el agua se iba;
ardiendo yo con la calor estiva,
el curso enajenado iba siguiendo
125 del agua fugitiva.
Salid sin duelo, lágrimas, corriendo.

Tu dulce habla ¿en cúya oreja suena?
Tus claros ojos ¿a quién los volviste?
¿Por quién tan sin respeto me trocaste?
130 Tu quebrantada fe ¿dó la pusiste?
¿Cuál es el cuello que como en cadena
de tus hermosos brazos añudaste?
No hay corazón que baste,
aunque fuese de piedra,
135 viendo mi amada hiedra
de mí arrancada, en otro muro asida,
y mi parra en otro olmo entretejida,
que no se esté con llanto deshaciendo
hasta acabar la vida.
140 Salid sin duelo, lágrimas, corriendo.

¿Qué no se esperará de aquí adelante,
por difícil que sea y por incierto,

123 *estiva*: «del verano».
124 *enajenado*: «desviado, desplazado de su curso normal».
127 *¿en cúya oreja suena?*: «¿en la oreja de quién suena?».
129 *trocaste*: «cambiaste».
130 *fe*: «fidelidad».
132 *añudaste*: «anudaste, abrazaste».
133 *que baste*: «que pueda resistir, que lo soporte».
135-137 Forma parte de la imaginería tradicional el asociar la hiedra con el muro y la vid con el olmo para representar el abrazo entre dos amantes.

o qué discordia no será juntada?
Y juntamente ¿qué terná por cierto,
145 o qué de hoy más no temerá el amante,
siendo a todo materia por ti dada?
Cuando tú enajenada
de mi cuidado fuiste,
notable causa diste,
150 y ejemplo a todos cuantos cubre el cielo,
que el más seguro tema con recelo
perder lo que estuviere poseyendo.
Salid fuera sin duelo,
salid sin duelo, lágrimas, corriendo.

155 Materia diste al mundo de esperanza
de alcanzar lo imposible y no pensado
y de hacer juntar lo diferente,
dando a quien diste el corazón malvado,
quitándolo de mí con tal mudanza
160 que siempre sonará de gente en gente.
La cordera paciente
con el lobo hambriento
hará su ajuntamiento,
y con las simples aves sin ruido

143 *juntada*: «conciliada».
145 *de hoy más*: «a partir de hoy, de ahora en adelante».
146 *materia*: «motivo».
147-153 *enajenada de mi cuidado*: «arrebatada a mi cuita de enamorado». Es decir, que el caso de Galatea puede servir de ejemplo para que cualquiera tema y entienda que puede perder todo lo que tiene.
159 *mudanza*: «cambio imprevisto».
161 *paciente*: «que pace».
164 *sin ruido*: «sin disputa, pacíficamente».

165 harán las bravas sierpes ya su nido,
que mayor diferencia comprehendo
de ti al que has escogido.
Salid sin duelo, lágrimas, corriendo.

Siempre de nueva leche en el verano
170 y en el invierno abundo; en mi majada
la manteca y el queso está sobrado.
De mi cantar, pues, yo te vía agradada
tanto que no pudiera el mantuano
Títero ser de ti más alabado.
175 No soy, pues, bien mirado,
tan disforme ni feo,
que aun agora me veo
en esta agua que corre clara y pura,
y cierto no trocara mi figura
180 con ese que de mí se está reyendo;
¡trocara mi ventura!
Salid sin duelo, lágrimas, corriendo.

¿Cómo te vine en tanto menosprecio?
¿Cómo te fui tan presto aborrecible?

165 *sierpes*: «serpientes».
166 *comprehendo*: «percibo, veo».
170 *abundo*: «tengo abundancia»; *majada*: «lugar en el que se guarda el ganado por las noches».
172 *vía*: «veía»; debe pronunciarse con sinéresis y en sinalefa con *agradada* («contenta»).
173-174 *mantuano Títero*: el pastor Títiro es el protagonista de la égloga I de Virgilio y solía ser identificado con su autor, nacido en Mantua.
179 *y cierto no trocara*: «y por supuesto que no cambiaría».
180 *reyendo*: «riendo».

185 ¿Cómo te faltó en mí el conocimiento?
Si no tuvieras condición terrible,
siempre fuera tenido de ti en precio
y no viera este triste apartamiento.
¿No sabes que sin cuento
190 buscan en el estío
mis ovejas el frío
de la sierra de Cuenca, y el gobierno
del abrigado Extremo en el invierno?
Mas ¡qué vale el tener, si derritiendo
195 me estoy en llanto eterno!
Salid sin duelo, lágrimas, corriendo.

Con mi llorar las piedras enternecen
su natural dureza y la quebrantan;
los árboles parece que se inclinan;
200 las aves que me escuchan, cuando cantan,
con diferente voz se condolecen
y mi morir cantando me adevinan;
las fieras que reclinan
su cuerpo fatigado
205 dejan el sosegado
sueño por escuchar mi llanto triste:
tú sola contra mí te endureciste,
los ojos aun siquiera no volviendo

187 *tenido ... en precio*: «apreciado».
189 *sin cuento*: «incontables, innumerables».
192 *gobierno*: «sustento».
193 *Extremo*: «Extremadura».
194 *el tener*: «la riqueza».
201 *se condolecen*: «se lamentan».
202 *me adevinan*: «me adivinan, me anuncian».
208 *los ojos aun siquiera no volviendo*: «sin ni siquiera volver los ojos».

a los que tú hiciste
210 salir, sin duelo, lágrimas corriendo.

Mas ya que a socorrerme aquí no vienes,
no dejes el lugar que tanto amaste,
que bien podrás venir de mí segura.
Yo dejaré el lugar do me dejaste;
215 ven si por solo aquesto te detienes.
Ves aquí un prado lleno de verdura,
ves aquí una espesura,
ves aquí un agua clara,
en otro tiempo cara,
220 a quien de ti con lágrimas me quejo;
quizá aquí hallarás, pues yo me alejo,
al que todo mi bien quitar me puede,
que pues el bien le dejo,
no es mucho que el lugar también le quede.

225 Aquí dio fin a su cantar Salicio,
y sospirando en el postrero acento,
soltó de llanto una profunda vena;
queriendo el monte al grave sentimiento
de aquel dolor en algo ser propicio,

214 *do*: «donde».

219 *cara*: «querida, apreciada».

220 *quien* se podía usar para cosas y aquí se refiere al *agua* a la que Salicio se queja.

221 *hallarás*, de nuevo con aspiración de la *h*.

226-227 *y sospirando en el postrero acento / soltó de llanto una profunda vena*: «y suspirando al tiempo que entonaba sus últimas palabras, rompió a llorar soltando un gran caudal de lágrimas».

230 con la pesada voz retumba y suena;
la blanda Filomena
casi como dolida
y a compasión movida,
dulcemente responde al son lloroso.
235 Lo que cantó tras esto Nemoroso,
decildo vos, Piérides, que tanto
no puedo yo ni oso,
que siento enflaquecer mi débil canto.

Nemoroso

Corrientes aguas puras, cristalinas,
240 árboles que os estáis mirando en ellas,
verde prado de fresca sombra lleno,
aves que aquí sembráis vuestras querellas,
hiedra que por los árboles camina,
torciendo el paso por su verde seno:
245 yo me vi tan ajeno
del grave mal que siento,
que de puro contento
con vuestra soledad me recreaba,
donde con dulce sueño reposaba,
250 o con el pensamiento discurría

[230] El monte responde con el eco (*retumba y suena*) al lamento de Salicio.

[231] *Filomena*: el ruiseñor, así llamado por la fábula de la princesa Filomena, quien, según la mitología griega, convertida en ruiseñor, canta por los bosques su queja por la violación que sufrió a manos de su cuñado, Tereo.

[236] *decildo*: «decidlo»; *vos*: «vosotras». Las *Piérides* son las Musas, cuyo culto se originó en Pieria.

[242] *sembráis vuestras querellas*: «esparcís vuestros lamentos».

por donde no hallaba
sino memorias llenas de alegría;

y en este mismo valle, donde agora
me entristezco y me canso en el reposo,
255 estuve ya contento y descansado.
¡Oh bien caduco, vano y presuroso!
Acuérdome, durmiendo aquí algún hora,
que, despertando, a Elisa vi a mi lado.
¡Oh miserable hado!
260 ¡Oh tela delicada,
antes de tiempo dada
a los agudos filos de la muerte!
Más convenible fuera aquesta suerte
a los cansados años de mi vida,
265 que es más que el hierro fuerte,
pues no la ha quebrantado tu partida.

¿Dó están agora aquellos claros ojos
que llevaban tras sí, como colgada,
mi alma, doquier que ellos se volvían?
270 ¿Dó está la blanca mano delicada,

255 *ya*: «en otro tiempo».
257 *algún hora*: «algunas veces, algunos ratos».
259 *hado*: «destino».
260 La *tela* como metáfora de la vida se basa en el mito de las Parcas, que controlaban el destino de los hombres hilando y cortando el hilo de sus vidas.
263 *convenible*: «conveniente».
267-278 Esta estrofa se caracteriza por la sucesión de interrogaciones basadas en el tópico elegíaco del *ubi sunt*. Nemoroso se pregunta por el paradero de la amada tras su muerte.
269 *doquier*: «dondequiera».

llena de vencimientos y despojos
que de mí mis sentidos le ofrecían?
Los cabellos que vían
con gran desprecio al oro
275 como a menor tesoro,
¿adónde están, adónde el blanco pecho?
¿Dó la columna que el dorado techo
con proporción graciosa sostenía?
Aquesto todo agora ya se encierra,
280 por desventura mía,
en la escura, desierta y dura tierra.

¿Quién me dijera, Elisa, vida mía,
cuando en aqueste valle al fresco viento
andábamos cogiendo tiernas flores,
285 que había de ver, con largo apartamiento,
venir el triste y solitario día
que diese amargo fin a mis amores?
El cielo en mis dolores
cargó la mano tanto
290 que a sempiterno llanto
y a triste soledad me ha condenado;
y lo que siento más es verme atado
a la pesada vida y enojosa,

271 *vencimientos*: «victorias»; *despojos*: «botín». Es decir, que la mano de Elisa dejaba rendido de amor a Nemoroso.

277-278 Obsérvense las metáforas arquitectónicas usadas en esta parte de la descripción de la amada: su cuello es una *columna* que sostiene el *dorado techo* de la rubia cabellera.

279-281 Porque Elisa está muerta y enterrada.

285 *había* debe pronunciarse bisílabo, con sinéresis; *apartamiento*: «separación».

290 *sempiterno*: «eterno».

solo, desamparado,
295 ciego, sin lumbre en cárcel tenebrosa.

Después que nos dejaste, nunca pace
en hartura el ganado ya, ni acude
el campo al labrador con mano llena
no hay bien que en mal no se convierta y mude.
300 La mala hierba al trigo ahoga, y nace
en lugar suyo la infelice avena;
la tierra, que de buena
gana nos producía
flores con que solía
305 quitar en solo vellas mil enojos,
produce agora en cambio estos abrojos,
ya de rigor de espinas intratable.
Yo hago con mis ojos
crecer, lloviendo, el fruto miserable.

310 Como al partir del sol la sombra crece,
y en cayendo su rayo, se levanta
la negra escuridad que el mundo cubre,
de do viene el temor que nos espanta
y la medrosa forma en que se ofrece
315 aquella que la noche nos encubre
hasta que el sol descubre
su luz pura y hermosa:

297 *acude*: «provee, ayuda, asiste».
298 *con mano llena*: «con abundancia, generosamente».
299 *mude*: «cambie».
301 *infelice*: «estéril, infecunda».
306 *abrojos*: «ramas secas, plantas espinosas».
307 *intratable*: «áspero y desagradable».
314 *medrosa*: «temerosa».

tal es la tenebrosa
noche de tu partir en que he quedado
320 de sombra y de temor atormentado,
hasta que muerte el tiempo determine
que a ver el deseado
sol de tu clara vista me encamine.

Cual suele el ruiseñor con triste canto
325 quejarse, entre las hojas escondido,
del duro labrador que cautamente
le despojó su caro y dulce nido
de los tiernos hijuelos entretanto
que del amado ramo estaba ausente,
330 y aquel dolor que siente,
con diferencia tanta
por la dulce garganta
despide que a su canto el aire suena,
y la callada noche no refrena
335 su lamentable oficio y sus querellas,
trayendo de su pena
el cielo por testigo y las estrellas:

de esta manera suelto yo la rienda
a mi dolor y ansí me quejo en vano
340 de la dureza de la muerte airada:
ella en mi corazón metió la mano
y de allí me llevó mi dulce prenda,

324 *cual*: «así como».
331 *diferencia*: «variación» (aquí con sentido musical y referido a las variaciones del trino del ruiseñor).
335 *su lamentable oficio*: «su triste deber».
342 *me llevó*: «me quitó».

que aquél era su nido y su morada.
¡Ay, muerte arrebatada,
345 por ti me estoy quejando
al cielo y enojando
con importuno llanto al mundo todo!
El desigual dolor no sufre modo:
no me podrán quitar el dolorido
350 sentir si ya del todo
primero no me quitan el sentido.

Tengo una parte aquí de tus cabellos,
Elisa, envueltos en un blanco paño,
que nunca de mi seno se me apartan;
355 descójolos, y de un dolor tamaño
enternecer me siento que sobre ellos
nunca mis ojos de llorar se hartan.
Sin que de allí se partan,
con sospiros calientes,
360 más que la llama ardientes,
los enjugo del llanto, y de consuno
casi los paso y cuento uno a uno;
juntándolos, con un cordón los ato.
Tras esto el importuno
365 dolor me deja descansar un rato.

344 *arrebatada*: «súbita, repentina».
346 *enojando*: «molestando, fastidiando».
347 *importuno*: «molesto».
348 *El desigual dolor no sufre modo*: «el dolor desmesurado no tiene límite ni tolera alivio alguno».
355 *descójolos*: «los extiendo»; *tamaño*: «enorme, muy grande».
361 *los enjugo del llanto*: «seco el llanto que he vertido sobre ellos».
361-362 *de consuno casi*: «casi juntos».
364 *importuno*: «duro, cruel».

Mas luego a la memoria se me ofrece
aquella noche tenebrosa, escura,
que siempre aflige esta ánima mezquina
con la memoria de mi desventura:
370 verte presente agora me parece
en aquel duro trance de Lucina;
y aquella voz divina,
con cuyo son y acentos
a los airados vientos
375 pudieran amansar, que agora es muda,
me parece que oigo, que a la cruda,
inexorable diosa demandabas
en aquel paso ayuda;
y tú, rústica diosa, ¿dónde estabas?

380 ¿Íbate tanto en perseguir las fieras?
¿Íbate tanto en un pastor dormido?
¿Cosa pudo bastar a tal crueza
que, conmovida a compasión, oído
a los votos y lágrimas no dieras,

371 *Lucina*: diosa evocada en los partos e identificada con Diana (véase el v. 379). Hace referencia a la muerte de Isabel Freyre por sobreparto.

377 *inexorable*: «que no atiende a súplicas».

378 *en aquel paso*: «en aquel trance».

380-381 Los reproches a la diosa Diana (cazadora y, por ello, «rústica», como la ha definido en el v. 379, pero también identificada con la luna) incluyen una alusión a la fábula de Endimión (el *pastor dormido* del v. 381), a quien la luna sumió en un sueño eterno para poder besarlo por las noches.

382 *cosa*: «qué cosa»; *crueza*: «crueldad».

383 *conmovida*: «movida».

385 por no ver hecha tierra tal belleza,
o no ver la tristeza
en que tu Nemoroso
queda, que su reposo
era seguir tu oficio, persiguiendo
390 las fieras por los montes y ofreciendo
a tus sagradas aras los despojos?
¡Y tú, ingrata, riendo
dejas morir mi bien ante mis ojos!

Divina Elisa, pues agora el cielo
395 con inmortales pies pisas y mides,
y su mudanza ves, estando queda,
¿por qué de mí te olvidas y no pides
que se apresure el tiempo en que este velo
rompa del cuerpo y verme libre pueda,
400 y en la tercera rueda,
contigo mano a mano,
busquemos otro llano,
busquemos otros montes y otros ríos,
otros valles floridos y sombríos

385 El poeta reprocha a la diosa Diana que no haya hecho nada por evitar la muerte de Elisa (*por no ver hecha tierra tal belleza*).

387 *tu Nemoroso*: porque en su ocio se dedicaba a la caza (*tu oficio*) y ofrendaba los despojos a la diosa.

391 *aras*: «altares».

396 *mudanza*: «cambio, alteración»; *queda*: «quieta». Tras su muerte, Elisa está entre los bienaventurados, en el cielo empíreo, y contempla desde su inmortalidad las mudanzas del mundo. Sobre la expresión *el cielo ... pisas*, compárese Lope de Vega, núm. 50, v. 97: «pues ya sois sol donde pisáis la luna».

400 *tercera rueda*: «esfera celeste consagrada a Venus».

401 *mano a mano*: «juntos, de la mano».

405 donde descanse y siempre pueda verte
ante los ojos míos,
sin miedo y sobresalto de perderte?

Nunca pusieran fin al triste lloro
los pastores, ni fueran acabadas
410 las canciones que solo el monte oía,
si mirando las nubes coloradas,
al tramontar del sol orladas de oro,
no vieran que era ya pasado el día;
la sombra se veía
415 venir corriendo apriesa
ya por la falda espesa
del altísimo monte, y recordando
ambos como de sueño, y acusando
el fugitivo sol, de luz escaso,
420 su ganado llevando,
se fueron recogiendo paso a paso.

412 *al tramontar el sol*: «al ponerse el sol tras los montes, al anochecer»; *orladas*: «adornadas, bordeadas».

415 *apriesa*: «deprisa».

417 *recordando*: «despertando».

418 *acusando*: «notando», tal vez indicando el disgusto de los pastores, obligados por la escasa luz del poniente a interrumpir su canto.

[12]

La Égloga tercera es el último gran poema de Garcilaso y fue escrita en 1536, año de la expedición militar a Provenza y de la muerte del poeta. Acoge el ideal renacentista de una naturaleza tamizada por un arte exquisito, y algunas de sus características fueron esenciales para la poesía española: la sabia asimilación de la mitología, el uso de la octava real y el riquísimo lenguaje descriptivo influyeron decisivamente, por citar un solo ejemplo que veremos aquí, en la *Fábula de Polifemo y Galatea* de Luis de Góngora. Al igual que en la primera Égloga, encontramos trazas autobiográficas: los nombres de Nemoroso y de Elisa, protagonistas de una de las historias inseridas en la égloga, serían de nuevo trasuntos de los de Garcilaso e Isabel Freire. Su estructura es sencilla y clásica: tras las octavas de dedicatoria (vv. 1-56), el poeta describe el escenario de la acción —un lugar bien conocido pero obviamente idealizado: el Tajo— y la parte central de la composición (vv. 57-272) contiene y describe las historias tejidas por cuatro ninfas (Filódoce, Dinámene, Climene y Nise) que representan tres casos de parejas mitológicas (Orfeo y Eurídice, Apolo y Dafne, Venus y Adonis) y un caso contemporáneo (precisamente el de Elisa y Nemoroso). Después atardece y aparecen los pastores Tirreno y Alcino, cuyo canto pone fin a la acción y al poema.

ÉGLOGA III

Personas: Tirreno, Alcino

Aquella voluntad honesta y pura,
ilustre y hermosísima María,
que en mí de celebrar tu hermosura,
tu ingenio y tu valor estar solía,
5 a despecho y pesar de la ventura
que por otro camino me desvía,
está y estará tanto en mí clavada
cuanto del cuerpo el alma acompañada.

Y aun no se me figura que me toca
10 aqueste oficio solamente en vida,
mas con la lengua muerta y fría en la boca
pienso mover la voz a ti debida;
libre mi alma de su estrecha roca,

2 *María*: muy probablemente se trata de María Osorio Pimentel, esposa de don Pedro de Toledo.

3 *hermosura* debe pronunciarse aspirando la *h* (como sucede con otras palabras en los vv. 129, 151, 166, 176, 217 y 240).

5 *ventura*: «fortuna».

9-11 *me toca*: «me corresponde». Nótese de paso que, en el v. 11, *fría* debe pronunciarse con sinéresis, formando un diptongo a pesar del acento, igual que *competían* (102), *habían* (114), *había* (146, 208, 227), *vía* «veía» (177), *solía* (190), *río* (201), *tenían* (282), *venían* (290) y *día* (320).

12 *la voz a ti debida*: esta expresión, que forma parte de una hipérbole propia de las dedicatorias clásicas («incluso muerto cantaré tus alabanzas»), fue usada por un gran poeta del siglo XX, Pedro Salinas, como título de una de sus obras.

13 *roca*: se refiere figuradamente al «cuerpo».

por el Estigio lago conducida,
15 celebrando te irá, y aquel sonido
hará parar las aguas del olvido.

Mas la fortuna, de mi mal no harta,
me aflige y de un trabajo en otro lleva;
ya de la patria, ya del bien me aparta,
20 ya mi paciencia en mil maneras prueba,
y lo que siento más es que la carta
donde mi pluma en tu alabanza mueva,
poniendo en su lugar cuidados vanos,
me quita y me arrebata de las manos.

25 Pero por más que en mí su fuerza pruebe,
no tornará mi corazón mudable:
nunca dirán jamás que me remueve
fortuna de un estudio tan loable;
Apolo y las hermanas todas nueve
30 me darán ocio y lengua con que hable
lo menos de lo que en tu ser cupiere,
que esto será lo más que yo pudiere.

14 *Estigio lago*: «laguna Estigia», situada en el infierno, a través de la cual el barquero Caronte conducía las almas al reino de los muertos.

16 *aguas del olvido*: las del río Leteo, que los muertos bebían para olvidar su vida terrena.

18 *trabajo*: «dificultad, apuro».

21 *carta*: «papel».

25 *pruebe*: el sujeto sigue siendo la fortuna (v. 17).

26 *mudable*: «cambiante, veleidoso».

27 *remueve*: «aparta».

28 *estudio*: «empeño, ocupación».

29 *las hermanas todas nueve*: las Musas.

En tanto, no te ofenda ni te harte
tratar del campo y soledad que amaste,
35 ni desdeñes aquesta inculta parte
de mi estilo, que en algo ya estimaste.
Entre las armas del sangriento Marte,
do apenas hay quien su furor contraste,
hurté de tiempo aquesta breve suma,
40 tomando ora la espada, ora la pluma.

Aplica, pues, un rato los sentidos
al bajo son de mi zampoña ruda,
indigna de llegar a tus oídos,
pues de ornamento y gracia va desnuda;
45 mas a las veces son mejor oídos
el puro ingenio y lengua casi muda,
testigos limpios de ánimo inocente,
que la curiosidad del elocuente.

Por aquesta razón de ti escuchado,
50 aunque me falten otras, ser merezco;

38 *contraste*: «resista, combata».

40 El ideal renacentista de combinar las armas y las letras y el tópico proemial de escribir poesía en los escasos momentos de ocio de que se disponía cobran aquí todo su sentido, pues Garcilaso estaba en esos días participando en acciones militares (como la que le llevó a la muerte poco después).

42 *bajo son de mi zampoña ruda*: «humilde sonido de mi torpe flauta»; estilo ínfimo que corresponde a la égloga (lo mismo se observa en los vv. 35-36: *inculta parte/ de mi estilo*).

45 *a las veces*: «a veces».

48 *curiosidad*: «artificio, adorno».

50 *aunque me falten otras*: «aunque me falten otras razones». Esta omisión de un sustantivo localizable en el contexto (*por aquesta razón*) constituye una figura retórica denominada *zeugma*.

lo que puedo te doy, y lo que he dado,
con recebillo tú, yo me enriquezco.
De cuatro ninfas que del Tajo amado
salieron juntas, a cantar me ofrezco:
55 Filódoce, Dinámene y Climene,
Nise, que en hermosura par no tiene.

Cerca del Tajo, en soledad amena,
de verdes sauces hay una espesura
toda de hiedra revestida y llena,
60 que por el tronco va hasta el altura
y así la teje arriba y encadena
que el sol no halla paso a la verdura;
el agua baña el prado con sonido,
alegrando la vista y el oído.

65 Con tanta mansedumbre el cristalino
Tajo en aquella parte caminaba,
que pudieran los ojos el camino
determinar apenas que llevaba.
Peinando sus cabellos de oro fino,
70 una ninfa del agua do moraba
la cabeza sacó y el prado ameno
vido de flores y de sombras lleno.

52 *recebillo*: «recibirlo».

55-56 Los nombres de las ninfas son característicos de la poesía bucólica griega, latina e italiana y fueron usados previamente por Homero, Virgilio y Sannazaro.

57 *amena*: «placentera».

61 *encadena*: «enlaza, trenza».

66 *caminaba*: «avanzaba, fluía».

67-68 «Que los ojos apenas podían determinar el camino que llevaba».

72 *vido*: «vio».

Moviola el sitio umbroso, el manso viento,
el suave olor de aquel florido suelo;
75 las aves en el fresco apartamiento
vio descansar del trabajoso vuelo;
secaba entonces el terreno aliento
el sol, subido en la mitad del cielo;
en el silencio solo se escuchaba
80 un susurro de abejas que sonaba.

Habiendo contemplado una gran pieza
atentamente aquel lugar sombrío,
somorgujó de nuevo su cabeza
y al fondo se dejó calar del río;
85 a sus hermanas a contar empieza
del verde sitio el agradable frío,
y que vayan, les ruega y amonesta,
allí con su labor a estar la siesta.

No perdió en esto mucho tiempo el ruego,
90 que las tres de ellas su labor tomaron
y en mirando defuera vieron luego
el prado, hacia el cual enderezaron;

73 *Moviola*: «la incitó, la invitó».

79-80 Estos versos contienen una de las aliteraciones más efectivas de la poesía española: la abundancia de sibilantes imita fónicamente del zumbido de las abejas. Compárese con San Juan de la Cruz (21, vv. 64-65) y con Góngora (33, vv. 41-42).

83 *somorgujó*: «sumergió».

84 *calar*: «bajar, descender».

86 *frío*: «frescor».

87 *amonesta*: «aconseja».

88 *a estar la siesta*: «a pasar las horas de calor del mediodía».

91 *defuera*: «afuera»; *luego*: «al momento».

92 *enderezaron*: «se dirigieron».

el agua clara con lascivo juego
nadando dividieron y cortaron
95 hasta que el blanco pie tocó mojado,
saliendo del arena, el verde prado.

Poniendo ya en lo enjuto las pisadas
escurriendo del agua sus cabellos,
los cuales esparciendo cubijadas
100 las hermosas espaldas fueron de ellos,
luego sacando telas delicadas
que en delgadeza competían con ellos,
en lo más escondido se metieron
y a su labor atentas se pusieron.

105 Las telas eran hechas y tejidas
del oro que el felice Tajo envía,
apurado después de bien cernidas
las menudas arenas do se cría,
y de las verdes ovas reducidas
110 en estambre sotil, cual convenía
para seguir el delicado estilo
del oro, ya tirado en rico hilo.

93 *lascivo*: «placentero».
97 *enjuto*: «seco».
99 *cubijadas*: «cobijadas, cubiertas».
100 *de ellos*: «por ellos» (se refiere a los cabellos, que, ya secos y esparcidos, cubren las espaldas de las ninfas).
107 *apurado*: «pulido»; *cernidas*: «cribadas».
108 Según la creencia mítica, el Tajo contenía pepitas de oro.
109 *ovas*: «algas de río».
110 *estambre sotil*: «urdimbre de hilo fino».
111 *estilo*: «forma».
112 *tirado*: «estirado, devanado».

La delicada estambre era distinta
de las colores que antes le habían dado
115 con la fineza de la varia tinta
que se halla en las conchas del pescado;
tanto arteficio muestra en lo que pinta
y teje cada ninfa en su labrado,
cuanto mostraron en sus tablas antes
120 el celebrado Apeles y Timantes.

Filódoce, que así de aquéllas era
llamada la mayor, con diestra mano
tenía figurada la ribera
de Estrimón: de una parte el verde llano
125 y de otra el monte de aspereza fiera,
pisado tarde o nunca de pie humano,
donde el amor movió con tanta gracia
la dolorosa lengua del de Tracia.

113 *distinta*: «adornada».
115-116 Tinta púrpura muy valiosa que se obtiene de los moluscos (*conchas del pescado*).
118 *labrado*: «labor».
119 *tablas*: «cuadros, pinturas».
120 *Apeles y Timantes*: dos famosos pintores griegos que solían mencionarse como ejemplos de perfección artística.
121 *Filódoce* teje la historia de Orfeo (*el de Tracia*, v. 128) y Eurídice. En estas tres octavas (vv. 121-144) se describe la mordedura de la serpiente (vv. 130-133), la muerte de Eurídice y el descenso de Orfeo a los infiernos (el *triste reino de la escura gente*, v. 139) para intentar rescatarla sin éxito, pues incumplió la única condición que Plutón (el *tirano*, v. 143) había exigido para liberarla, es decir, que a su retorno, Orfeo no se volviera para mirar a su amada (vv. 137-144).
123 *figurada*: «representada» (en el entramado de las telas).
124 *Estrimón*: el río más grande de Tracia.

Estaba figurada la hermosa
130 Eurídice, en el blanco pie mordida
de la pequeña sierpe ponzoñosa,
entre la hierba y flores escondida;
descolorida estaba como rosa
que ha sido fuera de sazón cogida,
135 y el ánima, los ojos ya volviendo,
de la hermosa carne despidiendo.

Figurado se vía extensamente
el osado marido, que bajaba
al triste reino de la escura gente
140 y la mujer perdida recobraba;
y cómo, después de esto, él, impaciente
por mirarla de nuevo, la tornaba
a perder otra vez, y del tirano
se queja al monte solitario en vano.

145 Dinámene no menos artificio
mostraba en la labor que había tejido,
pintando a Apolo en el robusto oficio
de la silvestre caza embebecido.
Mudar presto le hace el ejercicio

131 *ponzoñosa*: «venenosa».

134 *fuera de sazón*: «antes de tiempo».

137 *extensamente*: «detenida, minuciosamente».

145 *Dinámede* borda la historia de Apolo y Dafne, escena descrita por el poeta en otras tres octavas (vv. 145-168) que recrean los elementos esenciales del mito: Cupido hiere con una flecha de oro (*punta de oro*, v. 152) al cazador Apolo y este se enamora de Dafne, a la que persigue sin descanso hasta que ella se convierte en laurel.

148 *embebecido*: «absorto».

149 *mudar ... el ejercicio*: «abandonar ... la caza».

150 la vengativa mano de Cupido,
que hizo a Apolo consumirse en lloro
después que le enclavó con punta de oro.

Dafne, con el cabello suelto al viento,
sin perdonar al blanco pie corría
155 por áspero camino tan sin tiento,
que Apolo en la pintura parecía
que, porque ella templase el movimiento,
con menos ligereza la seguía;
él va siguiendo, y ella huye como
160 quien siente al pecho el odïoso plomo.

Mas a la fin los brazos le crecían
y en sendos ramos vueltos se mostraban;
y los cabellos, que vencer solían
al oro fino, en hojas se tornaban;
165 en torcidas raíces se estendían
los blancos pies y en tierra se hincaban;
llora el amante y busca el ser primero,
besando y abrazando aquel madero.

154 *sin perdonar*: «sin dejar ocioso».

155 *sin tiento*: «a lo loco».

157 *porque ella templase el movimiento*: «para que ella templase y controlase mejor su carrera».

160 *odïoso plomo*: porque los heridos con flecha de plomo por Cupido no sentían amor, sino odio y desdén.

167 *el ser primero*: «el ser anterior» (es decir, a Dafne antes de la metamorfosis en laurel, designado por el *madero* del verso siguiente). Compárese esta octava con el soneto XIII.

Climene, llena de destreza y maña,
170 el oro y las colores matizando,
iba de hayas una gran montaña,
de robles y de peñas varïando;
un puerco entre ellas, de braveza extraña,
estaba los colmillos aguzando
175 contra un mozo no menos animoso,
con su venablo en mano, que hermoso.

Tras esto, el puerco allí se vía herido
de aquel mancebo, por su mal valiente,
y el mozo en tierra estaba ya tendido,
180 abierto el pecho del rabioso diente,
con el cabello de oro desparcido
barriendo el suelo miserablemente;
las rosas blancas por allí sembradas
tornaban con su sangre coloradas.

185 Adonis éste se mostraba que era,
según se muestra Venus dolorida,

169 *Climene* teje el mito de Adonis, también relatado en tres octavas (vv. 169-192) y, como los anteriores, siguiendo en lo esencial las *Metamorfosis* de Ovidio, aunque ahora Garcilaso describe la escena identificando a los personajes solo al final (vv. 185-186): Adonis muere atacado por un jabalí ante la desesperación de Venus.

172 *varïando*: «dando variedad».

173 *puerco*: «jabalí»; *braveza estraña*: «fiereza excepcional».

175 *animoso*: «bravo, brioso, impetuoso».

177-178 *herido de aquel mancebo*: «herido por aquel joven».

180 *del rabioso diente*: «por el rabioso colmillo».

181 *desparcido*: «esparcido, suelto».

182 *miserablemente*: «tristemente».

184 *tornaban*: «se volvían».

que, viendo la herida abierta y fiera,
sobre él estaba casi amortecida;
boca con boca coge la postrera
190 parte del aire que solía dar vida
al cuerpo por quien ella en este suelo
aborrecido tuvo al alto cielo.

La blanca Nise no tomó a destajo
de los pasados casos la memoria,
195 y en la labor de su sotil trabajo
no quiso entretejer antigua historia;
antes, mostrando de su claro Tajo
en su labor la celebrada gloria,
la figuró en la parte donde él baña
200 la más felice tierra de la España.

Pintado el caudaloso río se vía,
que, en áspera estrechez reducido,

188 *amortecida*: «muerta».
189 *postrera*: «última».
192 *aborrecido*: «enojado, disgustado», porque los dioses (el *alto cielo*) no aprobaban los amores de Venus con un mortal.
193 *a destajo*: «con trabajo». A diferencia de sus hermanas, *Nise* no teje un mito clásico (*antigua historia*), sino una historia actual que ella conoce de primera mano (véanse los vv. 254-255), representada y acontecida en las cercanías de Toledo, la ciudad bañada por el Tajo: la muerte de la ninfa Elisa, amada de Nemoroso (nombres tras los que cabe identificar a Isabel Freyre y Garcilaso de la Vega). Para destacar esta última historia, el poeta le dedica nueve octavas, el mismo espacio que ha dedicado a las tres anteriores.
194 *casos*: «historias».
200 Se refiere a Toledo, ciudad situada en la cuenca del Tajo.
202-203 El río ceñía el monte en el que se sitúa la ciudad de Toledo. Obsérvese la personificación del río (v. 208), resultado

un monte casi alrededor ceñía,
con ímpetu corriendo y con ruido;
205 querer cercarlo todo parecía
en su volver, mas era afán perdido;
dejábase correr en fin derecho,
contento de lo mucho que había hecho.

Estaba puesta en la sublime cumbre
210 del monte, y desde allí por él sembrada,
y aquella ilustre y clara pesadumbre
de antiguos edificios adornada.
De allí con agradable mansedumbre
el Tajo va siguiendo su jornada
215 y regando los campos y arboledas
con artificio de las altas ruedas.

En la hermosa tela se veían,
entretejidas, las silvestres diosas
salir de la espesura, y que venían
220 todas a la ribera presurosas,
en el semblante tristes, y traían
cestillos blancos de purpúreas rosas,

---

de la condición mítica o divina que a veces se daba a los ríos.

209 *sublime*: «muy alta».

211 *clara*: «excelsa»; *pesadumbre*: «mole».

214 *jornada*: «camino, recorrido».

216 *artificio de las altas ruedas*: referencia a las presas construidas a principios del siglo XVI por Juanelo Turriano al paso del Tajo por Toledo.

218 *silvestres diosas*: «divinidades rústicas», es decir, las ninfas del río.

las cuales esparciendo derramaban
sobre una ninfa muerta que lloraban.

225 Todas, con el cabello desparcido,
lloraban una ninfa delicada
cuya vida mostraba que había sido
antes de tiempo y casi en flor cortada;
cerca del agua, en un lugar florido,
230 estaba entre las hierbas igualada
cual queda el blanco cisne cuando pierde
la dulce vida entre la hierba verde.

Una de aquellas diosas que en belleza
al parecer a todas excedía,
235 mostrando en el semblante la tristeza
que del funesto y triste caso había,
apartada algún tanto, en la corteza
de un álamo unas letras escribía
como epitafio de la ninfa bella,
240 que hablaban ansí por parte de ella:

«Elisa soy, en cuyo nombre suena
y se lamenta el monte cavernoso,
testigo del dolor y grave pena
en que por mí se aflige Nemoroso

225 *desparcido*: «suelto, revuelto».

230 *igualada*: «tendida».

234 *al parecer*: «claramente» (a diferencia del sentido habitual, que puede verse en el v. 271, la expresión no implica aquí una impresión subjetiva, sino una constatación visual).

236 *había*: «tenía, sentía» (el sujeto es *una de aquellas diosas*).

237 *algún tanto*: «un poco».

240 *por parte de ella*: «en boca de ella».

245 y llama "¡Elisa! ¡Elisa!" a boca llena;
responde el Tajo, y lleva presuroso
al mar de Lusitania el nombre mío,
donde será escuchado, yo lo fío».

En fin, en esta tela artificiosa
250 toda la historia estaba figurada
que en aquella ribera deleitosa
de Nemoroso fue tan celebrada,
porque de todo aquesto y cada cosa
estaba Nise ya tan informada
255 que, llorando el pastor, mil veces ella
se enterneció escuchando su querella;

y porque aqueste lamentable cuento
no sólo entre las selvas se contase,
mas dentro de las ondas sentimiento,
260 con la noticia de esto, se mostrase,
quiso que de su tela el argumento
la bella ninfa muerta señalase
y ansí se publicase de uno en uno
por el húmido reino de Neptuno.

265 De estas historias tales varïadas
eran las telas de las cuatro hermanas,
las cuales con colores matizadas,

247 *Lusitania*: «Portugal» (la patria de Isabel Freyre).
248 *yo lo fío*: «yo doy fe, yo lo aseguro».
249 *artificiosa*: «hecha con habilidad».
256 *querella*: «lamento».
257 *lamentable*: «digno de lamentación».
261 *argumento*: «tema, asunto».
264 *húmido reino de Neptuno*: «el mar».

claras las luces, de las sombras vanas
mostraban a los ojos relevadas
270 las cosas y figuras que eran llanas,
tanto que al parecer el cuerpo vano
pudiera ser tomado con la mano.

Los rayos ya del sol se trastornaban,
escondiendo su luz al mundo cara
275 tras altos montes, y a la luna daban
lugar para mostrar su blanca cara;
los peces a menudo ya saltaban,
con la cola azotando el agua clara,
cuando las ninfas, la labor dejando,
280 hacia el agua se fueron paseando.

En las templadas ondas ya metidos
tenían los pies y reclinar querían
los blancos cuerpos cuando sus oídos
fueron de dos zampoñas que tañían
285 suave y dulcemente detenidos,
tanto que sin mudarse las oían
y al son de las zampoñas escuchaban
dos pastores a veces que cantaban.

Más claro cada vez el son se oía
290 de dos pastores que venían cantando

269 *relevadas*: «en relieve».

271 *cuerpo vano*: porque es figurado, representado y no real.

273 *se trastornaban*: «se ocultaban».

274 *cara*: «querida».

284 *zampoñas*: «flautas pastoriles».

288 *a veces*: «alternadamente». Se refiere al canto amebeo, propio de la literatura pastoril, de los dos pastores Tirreno y Alcino dedicados a sus dos amadas, Flérida y Filis, respectivamente.

tras el ganado, que también venía
por aquel verde soto caminando
y a la majada, ya pasado el día,
recogido le llevan, alegrando
295 las verdes selvas con el son suave,
haciendo su trabajo menos grave.

Tirreno de estos dos el uno era,
Alcino el otro, entrambos estimados
y sobre cuantos pacen la ribera
300 del Tajo con sus vacas enseñados;
mancebos de una edad, de una manera
a cantar juntamente aparejados
y a responder, aquesto van diciendo,
cantando el uno, el otro respondiendo:

Tirreno

305 Flérida, para mí dulce y sabrosa
más que la fruta del cercado ajeno,
más blanca que la leche y más hermosa
que el prado por abril de flores lleno:
si tú respondes pura y amorosa
310 al verdadero amor de tu Tirreno,

293 *majada*: «lugar donde se guarda el ganado».
296 *menos grave*: «menos pesado».
300 *enseñados*: «hábiles, diestros».
301 *de una edad, de una manera*: «de la misma edad, de la misma manera».
305 Los cantos alternos de ambos pastores se dedican respectivamente a sus amadas, Flérida y Filis.

a mi majada arribarás primero
que el cielo nos amuestre su lucero.

Alcino

Hermosa Filis, siempre yo te sea
amargo al gusto más que la retama,
315 y de ti despojado yo me vea
cual queda el tronco de su verde rama,
si más que yo el murciégalo desea
la escuridad, ni más la luz desama,
por ver ya el fin de un término tamaño,
320 de este día, para mí mayor que un año.

Tirreno

Cual suele, acompañada de su bando,
aparecer la dulce primavera,
cuando Favonio y Céfiro, soplando,
al campo tornan su beldad primera
325 y van artificiosos esmaltando
de rojo, azul y blanco la ribera:

311 *arribarás*: «llegarás»; *primero*: «antes».
312 *amuestre*: «muestre».
317 *murciégalo*: «murciélago» (con metátesis corriente en la lengua de entonces).
318 *desama*: «odia».
319 *término tamaño*: «período tal, tan grande».
321 *bando*: «séquito».
323 *Favonio y Céfiro*: «viento suave propio de la primavera», designado y personificado con sus nombres latino y griego.

en tal manera, a mí Flérida mía
viniendo, reverdece mi alegría.

Alcino

¿Ves el furor del animoso viento
330 embravecido en la fragosa sierra
que los antigos robles ciento a ciento
y los pinos altísimos atierra,
y de tanto destrozo aún no contento,
al espantoso mar mueve la guerra?
335 Pequeña es esta furia comparada
a la de Filis con Alcino airada.

Tirreno

El blanco trigo multiplica y crece;
produce el campo en abundancia tierno
pasto al ganado; el verde monte ofrece
340 a las fieras salvajes su gobierno;
a doquiera que miro, me parece

[328] La amada tiene sobre Tirreno, el mismo efecto que la primavera ejerce sobre la naturaleza.

[329] *animoso*: «impetuoso, fuerte». Empieza aquí y se prolonga hasta el final de la estrofa (v. 336) la comparación de la furia de la amada con la de una tormenta.

[330] *fragosa*: «intrincada».

[331] *antigos*: «antiguos».

[332] *atierra*: «derriba».

[340] *gobierno*: «alimento, manutención».

[341] *doquiera*: «dondequiera».

que derrama la copia todo el cuerno.
Mas todo se convertirá en abrojos
si de ello aparta Flérida sus ojos.

Alcino

345 De la esterilidad es oprimido
el monte, el campo, el soto y el ganado;
la malicia del aire corrompido
hace morir la hierba mal su grado;
las aves ven su descubierto nido
350 que ya de verdes hojas fue cercado;
Pero si Filis por aquí tornare
hará reverdecer cuanto mirare.

Tirreno

El álamo de Alcides escogido
fue siempre, y el laurel del rojo Apolo;
355 de la hermosa Venus fue tenido
en precio y en estima el mirto solo;
el verde sauz de Flérida es querido
y por suyo entre todos escogiolo:

342 Se refiere a la *cornucopia*, o cuerno de la abundancia repleto de frutos y flores. Garcilaso condiciona tal abundancia a la presencia (*mirada*) de la amada (vv. 343-344).

347 *malicia*: «daño, insalubridad».

348 *mal su grado*: «a su pesar».

350 *ya*: «en otro tiempo».

353-360 A lo largo de esta estrofa aparecen distintos árboles asociados a dioses: el *álamo* se atribuye a *Alcides* (Hércules), el *laurel* a *Apolo*, y el *mirto* a *Venus*; también Flérida tenía un árbol predilecto, el sauce (*sauz*), que los supera a todos.

doquiera que sauces de hoy más se hallen,
360 el álamo, el laurel y el mirto callen.

Alcino

El fresno por la selva en hermosura
sabemos ya que sobre todos vaya,
y en aspereza y monte de espesura
se aventaja la verde y alta haya.
365 Mas el que la beldad de tu figura
dondequiera mirado, Filis, haya,
al fresno y a la haya en su aspereza
confesará que vence tu belleza.

Esto cantó Tirreno, y esto Alcino
370 le respondió, y habiendo ya acabado
el dulce son, siguieron su camino
con paso un poco más apresurado;
siendo a las ninfas ya el rumor vecino,
juntas se arrojan por el agua a nado,
375 y de la blanca espuma que movieron
las cristalinas ondas se cubrieron.

359 *de hoy más*: «a partir de hoy».

361-369 Continuando la ponderación del otro pastor, dice Alcino que su amada Filis supera en hermosura al fresno y al haya.

373-376 Al oír cada vez más cerca el ruido de los pastores (*siendo ya el rumor vecino*), las ninfas vuelven a sumergirse en el río.

FRAY LUIS DE LEÓN

(Belmonte, Cuenca, h. 1527 – Madrigal de las Altas Torres, Ávila, 1591)

[13]

Esta primera oda de fray Luis, también conocida como *Canción de la vida solitaria*, presenta la mejor elaboración española del tema horaciano del *beatus ille*; en ella se ofrece el elogio de una vida apartada de los engaños y preocupaciones de la corte, basado todo ello en el menosprecio de las riquezas materiales. Destacan en el poema la fusión de ideales morales paganos y cristianos y la artificiosidad de algunos versos. El lugar escogido para el *otium* (el ocio culto y virtuoso de los estoicos), descrito por el autor siguiendo el tópico del *locus amoenus*, pudo adquirir aquí los trazos concretos del huerto de La Flecha que la orden agustina tenía cerca de Salamanca, pero la alcurnia del tema hace que no resulte fácil fechar la composición, en la que además aparecen reunidos casi todos los temas característicos de la poesía de fray Luis.

VIDA RETIRADA

¡Qué descansada vida
la del que huye el mundanal ruido
y sigue la escondida
senda por donde han ido
5 los pocos sabios que en el mundo han sido!

2 *huye*: «rehúye, evita».
3-4 *la escondida senda*: el *secretum iter* horaciano, ideal estoico aplicable también a la virtud cristiana.
5 *han sido*: «han existido, ha habido».

Que no le enturbia el pecho
de los soberbios grandes el estado,
ni del dorado techo
se admira, fabricado
10 del sabio moro, en jaspes sustentado.

No cura si la Fama
canta con voz su nombre pregonera,
ni cura si encarama
la lengua lisonjera
15 lo que condena la verdad sincera.

¿Qué presta a mi contento
si soy del vano dedo señalado;
si, en busca de este viento,
ando desalentado,
20 con ansias vivas, con mortal cuidado?

6 *no le enturbia el pecho*: «no le preocupa, no le atormenta».
7 *el estado*: «la posición social», en este caso de los «poderosos» (ese es el sentido del sustantivo *grandes*).
8-10 Adviértase en toda la estrofa la dislocación del orden sintáctico (hipérbaton): «... ni se admira del dorado techo, sustentado en jaspes, fabricado por el (*del*) sabio moro».
11 *no cura*: «no se preocupa»; *la Fama*: «la opinión, la gente».
12 Nótese el hipérbaton: «canta su nombre con voz pregonera».
13 *encarama*: «ensalza, alaba».
14 *lisonjera*: «aduladora, engañosa».
16 *¿qué presta...?*: «¿Qué aprovecha...?, ¿De qué le sirve...?».
17 *si soy del vano dedo señalado*: «si soy señalado por el vano dedo» (del vulgo).
18 *viento*: figuradamente, «la fama, la opinión favorable de los demás».
19 *desalentado*: «sin aliento».
20 *cuidado*: «preocupación, angustia».

¡Oh monte!, ¡oh fuente!, ¡oh río!
¡Oh secreto seguro, deleitoso!,
roto casi el navío,
a vuestro almo reposo
25 huyo de aqueste mar tempestuoso.

Un no rompido sueño,
un día puro, alegre, libre quiero;
no quiero ver el ceño
vanamente severo
30 de a quien la sangre ensalza o el dinero.

Despiértenme las aves
con su cantar sabroso no aprendido;
no los cuidados graves,
de que es siempre seguido
35 el que al ajeno arbitrio está atenido.

Vivir quiero conmigo;
gozar quiero del bien que debo al cielo,

22 *secreto* es aquí sustantivo: «lugar solitario, refugio».
24 *almo*: «benéfico, vivificador».
25 *mar tempestuoso*: en correspondencia con el *viento* del v. 18, alude aquí a la agitación de la vida mundana.
26 *un no rompido sueño*: «un sueño no interrumpido».
28-29 *el ceño vanamente severo*: «el gesto adusto, vanamente grave».
30 «De aquel a quien el linaje (*la sangre*) o el dinero ensalzan».
32 *cantar ... no aprendido*: en los poemas dedicados al *beatus ille*, la espontánea prodigalidad de la naturaleza se cifró a menudo en este motivo de las aves y su *sabroso* («deleitoso») «cantar no aprendido» (Garcilaso, *Égloga II*, vv. 67-69).
35 *el que al ajeno arbitrio está atenido*: «el que está atento o sometido a la opinión o al capricho de los demás».
36-40 Esta estrofa es la que expone más claramente el ideal de conformidad estoica propio de la vida del sabio.

a solas, sin testigo,
libre de amor, de celo,
40 de odio, de esperanzas, de recelo.

Del monte en la ladera,
por mi mano plantado tengo un huerto,
que con la primavera,
de bella flor cubierto,
45 ya muestra en esperanza el fruto cierto.

Y como codiciosa
por ver y acrecentar su hermosura,
desde la cumbre airosa
una fontana pura
50 hasta llegar corriendo se apresura.

Y luego, sosegada,
el paso entre los árboles torciendo,
el suelo, de pasada,
de verdura vistiendo
55 y con diversas flores va esparciendo.

41 Nuevo hipérbaton: «En la ladera del monte».
46 *codiciosa*: «ansiosa, impaciente».
47 *hermosura*: con *h* aspirada, impidiendo la sinalefa con la palabra anterior.
49 *una fontana pura*: la fuente es un símbolo usado con frecuencia en la literatura espiritual.
51 *luego*: «de inmediato, enseguida».
53 *de pasada*: «al pasar, a su paso».
54-55 «va vistiendo de hierba (*verdura*) y va esparciendo con flores diferentes».

El aire el huerto orea
y ofrece mil olores al sentido;
los árboles menea
con un manso ruido,
60 que del oro y del cetro pone olvido.

Ténganse su tesoro
los que de un falso leño se confían;
no es mío ver el lloro
de los que desconfían
65 cuando el cierzo y el ábrego porfían.

La combatida antena
cruje, y en ciega noche el claro día
se torna; al cielo suena
confusa vocería,
70 y la mar enriquecen a porfía.

[56] *orea*: «refresca, airea».

[59] *con un manso ruido* comienza la canción tercera de Garcilaso.

[60] *el oro* y *el cetro* son símbolos, respectivamente, de la riqueza y del poder.

[61] *ténganse*: «guárdense, quédense».

[62] *leño*: «nave» (metonimia de raigambre horaciana).

[63] *no es mío*: «no me corresponde, no es cosa mía».

[64] *desconfían*: «temen, pierden la esperanza».

[65] El *cierzo* y el *ábrego* son, respectivamente, el viento del norte y el del sur.

[66] *antena*: «mástil».

[70] *y la mar enriquecen a porfía*: no es fácil decidir si son las tempestades las que aumentan o hacen crecer el mar con sus embestidas, o si, literalmente (y esto es lo que parece más seguro y razonable), lo *enriquecen* en gran cantidad con sus tesoros los barcos naufragados de los imprudentes navegantes. En esta estrofa destaca la capacidad del poeta para describir la tempestad con expresivos encabalgamientos.

A mí una pobrecilla
mesa, de amable paz bien abastada,
me baste, y la vajilla
de fino oro labrada
75 sea de quien la mar no teme airada.

Y mientras miserable-
mente se están los otros abrasando
con sed insacïable
del peligroso mando,
80 tendido yo a la sombra esté cantando.

A la sombra tendido,
de hiedra y lauro eterno coronado,
puesto el atento oído
al son dulce, acordado,
85 del plectro sabiamente meneado.

72 *abastada*: «abastecida, provista».
73 La *vajilla* dorada como símbolo del lujo excesivo o innecesario era frecuente en las recreaciones del *beatus ille*; véase Góngora, núm. 36, v. 119.
74 *labrada*: «elaborada, cincelada».
76-77 Este es el más abrupto de los encabalgamientos y recibe el nombre técnico de *tmesis*: la separación de verso separa también una palabra compuesta. Fray Luis había aprendido este recurso de los poetas grecolatinos y lo usó unas cuantas veces más (precisamente en sus traducciones de poetas clásicos).
79 *mando*: «poder».
82 *lauro*: «laurel», que, como la *hiedra*, servían en la Antigüedad para coronar simbólicamente a los poetas.
84 *acordado*: «afinado, armonioso».
85 *plectro*: «púa para tocar instrumentos de cuerda». En estos últimos versos el poeta alude a la armoniosa música del universo, sabiamente interpretada por Dios (véase la composición siguiente).

[14]

Las liras dedicadas a Francisco Salinas (1514-1590), insigne catedrático de música en la Universidad de Salamanca, ciego desde la niñez y amigo del autor, desarrollan, sobre un fondo de ideas pitagóricas y platónicas, el tema de la correspondencia entre la armonía de la música y la armonía del alma. Es posible que fray Luis escribiese el poema hacia 1577, fecha de la publicación del tratado *De musica libri septem* de Salinas. La oda se inicia mostrando la afinidad entre la música y el alma, y más adelante presenta varios tipos de música (la humana, en este caso interpretada por Salinas; la de las estrellas y divina, la del gran Maestro) relacionados entre sí para lograr una total armonía.

A FRANCISCO SALINAS

El aire se serena
y viste de hermosura y luz no usada,
Salinas, cuando suena
la música extremada,
5 por vuestra sabia mano gobernada.

1 Este *aire* no debe entenderse simplemente como «viento», sino más bien como «atmósfera, cielo».
1-2 *se serena / y viste*: «se serena y se viste».
2 *no usada*: «extraordinaria, inusual».
4 *extremada*: «sublime, perfecta».

A cuyo son divino
el alma, que en olvido está sumida,
torna a cobrar el tino
y memoria perdida
10 de su origen primera esclarecida.

Y, como se conoce,
en suerte y pensamiento se mejora;
el oro desconoce
que el vulgo vil adora,
15 la belleza caduca engañadora.

Traspasa el aire todo
hasta llegar a la más alta esfera
y oye allí otro modo
de no perecedera
20 música, que es la fuente y la primera.

Ve cómo el gran Maestro,
aquesta inmensa cítara aplicado,

6-10 Esta estrofa, de inspiración platónica, expresa que el alma, que se había olvidado de lo espiritual, vuelve a cobrar conciencia de su origen divino (*origen* era entonces sustantivo de género femenino, como en latín, y *esclarecida* significa «excelsa»).

11-15 En esta lira explica cómo el alma, que reconoce su esencia divina por efecto de la música (*se conoce*), desprecia todos los bienes perecederos (*el oro*, *la belleza caduca*).

12 *suerte*: «condición, estado».

13 *desconoce*: «desprecia, desdeña».

17 *la más alta esfera*: el cielo empíreo, morada de Dios.

18 *modo* es, en este contexto, término musical: «ritmo, melodía».

20 *la fuente y la primera*: la eterna música divina es el origen (*la fuente*) de todas las demás.

22 *aquesta*: «a esta» (no era raro que la preposición *a* se fundiese con la palabra siguiente cuando esta empezaba por la misma

con movimiento diestro
produce el son sagrado,
25 con que este eterno templo es sustentado.

Y, como está compuesta
de números concordes, luego envía
consonante respuesta,
y entre ambos a porfía
30 se mezcla una dulcísima armonía.

Aquí la alma navega
por un mar de dulzura y, finalmente,
en él ansí se anega,
que ningún accidente
35 extraño y peregrino oye y siente.

¡Oh desmayo dichoso!
¡Oh muerte que das vida! ¡Oh dulce olvido!

---

vocal); la *cítara* era instrumento de cuerda y símbolo de la inspiración poética o musical (y en este caso la creación divina).

25 *eterno templo*: «el universo».

27 *números concordes*: «cadencias armoniosas»; *luego*: «al momento».

29 *entre ambos*: «entre ambos sones» (el sagrado del v. 24 y la respuesta del v. 28).

30 *mezcla*: «compone».

33 *ansí*: «de tal manera»; *se anega*: «se ahoga», con el sentido de «se funde, se integra, se entrega».

34-35 *ningún accidente*: «ninguna circunstancia, ninguna cosa»; es decir, que el alma no percibe nada que sea extraño (*peregrino*) a la armonía de las esferas.

36-40 La estrofa muestra el éxtasis al que llega el alma, con exclamaciones antitéticas y paradójicas características de la poesía mística.

¡Durase en tu reposo
sin ser restituido
40 jamás aqueste bajo y vil sentido!

A este bien os llamo,
gloria del apolíneo sacro coro,
amigos a quien amo
sobre todo tesoro,
45 que todo lo visible es triste lloro.

¡Oh, suene de contino,
Salinas, vuestro son en mis oídos,
por quien al bien divino
despiertan los sentidos,
50 quedando a lo demás adormecidos!

[38] *durase*: «ojalá permaneciese».
[39] *restituido*: «devuelto».
[40] *aqueste*: «a aqueste» (véase el v. 22).
[42] *apolíneo sacro coro*: «coro sagrado de Apolo», dios de la poesía, y por tanto en referencia al círculo de poetas amigos del autor.
[43] *quien* era invariable en la época (y podía también aplicarse a cosas: véase la nota al v. 48).
[45] *lo visible*: «lo terreno, lo material», aquí como sutil consolación ante la ceguera de Salinas.
[46] *de contino*: «continuamente».
[48] *por quien*: «por el cual» (referido al *son*).
[50] *a lo demás*: «para todo lo demás».

[15]

Felipe Ruiz, a quien fray Luis dedicó otras dos odas, pertenecía al círculo de las amistades salmantinas del autor y era probablemente uno de los «amigos» aludidos en el poema anterior. Esta oda trata, con voluntad de censura moral, de la «inutilidad de las riquezas para conseguir la tranquilidad de ánimo» (Rafael Lapesa): la breve enumeración de ejemplos (las expediciones por mar, la avaricia de Craso y de Tántalo) culmina con la interrogación retórica de la última estrofa.

A FELIPE RUIZ

De la avaricia

En vano el mar fatiga
la vela portuguesa; que ni el seno
de Persia ni la amiga
Maluca da árbol bueno,
5 que pueda hacer un ánimo sereno.

1 *fatiga*: «recorre, acomete con insistencia»; el sujeto es *la vela portuguesa*, metonimia por las naves de las expediciones comerciales de Portugal.

2 *seno*: «golfo» (es decir, el golfo pérsico).

3-5 Los navegantes portugueses viajaban hasta las islas Molucas (aquí, *Maluca*) para comerciar con sus especias, pero el poeta precisa que allí no se hallará ningún *árbol bueno*, ninguna planta que sirva para serenar el ánimo (y, por tanto, curar la avaricia).

No da reposo al pecho,
Felipe, ni la India, ni la rara
esmeralda provecho;
que más tuerce la cara
10 cuanto posee más el alma avara.

Al capitán romano
la vida, y no la sed, quitó el bebido
tesoro persïano;
y Tántalo, metido
15 en medio de las aguas, afligido

de sed está; y más dura
la suerte es del mezquino, que sin tasa
se cansa ansí, y endura
el oro, y la mar pasa
20 osado, y no osa abrir la mano escasa.

6 *no da reposo al pecho*: «no da paz al alma, no tranquiliza el espíritu».

9 *más tuerce la cara*: «más se amarga, peor cara pone» (compárese el v. 24: *más enturbia el ceño*) el avaro cuanto más posee.

11-13 Alusión a Marco Licinio Craso, que luchó contra los persas y a quien sus enemigos, según la tradición, le hicieron beber oro fundido: por eso dice fray Luis *bebido tesoro persïano*. La comparación de la avaricia con la sed era habitual.

14 *Tántalo*: según la mitología, fue condenado por su padre, Júpiter, a no poder alcanzar el agua que lo rodeaba y padecer, por tanto, sed eterna.

18 *endura*: «atesora y escatima». Nótese de paso la eficaz efectividad de estos versos, con varias aliteraciones (de *n* en posición implosiva, de *r* y de *s*: *cansa*, *ansí*, *endura*, *oro*, *mar*, *pasa*), a veces reforzadas por figuras derivativas (*osado, y no osa*), y, sobre todo, continuos encabalgamientos, entre ellos uno muy llamativo entre dos estrofas (vv. 15-16).

20 *escasa*: «avara».

¿Qué vale el no tocado tesoro,
si corrompe el dulce sueño,
si estrecha el ñudo dado,
si más enturbia el ceño
25 y deja en la riqueza pobre al dueño?

[21] *¿qué vale...?*: «¿De qué vale, para qué sirve...?».
[22] *corrompe*: «estropea, echa a perder».
[23] *ñudo*: «nudo».
[24] *ceño*: véase el número 13, v. 28.

[16]

Como ejemplo de los «fieros males» de la pasión amorosa, fray Luis escogió la historia de don Rodrigo, el último rey godo de la península, y la pérdida de España, divulgada en las crónicas y el romancero con numerosos rasgos legendarios. La leyenda del adulterio de don Rodrigo con la hermosa Cava y la traición del «injuriado Conde» don Julián, que por despecho se alía con los árabes, adquiere una dimensión más solemne por su correspondencia con el mito de Helena y Paris y la premonición del río Nereo sobre la caída de Troya, relatada por Horacio en sus *Odas* (I, xv).

PROFECÍA DEL TAJO

Folgaba el rey Rodrigo
con la hermosa Cava en la ribera
del Tajo, sin testigo;
el río sacó fuera
5 el pecho y le habló de esta manera:

«En mal punto te goces,
injusto forzador; que ya el sonido

1 *folgaba*: «gozaba sexualmente, yacía».
2 *Cava*: era en realidad hija, y no esposa, del conde don Julián, pero su relación con don Rodrigo fue interpretada como adulterina en algunas versiones legendarias.
4-5 Nótese la personificación del río.
6 *en mal punto*: «en mala hora» (fórmula propia de las maldiciones).
7 *forzador*: «violador».

oyo, ya y las voces,
las armas y el bramido
10 de Marte, de furor y ardor ceñido.

¡Ay, esa tu alegría
qué llantos acarrea!, y esa hermosa,
que vio el sol en mal día,
a España ¡ay, cuán llorosa!,
15 y al cetro de los Godos ¡cuán costosa!

Llamas, dolores, guerras,
muertes, asolamiento, fieros males,
entre tus brazos cierras;
trabajos inmortales
20 a ti y a tus vasallos naturales:

a los que en Constantina
rompen el fértil suelo, a los que baña
el Ebro, a la vecina

8 *oyo*: «oigo».
10 *Marte*: dios de la guerra.
12 *esa hermosa*: la bella Cava.
13 *que vio el sol en mal día*: la fórmula implica una maldición («que en mala hora nació»; compárese el verso 6).
17 *asolamiento*: «destrucción».
18 *cierras*: «encierras».
19 *trabajos inmortales*: «penalidades eternas».
21-24 El poeta cita las ciudades que delimitan el reino godo: *Constantina* está cerca de Sevilla, en el sur; las tierras bañadas por el *Ebro*, al norte y este peninsular; *Sansueña* es un nombre legendario de Pamplona o Zaragoza, y *Lusitaña* («Lusitania», Portugal) limita el oeste del reino.
22 *rompen el fértil suelo*: alusión a los labradores que surcan la tierra antes de sembrarla.

Sansueña, a Lusitaña,
25 a toda la espaciosa y triste España.

Ya dende Cádiz llama
el injuriado Conde, a la venganza
atento y no a la fama,
la bárbara pujanza,
30 en quien para tu daño no hay tardanza.

Oye que al cielo toca
con temeroso son la trompa fiera
que en África convoca
el moro a la bandera,
35 que al aire desplegada va ligera.

La lanza ya blandea
el árabe cruel, y hiere el viento,
llamando a la pelea;

25 *triste España*: el adjetivo anticipa, a modo de premonición, las futuras desdichas.

26 *dende*: «desde».

26-29 «El injuriado conde (don Julián), atento a la venganza y no a la fama, llama («convoca») la bárbara pujanza («el poder extranjero y feroz»)», es decir, a los musulmanes.

30 *en quien*: «en la cual» (se refiere a la hueste musulmana); *daño*: «perjuicio».

32 *temeroso*: «temible»; *trompa*: instrumento de viento parecido a una trompeta, aunque más pequeño y con el tubo enroscado, que se asocia a la guerra y a la poesía épica en general.

33-34 *convoca ... a la bandera*: «convoca a reunirse bajo la insignia militar (*bandera*) de su ejército».

36 *blandea*: «blande, empuña».

innumerable cuento
40 de escuadras juntas veo en un momento.

Cubre la gente el suelo,
debajo de las velas desparece
la mar, la voz al cielo
confusa y varia crece,
45 el polvo roba el día y le escurece.

¡Ay!, que ya presurosos
suben las largas naves; ¡ay!, que tienden
los brazos vigorosos
a los remos y encienden
50 las mares espumosas por do hienden.

El Eolo derecho
hinche la vela en popa, y larga entrada
por el Hercúleo Estrecho

39 *cuento*: «cantidad, número».
42 *desparece*: «desaparece».
43 *al cielo*: «hasta el cielo».
45 *roba el día*: «oculta la luz del día».
46 *presurosos*: se refiere a los árabes.
47 *suben las largas naves*: «entran en las naves de guerra (que se distinguen precisamente por su longitud y grandeza: véase el v. 52)». El empleo del verbo *subir* como transitivo podría explicarse por un calco sintáctico del latín.
49-50 *encienden / las mares espumosas*: «los remos agitan el agua como si hirviera»; *do*: donde.
51 *Eolo*: «el viento» (por el nombre del dios mitológico de los vientos); *derecho*: «favorable».
52 *larga*: «amplia».
53 *Hercúleo Estrecho*: el estrecho de Gibraltar. En su regreso a Grecia después de robar los bueyes de Geriones (uno de los

con la punta acerada
55 el gran padre Neptuno da a la armada.

¡Ay, triste! ¿Y aún te tiene
el mal dulce regazo? ¿Ni llamado
al mal que sobreviene,
no acorres? ¿Ocupado
60 no ves ya el puerto a Hércules sagrado?

Acude, acorre, vuela,
traspasa el alta sierra, ocupa el llano,
no perdones la espuela,
no des paz a la mano,
65 menea fulminando el hierro insano».

¡Ay, cuánto de fatiga,
ay, cuánto de sudor está presente
al que viste loriga,

---

doce trabajos impuestos al héroe por haber matado a sus hijos en un acceso de locura), Hércules atravesó el estrecho de Gibraltar y erigió dos columnas en recuerdo de su paso.

55 *el gran padre Neptuno*: dios del mar acompañado de su tridente (la *punta acerada*). El viento favorable (*Éolo*) y la mar en calma (*Neptuno*) favorecen la navegación.

56 *te tiene*: «te retiene».

57 *el mal dulce regazo*: «el regazo dulce para mal, falsamente dulce» (en referencia a la Cava).

59 *acorres*: «ayudas».

60 Alusión al puerto de Gibraltar, consagrado a Hércules (véase el v. 53).

63 *no perdones*: «no dejes de usar».

65 *hierro*: «espada»; *insano*: «enfurecido, violento».

68 *loriga*: «armadura de acero para la defensa del cuerpo, hecha de láminas pequeñas e imbricadas a modo de escamas».

al infante valiente,
70 a hombres y a caballos juntamente!

Y tú, Betis divino,
de sangre ajena y tuya amancillado,
darás al mar vecino
¡cuánto yelmo quebrado!,
75 ¡cuánto cuerpo de nobles destrozado!

El furibundo Marte
cinco luces las haces desordena,
igual a cada parte;
la sexta, ¡ay!, te condena,
80 ¡oh cara patria!, a bárbara cadena.

69 *infante*: soldado que combate a pie.
71 *Betis*: Guadalquivir; los ríos eran considerados divinidades en la cultura grecolatina.
72 *amancillado*: «manchado».
74 *yelmo*: «parte de la armadura antigua que cubría cabeza y rostro».
76-80 «Durante cinco días (*cinco luces*), Marte desordena los ejércitos (*haces*) por igual, pero al sexto, la querida (*cara*) patria queda apresada con una *bárbara cadena*, la del triunfo árabe»; la batalla a la que se refiere, y que supuso la entrada de los árabes en la península, duró del 19 al 26 de julio del año 711.

[17]

Con los mismos puntales platónicos de la oda a Francisco Salinas, la dedicada a Diego Oloarte, otro amigo del autor, encierra una meditación en torno a la composición del universo: en la contemplación de la armonía celeste se manifiesta la divinidad y se pone de manifiesto la naturaleza perecedera y engañosa de la vida terrenal. Esta experiencia se resuelve en una invitación a desprenderse de los bienes materiales y pasiones corporales para elevar el alma hasta Dios a través de las esferas que conforman el universo, según una formulación divulgada por el platonismo y transmitida en época medieval a la literatura ascética o religiosa y a la lírica amorosa italiana.

NOCHE SERENA

A D. Oloarte

Cuando contemplo el cielo,
de innumerables luces adornado,
y miro hacia el suelo
de noche rodeado,
5 en sueño y en olvido sepultado,

el amor y la pena
despiertan en mi pecho un ansia ardiente;

[3] En esta ocasión, la aspiración de la *h-* no permite la sinalefa con la vocal que la precede.

despiden larga vena
los ojos hechos fuente,
10 Oloarte, y digo al fin con voz doliente:

«Morada de grandeza,
templo de claridad y hermosura,
el alma, que a tu alteza
nació, ¿qué desventura
15 la tiene en esta cárcel baja, escura?

¿Qué mortal desatino
de la verdad aleja así el sentido,
que, de tu bien divino
olvidado, perdido
20 sigue la vana sombra, el bien fingido?

El hombre está entregado
al sueño, de su suerte no cuidando,
y con paso callado,
el cielo, vueltas dando,
25 las horas del vivir le va hurtando.

8 *larga vena*: «abundantes lágrimas».
12 *hermosura*: con la *h* aspirada, como en el v. 71.
13-14 *a tu alteza nació*: «está destinada a tu alteza». El alma nació en el cielo, por ello desea regresar de nuevo allí.
15 La idea del cuerpo como cárcel del alma se remonta a la filosofía de Platón y Pitágoras, y fue cristianizada posteriormente.
17 *sentido*: «entendimiento».
22 *de su suerte no cuidando*: «no preocupándose de su suerte».
24 Se refiere a las vueltas que realizan alrededor de la tierra las diferentes esferas que componen el universo, según la teoría cosmológica de la época.

¡Oh, despertad, mortales!,
¡mirad con atención en vuestro daño!
Las almas inmortales,
hechas a bien tamaño,
30 ¿podrán vivir de sombras y de engaño?

¡Ay, levantad los ojos
a aquesta celestial eterna esfera!,
burlaréis los antojos
de aquesa lisonjera
35 vida, con cuanto teme y cuanto espera.

¿Es más que un breve punto
el bajo y torpe suelo, comparado
con ese gran trasunto,
do vive mejorado
40 lo que es, lo que será, lo que ha pasado?

Quien mira el gran concierto
de aquestos resplandores eternales,
su movimiento cierto,

[27] *mirad ... en vuestro daño*: «reparad en aquello que os perjudica».
[29] *hechas a bien tamaño*: «acostumbradas a tan gran bien».
[32] *aquesta*: «esta».
[34] *aquesa*: «esa»; *lisonjera*: «engañosa».
[35] El temor y la esperanza eran dos sentimientos que, desde el pensamiento estoico, impedían la quietud del alma.
[36] *breve*: «pequeño».
[38] *ese gran trasunto*: se refiere al cielo, imagen de la eternidad.
[41] *concierto*: «armonía».
[43] *cierto*: «seguro» (es decir, «constante», referido al movimiento de las esferas).

sus pasos desiguales
45 y en proporción concorde tan iguales;

la luna cómo mueve
la plateada rueda, y va en pos de ella
la luz do el saber llueve,
y la graciosa estrella
50 de amor la sigue reluciente y bella;

y cómo otro camino
prosigue el sanguinoso Marte airado,
y el Júpiter benino,
de bienes mil cercado,
55 serena el cielo con su rayo amado;

44 *pasos desiguales*: cada esfera tenía una velocidad distinta de rotación.

45 *en proporción concorde tan iguales*: a pesar de las diferentes velocidades de rotación, el movimiento de cada esfera está en armonía (*proporción concorde*) con el resto de las esferas y, por extensión, con el conjunto del universo.

46-60 Se describen en estos versos los planetas de la cosmología de la época (Luna, Mercurio, Venus, Marte, Júpiter y Saturno), con la excepción del Sol, situado entre Venus y Marte, probablemente porque se trata de una contemplación nocturna.

47 *rueda*: «esfera».

48 *la luz do el saber llueve*: Mercurio, dios de la sabiduría, se simboliza a través de la luz.

49-50 La *graciosa estrella de amor* es Venus.

52 *sanguinoso*: «sangriento, violento».

53 *benino*: «benigno, bondadoso».

55 *con su rayo armado*: Júpiter es el dios de los cielos y de los fenómenos meteorológicos, por eso está armado con su rayo.

rodéase en la cumbre
Saturno, padre de los siglos de oro;
tras él la muchedumbre
del reluciente coro
60 su luz va repartiendo y su tesoro:

¿quién es el que esto mira
y precia la bajeza de la tierra,
y no gime y suspira,
y rompe lo que encierra
65 el alma y de estos bienes la destierra?

Aquí vive el contento,
aquí reina la paz; aquí, asentado
en rico y alto asiento,

[56] *rodéase*: por los anillos que lo cercan.

[57] *padre de los siglos de oro*: la edad de oro coincide con el reinado de Saturno, dentro de la concepción clásica de la historia dividida en cuatro edades (oro, plata, bronce y hierro).

[59] *reluciente coro*: se refiere a la esfera de las estrellas.

[61] *¿quién es el que esto mira...?*: la interrogación enlaza el pronombre *quien* del v. 41 para cerrar una compleja construcción sintáctica que afecta a varias estrofas («Quien mira el gran concierto [...] la luna cómo mueve [...] y cómo otro camino [...]: ¿quién es el que esto mira...?»).

[62] *precia*: «aprecia, valora».

[62-65] Obsérvese la significativa figura etimológica en el empleo de *tierra* y *destierra* en rima.

[64] Se refiere a la cárcel del cuerpo, mencionada en el v. 15.

[66] *Aquí* significa «en el cielo», es decir, el espacio más allá de las esferas de los planetas y de las estrellas donde se encuentra Dios. Obsérvese la repetición del adverbio en cuatro ocasiones (vv. 66, 67 y 72) para aproximar al lector la realidad descrita.

está el Amor sagrado,
70 de glorias y deleites rodeado.

Inmensa hermosura
aquí se muestra toda, y resplandece
clarísima luz pura,
que jamás anochece;
75 eterna primavera aquí florece.

¡Oh campos verdaderos!,
¡oh prados con verdad frescos y amenos!,
¡riquísimos mineros!,
¡oh deleitosos senos!,
80 ¡repuestos valles de mil bienes llenos!».

69 *el Amor sagrado*: «el Espíritu Santo».

71 *hermosura*: véase el v. 12.

76-80 Recreación espiritual del tópico del *locus amoenus*. Obsérvese el empleo de exclamaciones retóricas para intensificar esta descripción del cielo con la que culmina el monólogo del poeta (que empieza en el v. 11, tras dos estrofas de explicación preliminar al amigo Oloarte).

77 *amenos*: «placenteros, deleitosos».

78 *mineros*: «manantiales» (de agua) o «minas» (de metal).

79 *senos*: «escondrijos, lugares de refugio».

80 *repuestos*: «abastecidos», pero también «ocultos».

[18]

Fray Luis escoge un tema frecuente en la poesía neolatina para exhortar a su sabio amigo Juan de Grial, prestigioso humanista y secretario de Pedro Portocarrero, al recogimiento y al estudio llegado el otoño y el inicio del curso académico. Estos consejos, no exentos de un matiz melancólico, muestran un tono confidencial y culto a la vez. El poema se inspira en las descripciones de la llegada del otoño y el invierno de Horacio (*Odas*, I, IX; *Epodos*, XIII) y en un epigrama de Angelo Poliziano (1454-1494), en el que la llegada del otoño es vista como una invitación al estudio de las humanidades.

AL LICENCIADO JUAN DE GRIAL

Recoge ya en el seno
el campo su hermosura, el cielo aoja
con luz triste el ameno
verdor, y hoja a hoja
5 las cimas de los árboles despoja.

Ya Febo inclina el paso
al resplandor egeo; ya del día

1 *Recoge ya en el seno*: «oculta».
2 *aoja*: «seca, mata» (o más literalmente «echa un mal de ojo», para que el campo pierda su verdor llegado el otoño).
6 *Febo*: «el Sol».
6-7 El Sol declina, se dirige hacia la estrella Cabra (el *resplandor egeo*).

las horas corta escaso;
ya Eolo al mediodía
10 soplando espesas nubes nos envía;

ya el ave vengadora
del Íbico navega los nublados
y con voz ronca llora,
y, el yugo al cuello atados,
15 los bueyes van rompiendo los sembrados.

El tiempo nos convida
a los estudios nobles, y la Fama,
Grial, a la subida
del sacro monte llama,
20 do no podrá subir la postrer llama.

8 *escaso*: «avaro», referido a *Febo*; también puede entenderse como «breve», aplicado al *día*.

9 *Eolo*: «dios del viento».

11-12 *el ave vengadora / del Íbico*: «la grulla», ave que presenció el asesinato del poeta Íbico y que se vengó ayudando a que los criminales se delatasen.

12 *navega los nublados*: «vuela por las nubes».

14 El participio *atados* es un acusativo griego; este concuerda con el sustantivo *bueyes* y debe entenderse como que «los bueyes van atados con el yugo al cuello» (véase Garcilaso, poema 10, v. 19).

15 *van rompiendo los sembrados*: «van arando».

17 *estudios nobles*: los humanísticos, como la poesía y la historia, practicados por el destinatario de la oda.

19 *el sacro monte*: «el Parnaso».

20 *la postrer llama*: «la última llama», la de la pira funeraria (o tal vez la escasa inspiración de los poetas mediocres). Adviértase que estos versos presentan una rima homónima: en el v. 19 se emplea la palabra *llama* como verbo, y en el v. 20 como sustantivo.

Alarga el bien guiado
paso, y la cuesta vence, y solo gana
la cumbre del collado;
y, do más pura mana
25 la fuente, satisfaz tu ardiente gana.

No cures si el perdido
error admira el oro y va sediento
en pos de un bien fingido,
que no ansí vuela el viento,
30 cuanto es fugaz y vano aquel contento.

Escribe lo que Febo
te dicta favorable, que lo antiguo
iguala y pasa el nuevo
estilo; y, caro amigo,
35 no esperes que podré atener contigo;

22 *solo*: «sin ayuda, a solas» (es adjetivo).
23 Alude a la del Parnaso.
26 *no cures*: «no te preocupes».
27 *error*: «comportamiento derivado de un juicio erróneo» (aquí con un sentido moral: *perdido*).
28 *en pos de*: «tras».
29-30 «El *viento* no pasa tan deprisa (*vuela*) como pasa el *contento* basado en ese *bien fingido* (v. 28), *fugaz* y vacío (*vano*) como el viento».
31 *Febo*: «Apolo, dios de los poetas».
32 *te dicta*: «te inspira». El dictado de Apolo o las Musas al poeta era un tópico de la poesía clásica muy difundido en la poesía renacentista.
32-34 Elogio de la poesía neolatina de Juan Grial, que iguala a la de los antiguos y supera a la poesía escrita en castellano.
33 *pasa*: «supera».
34 *caro*: «querido».
35 *atener*: «estar».

que yo, de un torbellino
traidor acometido, y derrocado
del medio del camino
al hondo, el plectro amado
40 y del vuelo las alas he quebrado.

36-40 Esta última estrofa presenta un fuerte hipérbaton: «porque (*que*) yo, acometido y derrocado por (*de*) un torbellino traidor, (llevado) del medio del camino a lo hondo ("hundido"), he quebrado el plectro amado ("me he quedado sin inspiración") y he quebrado las alas del vuelo» (se entiende, poético).

[19]

La siguiente oda ofrece una descripción ideal de la vida eterna que cabe esperar en el cielo, basándose en una alegoría de la divinidad cara a la tradición cristiana, la de Cristo como Pastor. Aunque pueden rastrearse ecos e influencias de obras ajenas de carácter platónico, bíblico o literario (sobre todo en un poema religioso de Bernardo Tasso), es otro texto del propio fray Luis el que mejor puede ayudarnos a entender esta oda: «Vive en los campos Cristo, y goza del cielo libre, y ama la soledad y el sosiego. [...] Porque, así como lo que se comprende en el campo es lo más puro de lo visible, y es lo sencillo y como el original de todo lo que de ello se compone y se mezcla, así aquella región de vida adonde vive aqueste nuestro glorioso bien, es la pura verdad y la sencillez de Dios, y el original expreso de todo lo que tiene que ser, y las raíces firmes de donde nacen y adonde estriban todas las criaturas» (*De los nombres de Cristo*).

DE LA VIDA DEL CIELO

Alma región luciente,
prado de bienandanza, que ni al hielo
ni con el rayo ardiente
fallece, fértil suelo,
5 producidor eterno de consuelo.

1 *alma*: «benéfica, vivificadora».
2 *bienandanza*: «bienaventuranza, felicidad».
4 *fallece*: «desfallece, se marchita».

De púrpura y de nieve
florida, la cabeza coronado,
a dulces pastos mueve,
sin honda ni cayado,
10 el Buen Pastor en ti su hato amado.

Él va, y en pos dichosas
le siguen sus ovejas, do las pace
con inmortales rosas,
con flor que siempre nace
15 y cuanto más se goza más renace.

Y dentro a la montaña
del alto bien las guía; ya en la vena
del gozo fiel las baña
y les da mesa llena,
20 pastor y pasto Él solo, y suerte buena.

6 *de púrpura y de nieve*: los dos sustantivos se refieren metafóricamente a los colores de las flores rojas y blancas que coronan la cabeza del Pastor.

7 *la cabeza coronado*: otro caso de acusativo griego (véase el poema anterior, v. 14).

8 *mueve*: «conduce, guía».

10 *hato*: «rebaño». La denominación *el Buen Pastor* deriva de las palabras del propio Jesucristo: «Yo soy el buen Pastor» (San Juan, X, 11 y 14).

12 *las pace*: «las apacienta».

13-15 Las *rosas* a las que se refiere son, obviamente, símbolos de pureza inmarcesible, cuya condición eterna queda definida mediante esa *flor* genérica e ideal «que siempre nace».

17 *vena*: «corriente».

18 *gozo fiel*: «felicidad segura».

20 *pasto*: «alimento»; la idea de que Cristo es «*Pastor* que es *pasto* también» (lo repite el propio fray Luis en *De los nombres de Cristo*) tiene obvias resonancias eucarísticas.

Y de su esfera cuando
la cumbre toca, altísimo subido,
el sol, Él sesteando,
de su hato ceñido,
25 con dulce son deleita el santo oído.

Toca el rabel sonoro,
y el inmortal dulzor al alma pasa,
con que envilece el oro,
y ardiendo se traspasa
30 y lanza en aquel bien libre de tasa.

¡Oh son!, ¡oh voz! ¡Siquiera
pequeña parte alguna decendiese

22 *altísimo*: «en su mayor altura» (superlativo).

24 *ceñido*: «rodeado, acompañado».

25 Describe la armonía del cielo en términos musicales, como una dulce melodía que place al mismo Dios, expresándolo además con un endecasílabo claramente aliterativo (repárese en las repeticiones de la *d*, *l* y *s*): «con dulce son deleita el santo oído».

26 *rabel*: instrumento pastoril; una especie de violín o de laúd de tres cuerdas tocadas con arco.

27-28 *envilece el oro*: «hace que el oro resulte vil»; el *inmortal dulzor* representa los bienes espirituales, que superan a los materiales.

30 *libre de tasa*: «sin tasa, sin límite».

31-35 Tras las exclamaciones iniciales, que son la forma más directa y entusiasta de decir algo que es, por definición, inexpresable, la estrofa contiene una expresión desiderativa: «Ojalá una pequeña parte de ese son y de esa voz llegase a mi sentido y llevase mi alma fuera de sí para conducirla al Amor». Las dos últimas liras son las más próximas a los temas y modos de la poesía mística: la unión del alma con Dios expresada como un desposorio.

en mi sentido, y fuera
de sí el alma pusiese,
35 y toda en ti, oh Amor, la convirtiese!

Conocería dónde
sesteas, dulce Esposo; y desatada
desta prisión adonde
padece, a tu manada
40 viviera junta, sin vagar errada.

36 *conocería*: el sujeto es el *alma* (v. 34).

37 *sesteas*: «reposas, duermes la siesta», evidente recuerdo del bíblico *Cantar de los Cantares*: «Dime tú, amado de mi alma, dónde pastoreas, dónde sesteas al mediodía» (1,7).

39 *manada*: «rebaño».

40 *errada*: «perdida, descarriada», con el matiz moral del *error* entendido como «pecado». La interpretación de este pasaje, complicada con los errores de transmisión del último verso (pues *viviera* es una corrección conjetural aceptada por la mayor parte de los editores de fray Luis) es la siguiente: el alma, una vez «liberada (*desatada*) de esta prisión en que padece (véase la *Noche serena*, v. 15), podría vivir reunida con tu rebaño (*manada*) y dejaría de vagar».

[20]

En la mejor tradición de la poesía amorosa petrarquista, y con no menor habilidad expresiva, recoge el tema del desengaño y el reconocimiento del error que suceden a la extrema veneración de la amada. A pesar de lo común de las imágenes y el planteamiento general, se han propuesto varios pasajes de *Canzoniere* de Petrarca (y en especial el número CCXCII) como fuentes que pudieron inspirar la descripción de la dama y la estructura del soneto.

«Agora con la aurora se levanta
mi Luz; agora coge en rico nudo
el hermoso cabello; agora el crudo
pecho ciñe con oro, y la garganta;

[1] *agora*: «ahora». La repetición del adverbio a lo largo de los cuartetos intensifica la percepción de la amada en las diferentes escenas en las que el poeta la va recordando (v. 10) y facilita el contraste que supone el último terceto con la llegada del arrepentimiento.

[2] *mi Luz*: «mi amada»; *rico*: «adornado»; *coge*: «recoge». La identificación del sol con la mujer amada es un lugar común de la poesía amorosa petrarquista, al igual que los juegos conceptuales derivados de esta identificación, como puede observarse en estos dos primeros versos.

[3] *crudo*: «cruel», por no corresponder al amor del poeta. El *hermoso cabello* solía ser rubio, según mandaba la tradición.

5 agora, vuelta al cielo, pura y santa,
las manos y ojos bellos alza, y pudo
dolerse agora de mi mal agudo;
agora incomparable tañe y canta.»

Ansí digo y, del dulce error llevado,
10 presente ante mis ojos la imagino,
y lleno de humildad y amor la adoro;

mas luego vuelve en sí el engañado
ánimo y, conociendo el desatino,
la rienda suelta largamente al lloro.

[5] *vuelta al*: «mirando hacia»; *pura*: «casta».
[6] Este gesto se ha identificado como una plegaria.
[8] La habilidad para cantar y tocar un instrumento eran muy apreciadas en aquellas mujeres que por su condición social y económica podían permitirse tales ocupaciones.
[9] *ansí*: «así».
[10] Recuerdo de un verso de Garcilaso: «Ausente, en la memoria la imagino».

SAN JUAN DE LA CRUZ

(Fontiveros, Ávila, 1542 – Úbeda, Jaén, 1591)

[21]

Las siguientes *Canciones*, conocidas después de la muerte del autor como *Cántico espiritual*, fueron compuestas en parte durante los ocho meses de encierro en la prisión conventual de Toledo (1577-1578). Allí San Juan compuso mentalmente, pues en el cautiverio no disponía siquiera de recado de escribir, las treinta o treinta y una primeras estrofas, a las que fue añadiendo las restantes en años sucesivos, sobre todo durante sus estancias en Baeza y Granada, y él mismo las comentaba oralmente a las monjas del Carmelo. En 1584 escribió en Granada la primera redacción de su extenso comentario o *Declaración*, conservado hoy en una docena de manuscritos entre los que destaca el de Sanlúcar de Barrameda, que puede definirse como un apógrafo, es decir, una copia del original o muy próxima a él; tanto, que de hecho contiene algunas correcciones autógrafas de San Juan. Todos estos materiales, el *Cántico* y el primer comentario (que suele conocerse como *Cántico A*), permanecieron inéditos hasta muchos años después de la muerte del autor, acaecida en 1591, pues se imprimieron por vez primera en Bruselas en 1627. Después de 1584, San Juan siguió revisando sus textos, y esta versión revisada fue editada al cuidado de fray Jerónimo de San José en Madrid en 1630. Pero hay además una versión final con otras correcciones, conocida como *Cántico B*, que presenta cambios importantes en el número y el orden de las estrofas y en la explicación de algunos versos, aunque es probable que una parte de los cambios se deba a decisiones y a intervenciones ajenas al autor. También se conservan varios códices de esta versión (destaca el llamado manuscrito de Jaén), que permaneció inédita hasta el siglo XVIII (Sevilla, 1703).

Concebido como un diálogo entre dos *esposos* al modo del *Cantar de los Cantares*, el *Cántico espiritual* es la más meditada expresión de la doctrina mística del santo, pero también su más inspirada creación poética, como muestran el profundo y a veces enigmático simbolismo de las imágenes y un lenguaje sorprendente y desconocido hasta entonces en la lírica española, resultado de la combinación de elementos bíblicos (el mencionado *Cantar*), tradicionales (procedentes del romancero y de la lírica amorosa) y cultos (entre estos, la predilección, como en fray Luis, por la lira, la estrofa estrenada en castellano por Garcilaso en su *Oda a la flor de Gnido*). Tras una afanosa búsqueda, la amada encuentra al amado y, en un marco natural apacible (un *locus amoenus* donde cada elemento tiene su virtud simbólica y su virtualidad mística) se produce la unión.

CÁNTICO ESPIRITUAL

Canciones entre el Alma y el Esposo

[*Esposa*] ¿Adónde te escondiste,
Amado, y me dejaste con gemido?
Como el ciervo huiste,
habiéndome herido;
5 salí tras ti clamando, y eras ido.

Pastores los que fuerdes
allá por las majadas al otero,
si por ventura vierdes
aquél que yo más quiero,
10 decilde que adolezco, peno y muero.

1 *Adónde*: «dónde».
4 *herido*: con aspiración de la *h*.
5 *clamando*: «llamándote a gritos»; *eras ido*: «ya no estabas».
6 *fuerdes*: «fuereis» (como *vierdes*, «viereis», en el v. 8).
7 *majadas*: «lugares para guardar el ganado»; *otero*: «cerro aislado que domina un llano».
10 *decilde*: «decidle» (metátesis habitual en la época); *adolezco*: «enfermo, sufro».

Buscando mis amores,
iré por esos montes y riberas;
ni cogeré las flores,
ni temeré las fieras,
15 y pasaré los fuertes y fronteras.

[*Pregunta a las criaturas*]

¡Oh bosques y espesuras
plantadas por la mano del Amado!
¡Oh prado de verduras,
de flores esmaltado!,
20 decid si por vosotros ha pasado.

[*Respuesta de las criaturas*]

Mil gracias derramando,
pasó por estos sotos con presura,
y, yéndolos mirando,
con sola su figura
25 vestidos los dejó de hermosura.

[*Esposa*]

¡Ay, quién podrá sanarme!
Acaba de entregarte ya de vero;

[11] *mis amores*: se refiere por metonimia al Amado.
[15] *fuertes*: «fortalezas». Nótese la aliteración de los sustantivos en estos versos: *flores ... fieras ... fuertes ... fronteras*, que constituyen una enumeración simbólica de los elementos que debe ignorar o superar el alma en su búsqueda.
[16] *espesuras*: «lugares frondosos e intrincados» (véase el v. 175).
[18] *verduras*: «plantas, follaje».
[19] *esmaltado*: por la variedad del colorido de las flores.
[21] *mil*. con valor indefinido por «muchas».
[22] *sotos*: «lugares poblados de árboles y plantas», en este caso simbolizando el mundo; *con presura*: «deprisa».
[24] *figura*: «apariencia».
[25] *hermosura*: con aspiración de la *h*.
[27] *de vero*: «de veras, de verdad».

no quieras enviarme
de hoy más ya mensajero,
30 que no saben decirme lo que quiero.

Y todos cuantos vagan
de ti me van mil gracias refiriendo,
y todos más me llagan,
y déjame muriendo
35 un no sé qué que quedan balbuciendo.

Mas, ¿cómo perseveras,
¡oh vida!, no viviendo donde vives,
y haciendo porque mueras

29 *de hoy más*: «de hoy en adelante».

30 *no saben decirme*: el sujeto es *mensajero*, que aunque está en singular designa colectivamente a los mensajeros que han acudido con anterioridad; se trata de una concordancia *ad sensum*.

31 *vagan*: además del sentido de «andar de un lado a otro o pasear ociosamente», recoge el más preciso de «contemplar, meditar», propio del lenguaje religioso y místico.

32 *refiriendo*: «contando, explicando».

33 *me llagan*: «me hieren, me lastiman».

35 *balbuciendo*: «balbuceando, tartamudeando», porque intentan expresar algo que es por definición inexpresable, inefable: *un no sé qué* (y nótese que el verso remeda el tartamudeo con la repetición de *que*).

36 *perseveras*: «persistes, perduras».

37 *no viviendo donde vives*: «sin vivir donde vives», paradoja de carácter y de origen amoroso adaptada con frecuencia «a lo divino», como en los famosos versos glosados por Santa Teresa de Jesús: «Vivo sin vivir en mí, / y tan alta vida espero, / que muero porque no muero».

38-40 *y haciendo porque mueras*: no parece que el sujeto de esta forma verbal de gerundio siga siendo la *vida* del verso anterior, sino *las flechas* del siguiente. Lo explica muy bien el propio

las flechas que recibes
40 de lo que del Amado en ti concibes?

¿Por qué, pues has llagado
aqueste corazón, no le sanaste?
Y, pues me le has robado,
¿por qué así le dejaste,
45 y no tomas el robo que robaste?

Apaga mis enojos,
pues que ninguno basta a deshacellos,
y véante mis ojos,
pues eres lumbre de ellos
50 y sólo para ti quiero tenellos.

San Juan en su comentario: «¿cómo puedes perseverar en el cuerpo, pues ... bastan a quitarte la vida los toques de amor —que eso entiende por *flechas*— que en tu corazón hace el Amado?».

42-44 Nótese el leísmo: *no le sanaste, me le has robado, le dejaste.*

46 *enojos*: «disgustos, penas».

47 *ninguno basta a deshacellos*: «nadie es capaz de deshacerlos, ningún otro es bastante para deshacerlos».

49 *lumbre*: «luz».

50 En la última versión del *Cántico* se añade en este punto una estrofa cuya autoría y pertinencia han sido discutidas y que no aparece entre las adiciones autógrafas del manuscrito: «Descubre tu presencia / y máteme tu vista y hermosura; / mira que la dolencia / de amor, que no se cura, / sino con la presencia y la figura». Esta última versión presenta además algunas diferencias en la ordenación de las estrofas centrales del poema.

¡Oh cristalina fuente,
si en esos tus semblantes plateados
formases de repente
los ojos deseados
55 que tengo en mis entrañas dibujados!

¡Apártalos, Amado,
que voy de vuelo!

[*Esposo*] Vuélvete, paloma,
que el ciervo vulnerado
por el otero asoma
60 al aire de tu vuelo, y fresco toma.

[*Esposa*] Mi Amado las montañas,
los valles solitarios nemorosos,
las ínsulas extrañas,
los ríos sonorosos,
65 el silbo de los aires amorosos,

51 La *fuente* es uno de los símbolos predilectos de San Juan: véase el poema 25.

52 *semblantes plateados*: los reflejos del agua.

56 *apártalos*: se refiere a los *ojos*.

58 *vulnerado*: «herido».

60 *fresco toma*: «se refresca, se recrea».

61-65 En correspondencia con su vuelo simbólico, el alma contempla el paisaje desde la altura: primero divisa las formas externas (los accidentes geográficos: montañas, valles, ríos...) y después, en la estrofa siguiente, reconoce los símbolos de la futura intimidad con su Amado (noche, música, soledad, cena).

62 *nemorosos*: «boscosos».

63 *ínsulas*: «islas»; el término arcaizante y el adjetivo *extrañas*, «maravillosas, extraordinarias», confieren a la expresión un matiz legendario propio de las narraciones caballerescas.

64 *sonorosos*: «rumorosos, estruendosos».

la noche sosegada
en par de los levantes de la aurora,
la música callada,
la soledad sonora,
70 la cena que recrea y enamora.

Nuestro lecho florido,
de cuevas de leones enlazado,
en púrpura tendido,
de paz edificado,
75 de mil escudos de oro coronado.

A zaga de tu huella
las jóvenes discurren al camino,
al toque de centella,
al adobado vino,
80 emisiones de bálsamo divino.

En la interior bodega
de mi Amado bebí, y, cuando salía

[67] *en par de*: «cerca de, lindando con»; es decir, que la noche estaba «próxima al amanecer»; es la primera paradoja («noche amaneciente») de una estrofa en la que destacan los oxímoros *música callada* y *soledad sonora*.

[71] *florido*: «hecho de flores». Varios detalles de la descripción del lecho proceden de la imaginería del *Cantar de los Cantares*.

[73] *en púrpura tendido*: «extendido sobre púrpura».

[75] *escudos de oro*: se refiere a los que sirven de protección a los guerreros, no a las monedas.

[76] *A zaga de tu huella*: «siguiendo tu huella».

[77] *jóvenes*: «doncellas»; *discurren*: «acuden, afluyen».

[79] *adobado*: «enriquecido con especias».

[80] *emisiones*: «efluvios».

[82] *de mi Amado bebí*: la expresión tiene resonancias eucarísticas.

por toda aquesta vega,
ya cosa no sabía,
85 y el ganado perdí que antes seguía.

Allí me dio su pecho,
allí me enseñó ciencia muy sabrosa,
y yo le di de hecho
a mí, sin dejar cosa;
90 allí le prometí de ser su esposa.

Mi alma se ha empleado,
y todo mi caudal, en su servicio;
ya no guardo ganado,
ni ya tengo otro oficio,
95 que ya sólo en amar es mi ejercicio.

Pues ya si en el ejido
de hoy más no fuere vista ni hallada,
diréis que me he perdido,
que, andando enamorada,
100 me hice perdidiza y fui ganada.

84 *ya cosa no sabía*: «ya no sabía nada».

85 «y perdí el ganado que antes seguía», nueva expresión del desconcierto de la Amada (compárese el v. 100).

88-89 *y yo le di de hecho / a mí, sin dejar cosa*: «y yo me entregué a él plenamente».

91 *empleado*: «empeñado» (con el doble sentido, anímico y monetario, que continúa en *caudal*, «hacienda»).

95 *ejercicio*: «ocupación, actividad».

96 *ejido*: «campo de propiedad comunal para reunir el ganado».

97 *hallada*: con aspiración de la *h* (como el *hice* del v. 100).

99 *andando enamorada*: «estando enamorada, por estar enamorada».

100 *me hice perdidiza*: «me puse en situación de perderme, me dejé perder voluntariamente». La actividad pastoril, ya aludida en

De flores y esmeraldas,
en las frescas mañanas escogidas,
haremos las guirnaldas,
en tu amor florecidas,
105 y en un cabello mío entretejidas.

En solo aquel cabello
que en mi cuello volar consideraste,
mirástele en mi cuello
y en él preso quedaste,
110 y en uno de mis ojos te llagaste.

Cuando tú me mirabas,
su gracia en mí tus ojos imprimían;
por eso me adamabas,
y en eso merecían
115 los míos adorar lo que en ti vían.

---

un verso anterior (85), forma parte de una ambientación tradicional que se remonta al *Cantar de los Cantares* bíblico y fue enriquecida por el bucolismo renacentista. En San Juan tiene obvios matices teológicos y pastorales; y aquí, además, propicia una nueva paradoja con la contraposición de los versos *perder* y *ganar*: la amada dice que, dejándose perder, fue ganada porque hizo posible la unión.

103 *guirnaldas*: «coronas hechas con flores entrelazadas», símbolo habitual en la poesía amorosa.

107 *consideraste*: «contemplaste, observaste atentamente».

108 *mirástele*: «lo miraste».

110 *te llagaste*: «te heriste, te lastimaste».

112 «tus ojos imprimían su gracia en mí».

113 *me adamabas*: «me amabas con vehemencia»; como explica el propio San Juan en su comentario, «*adamar* es mucho amar; es más que amar simplemente; es como amar duplicadamente».

115 *vían*: «veían».

No quieras despreciarme,
que, si color moreno en mí hallaste,
ya bien puedes mirarme
después que me miraste,
120 que gracia y hermosura en mí dejaste.

Cogednos las raposas,
que está ya florecida nuestra viña,
en tanto que de rosas
hacemos una piña,
125 y no parezca nadie en la montiña.

Detente, cierzo muerto;
ven, austro, que recuerdas los amores,
aspira por mi huerto,
y corran sus olores,
130 y pacerá el Amado entre las flores.

[*Esposo*] Entrado se ha la esposa
en el ameno huerto deseado,
y a su sabor reposa,
el cuello reclinado
135 sobre los dulces brazos del Amado.

117 El tópico de la mujer que teme ser despreciada por su *color moreno* (que aquí simboliza las imperfecciones del alma) llegó a la poesía tradicional y procede del *Cantar de los Cantares*: «Soy morena, pero hermosa» (1, 5).

125 *parezca*: «aparezca»; *montiña*: «tierra montuosa».

126 *cierzo*: «viento frío y seco, procedente del norte».

127 *austro*: «viento cálido húmedo, procedente del sur».

128 *aspira*: «sopla».

133 *a su sabor*: «a su gusto, a su placer».

Debajo del manzano,
allí conmigo fuiste desposada;
allí te di la mano,
y fuiste reparada
140 donde tu madre fuera violada.

A las aves ligeras,
leones, ciervos, gamos saltadores,
montes, valles, riberas,
aguas, aires, ardores
145 y miedos de las noches veladores:

Por las amenas liras
y canto de serenas os conjuro
que cesen vuestras iras
y no toquéis al muro,
150 porque la esposa duerma más seguro.

[*Esposa*] ¡Oh ninfas de Judea!,
en tanto que en las flores y rosales

140 *violada*: «mancillada». Esta estrofa presenta varios detalles del relato bíblico del pecado original.
145 *veladores*: «que no dejan dormir».
146 *liras*: los instrumentos musicales.
147 *serenas*: «sirenas»; *os conjuro*: «os ruego encarecidamente» (el Esposo invoca a los elementos enumerados en la estrofa anterior).
149 *no toquéis al muro*: «no golpeéis, no hagáis ruido».
150 *porque*: «para que»; *más seguro*: «más seguramente».
151 *ninfas de Judea*: la invocación se inspira en el *Cantar de los Cantares* (1, 5, y 2, 7).
152 *en tanto que*: «mientras».

el ámbar perfumea,
morá en los arrabales,
155 y no queráis tocar nuestros umbrales.

Escóndete, Carillo,
y mira con tu haz a las montañas,
y no quieras decillo;
mas mira las compañas
160 de la que va por ínsulas extrañas.

[*Esposo*] La blanca palomica
al arca con el ramo se ha tornado,
y ya la tortolica
al socio deseado
165 en las riberas verdes ha hallado.

153 *perfumea*: «perfuma, exhala aromas».
154 *morá*: «morad, vivid».
156 *Carillo*: diminutivo afectivo de *caro*, «querido».
157 *haz*: «faz, rostro».
158 *decillo*: «decirlo».
159 *compañas*: «compañías, acompañantes».
161-162 Esta lira y la siguiente deben asignarse al esposo (así consta en los manuscritos y en el comentario), que constata la plenitud de la unión a través del simbolismo de las aves, designadas con el diminutivo afectivo propio de la poesía tradicional. La imagen de la paloma evoca el relato bíblico de la que regresa al arca de Noé con el ramo de olivo tras el Diluvio (Génesis, 7, 10-11).
163 *tortolica*: la «tórtola» (aquí, como la *palomica*, con el diminutivo afectivo propio de la poesía tradicional) simboliza la lealtad amorosa.
164 *socio*: «compañero».

En soledad vivía,
y en soledad ha puesto ya su nido,
y en soledad la guía
a solas su querido,
170 también en soledad de amor herido.

[*Esposa*] Gocémonos, Amado,
y vámonos a ver en tu hermosura
al monte o al collado,
do mana el agua pura;
175 entremos más adentro en la espesura.

Y luego a las subidas
cavernas de la piedra nos iremos,
que están bien escondidas,
y allí nos entraremos
180 y el mosto de granadas gustaremos.

166-170 Nótese la anáfora de la frase adverbial *en soledad* en todos los versos de la estrofa, con la variante sinonímica *a solas* en el v. 169.

171 *gocémonos*: la forma pronominal acentúa la intimidad y la reciprocidad de los amantes.

174 *do*: «donde».

176 *subidas*: «altas, elevadas» (con un valor de elevación espiritual que implica un nuevo oxímoron con la oscuridad e interioridad de las *cavernas*).

179 *nos entraremos*: «nos introduciremos, penetraremos».

180 También la esposa del *Cantar de los Cantares* ofrece al esposo beber «del vino adobado [recuérdese el v. 79] y del mosto de granados» (8, 2).

Allí me mostrarías
aquello que mi alma pretendía,
y luego me darías
allí, tú, vida mía,
185 aquello que me diste el otro día.

El aspirar del aire,
el canto de la dulce filomena,
el soto y su donaire
en la noche serena,
190 con llama que consume y no da pena.

Que nadie lo miraba,
Aminadab tampoco parecía,

181-185 Las frases indeterminadas o eufemísticas expresan la inefabilidad y el misterio gozoso de la unión, de la que se dan más detalles en la estrofa siguiente.

186 *aspirar*: «soplo».

187 *filomena*: «ruiseñor».

188 *donaire*: «gracia» (dicho de un lugar placentero).

190 *llama que consume y no da pena*: porque arde y quema sin causar dolor; como dice el propio San Juan en su comentario, esta «*llama* se entiende aquí por el amor de Dios ya perfecto en el alma».

191 *Que nadie lo miraba*: el pronombre *lo* parece referirse al acto íntimo de la unión amorosa (o tal vez, más concreta pero implícitamente, al fuego desprendido por la *llama* mencionada en la estrofa anterior). En cualquier caso, quiere decir que se preservó su secreto: «nadie estaba mirando», no había testigos, ni siquiera apareció el diablo.

192 *Aminadab*: «el demonio» (dicho genéricamente por el nombre de uno de los demonios que aparecen en la Biblia); *parecía*: «aparecía».

y el cerco sosegaba,
y la caballería
195 a vista de las aguas descendía.

193-195 Los símbolos basados en imágenes bélicas no son extraños al poema (véanse los vv. 15 y 75), y estos versos finales expresan el sosiego de la unión: «el asedio disminuía» (*el cerco sosegaba*) y la *caballería* ya divisaba las aguas y descendía hacia ellas. Como es habitual en su comentario en prosa, San Juan asigna un preciso sentido espiritual a todos estos elementos, especialmente al *cerco* («las pasiones y apetitos del alma») y a las *aguas* («los bienes y deleites espirituales de Dios»).

[22]

Las liras que componen el poema conocido habitualmente como *Noche oscura* llevan en los testimonios antiguos el título de *Canciones del alma que se goza de haber llegado al alto estado de la perfección, que es la unión con Dios, por el camino de la negación espiritual.* Escritas hacia 1579, presentan una gran concentración de elementos doctrinales, como muestra el hecho de que el autor empezó después, y en momentos diferentes, dos largos comentarios en prosa, la *Subida del Monte Carmelo* y la *Noche oscura.* Es también la composición que recoge y recorre más claramente las tres vías de acceso a la divinidad según la mística de la época (es decir, las fases, etapas o escalas del camino de unión con Dios). La primera vía es la purgativa, aquí representada por la *noche* de las liras iniciales, en la que, tras la purgación de los afectos, se alcanza el sosiego necesario para seguir avanzando (vv. 1-10); la segunda vía es la iluminativa, sugerida por la *luz* que encamina al alma en las dos estrofas siguientes (vv. 11-25), y la tercera es la unitiva, identificada con el goce del encuentro en un lugar deleitoso (vv. 26-40). Como ocurre en el *Cántico espiritual*, por encima de esos elementos místicos aflora la expresión pura y emocionada del deseo y de la entrega amorosa.

[NOCHE OSCURA]

Canciones del alma que se goza de haber llegado al alto estado de la perfección, que es la unión con Dios, por el camino de la negación espiritual

En una noche oscura,
con ansias, en amores inflamada,
¡oh dichosa ventura!,
salí sin ser notada,
5 estando ya mi casa sosegada.

A escuras y segura,
por la secreta escala, disfrazada,
¡oh dichosa ventura!,
a escuras y en celada,
10 estando ya mi casa sosegada.

En la noche dichosa,
en secreto, que nadie me veía,
ni yo miraba cosa
sin otra luz y guía
15 sino la que en el corazón ardía.

[2] *ansias*: «anhelos, deseos vehementes».
[3] *ventura*: «suceso afortunado».
[4] *notada*: «advertida, descubierta», pero tiene también el matiz moral de «censurada, criticada» (véase Garcilaso, poema 10, v. 24).
[6] *a escuras*: «a oscuras».
[9] *en celada*: «a escondidas».
[13] *cosa*: «nada».

Aquesta me guiaba
más cierto que la luz de mediodía,
adonde me esperaba
quien yo bien me sabía,
20 en parte donde nadie parecía.

¡Oh noche que guiaste!
¡Oh noche amable más que la alborada!
¡Oh noche que juntaste
Amado con amada,
25 amada en el Amado transformada!

En mi pecho florido,
que entero para él solo se guardaba,
allí quedó dormido
y yo le regalaba,
30 y el ventalle de cedros aire daba.

El aire de la almena,
cuando yo sus cabellos esparcía,

16 *aquesta*: «esta», que se refiere a la *luz* del v. 14.
17 *cierto* es adverbio: «ciertamente, con certeza y seguridad».
19 *quien yo bien me sabía*: la expresión ambigua y elusiva destaca la implicación del alma y su relación de intimidad absoluta con el Amado, que aparece en un lugar de soledad absoluta.
20 *parecía*: «aparecía».
21-25 Esta estrofa, puramente exclamativa, pondera la paradoja de la noche luminosa de la fusión entre amado y amada, expresada con uno de los grandes temas de la poesía de tradición petrarquista asimilado por la mística: la transformación de los amantes.
26 *florido*: «lleno de flores» (véase el *Cántico espiritual*, v. 71).
29 *regalaba*: «acariciaba».
30 *ventalle*: «abanico».

con su mano serena
en mi cuello hería,
35 y todos mis sentidos suspendía.

Quedeme y olvideme,
el rostro recliné sobre el Amado;
cesó todo y dejeme,
dejando mi cuidado
40 entre las azucenas olvidado.

33 *con su mano serena*: personificación del *aire*.
38 *dejeme*: «me abandoné».

[23]

A glosar el éxtasis de la entrega dedicó San Juan de la Cruz el tercero de sus grandes poemas, la *Llama de amor viva*. La *llama* expresa el clímax de la unión con Dios, es decir, la fase final del proceso místico, y es un símbolo que ya hemos visto en el *Cántico espiritual*: «la llama que consume y no da pena». Según un testimonio contemporáneo, San Juan compuso este poema mentalmente durante la oración, hacia 1584-1585; en los años siguientes escribió el comentario en prosa. El lenguaje poético, llevado al extremo de sus posibilidades, se vuelve exclamativo, paradójico y exaltado. En esta ocasión la estrofa escogida es el sexteto-lira.

[LLAMA DE AMOR VIVA]

Canciones del alma en la íntima comunicación de unión de amor con Dios

¡Oh llama de amor viva,
que tiernamente hieres
de mi alma en el más profundo centro!,
pues ya no eres esquiva,
5 acaba ya, si quieres;
rompe la tela de este dulce encuentro.

[3] «En el más profundo centro de mi alma».
[5] *acaba*: «remata, mata».
[6] Los sustantivos de este verso son especialmente polisémicos: *tela* evoca el corazón, la virginidad, y aun la barrera de separación

¡Oh cauterio suave!
¡Oh regalada llaga!
¡Oh mano blanda! ¡Oh toque delicado,
10 que a vida eterna sabe
y toda deuda paga!;
matando muerte, en vida la has trocado.

¡Oh lámparas de fuego,
en cuyos resplandores
15 las profundas cavernas del sentido,
que estaba oscuro y ciego,
con extraños primores
calor y luz dan junto a su querido!

¡Cuán manso y amoroso
20 recuerdas en mi seno,
donde secretamente solo moras,
y en tu aspirar sabroso,
de bien y gloria lleno,
cuán delicadamente me enamoras!

---

en un *encuentro* o combate como los que se producen en un torneo, en este caso, con un nuevo oxímoron propio de la *militia amoris*, un *dulce encuentro*.

[7] *cauterio*: cura para evitar la gangrena en la que se aplicaba a las heridas un hierro candente.

[8] *regalada*: «suave y deleitosa».

[12] *trocado*: «cambiado, transformado».

[15] El *sentido* se refiere a los órganos físicos de la percepción; en cuanto al símbolo de las *cavernas*, véase el *Cántico espiritual*, v. 177.

[17] *extraños primores*: «extraordinarios cuidados, maravillosas delicadezas».

[18] *dan*: el sujeto es *cavernas*.

[20] *recuerdas*: «despiertas».

[22] *aspirar*: «respirar, exhalar».

[24]

A partir de un poema amoroso preexistente de carácter tradicional, San Juan vuelve «a lo divino» el motivo erótico de la caza de amor, que en varios autores del siglo XVI se describe como caza de altanería (o cetrería, la que se realiza con aves). La ascensión espiritual del alma se compara con un vuelo en ascenso en el que la presa es la caza misma, y precisamente por ser tan sublime e inalcanzable, el vuelo en ascenso solo es posible con la esperanza y con la humildad del abatimiento.

Tras de un amoroso lance,
y no de esperanza falto,
volé tan alto, tan alto,
que le di a la caza alcance.

5 Para que yo alcance diese
a aqueste lance divino,
tanto volar me convino
que de vista me perdiese;
y con todo, en este trance,
10 en el vuelo quedé falto;

1 *Tras de un amoroso lance*: «En pos de una aventura amorosa».
6 *aqueste*: «este».
9 *con todo*: «a pesar de todo».
10 *falto*: «desprovisto, insuficiente».

mas el amor fue tan alto,
que le di a la caza alcance.

Cuando más alto subía
deslumbróseme la vista,
15 y la más fuerte conquista
en escuro se hacía;
mas, por ser de amor el lance,
di un ciego y escuro salto,
y fui tan alto, tan alto,
20 *que le di a la caza alcance.*

Cuanto más alto llegaba
de este lance tan subido,
tanto más bajo y rendido
y abatido me hallaba;
25 dije: ¡No habrá quien alcance!;
y abatime tanto, tanto,
que fui tan alto, tan alto,
que le di a la caza alcance.

Por una extraña manera,
30 mil vuelos pasé de un vuelo,
porque esperanza de cielo
tanto alcanza cuanto espera;

15 *la más fuerte*: «la más ardua».

16 *en escuro*: «a oscuras»; nótese la aspiración de la *h* en *hacía* (como la de *hallaba* en el v. 24).

22 *subido*: «excelso».

24 *abatido*: «derribado»; *abatirse* es término propio de la caza de altanería (y dos versos más adelante tiene el sentido espiritual de «humillarse»).

30 *de un vuelo*: «velozmente y sin parar».

esperé sólo este lance,
y en esperar no fui falto,
35 pues fui tan alto, tan alto,
que le di a la caza alcance.

[34] Compárese con el v. 10.

[25]

La fuente es un elemento mágico y simbólico con implicaciones eróticas en la poesía tradicional. San Juan la eleva a símbolo místico para expresar, con una seguridad que no nace del conocimiento, sino de la inspiración de la fe, la inefable conciencia de lo divino. Es uno de sus poemas más próximos a la lengua popular, por su uso de voces dialectales o arcaizantes, y uno de los más extraños métricamente por la combinación de elementos cultos (los dísticos endecasílabos en rima consonante de las mudanzas) y tradicionales (el anisosilabismo del estribillo).

CANTAR DEL ALMA QUE SE HUELGA DE CONOCER A DIOS POR FE

Que bien sé yo la fonte que mana y corre,
aunque es de noche.

Aquella eterna fonte está escondida,
que bien sé yo dó tiene su manida,
5 *aunque es de noche.*

1 *que*: conjunción con valor ilativo característico de los inicios de muchos cantares populares; este elemento popular y arcaizante o dialectal explica también la forma *fonte*, «fuente».
4 *manida*: «madriguera, morada», y también, por etimología popular, «manantial».

Su origen no lo sé, pues no le tiene,
mas sé que todo origen de ella viene,
aunque es de noche.

Sé que no puede ser cosa tan bella,
10 y que cielos y tierra beben de ella,
aunque es de noche.

Bien sé que suelo en ella no se halla,
y que ninguno puede vadealla,
aunque es de noche.

15 Su claridad nunca es escurecida,
y sé que toda luz de ella es venida,
aunque es de noche.

Sé ser tan caudalosos sus corrientes,
que infiernos, cielos riegan y las gentes,
20 *aunque es de noche.*

El corriente que nace de esta fuente
bien sé que es tan capaz y omnipotente,
aunque es de noche.

6 *no le tiene*: «no lo tiene».
9 *ser*: «haber, existir».
12 Porque no pertenece a la tierra ni se sostiene en ningún elemento inferior.
13 *ninguno*: «nadie»; *vadealla*: «vadearla, cruzarla».
15 *escurecida*: «oscurecida».
16 *de ella es venida*: «ha llegado de ella, procede de ella».
18 *corrientes*: nótese que aquí es palabra masculina (como en el v. 21).
19 *gentes*: «naciones, países»; nótese el hipérbaton por intercalación del verbo entre los complementos.

El corriente que de estas dos procede
25 sé que ninguna de ellas le precede,
aunque es de noche.

Aquesta eterna fonte está escondida
en este vivo pan por darnos vida,
aunque es de noche.

30 Aquí se está llamando a las criaturas
y de esta agua se hartan, aunque a escuras,
porque es de noche.

Aquesta viva fuente que deseo,
en este pan de vida yo la veo,
35 *aunque es de noche.*

24-25 Estos versos deben entenderse como una referencia al Espíritu Santo, una de las tres personas de la Santa Trinidad de la teología católica.

28 *vivo pan*: el de la Eucaristía.

31 *a escuras*: «a oscuras»; nótese la modificación del estribillo en una frase explicativa y no adversativa.

LUIS DE GÓNGORA

(Córdoba, 1561 – 1627)

[26]

Hacia 1580, participando con apenas dieciocho años en una renovación poética que luego sería definida como Romancero nuevo, Góngora compuso numerosos romances que alcanzaron gran popularidad, algunos de ellos (como el siguiente) en verso hexasilábico y con estribillo para aproximarlos al tono, al estilo y a los temas de la lírica tradicional. De hecho, se trata de una especie de canción de amigo puesta en boca de una mujer, y en concreto de una joven recién casada que se lamenta de la partida de su amado a la guerra.

La más bella niña
de nuestro lugar,
hoy vïuda y sola,
y ayer por casar,
5 viendo que sus ojos
a la guerra van,
a su madre dice,
que escucha su mal:
«Dejadme llorar
10 *orillas del mar.*

[2] *lugar*: «ciudad, villa o aldea».
[3] *vïuda*: por la ausencia del marido; téngase en cuenta que el sustantivo debe pronunciarse con diéresis para cumplir la métrica.
[5] *sus ojos*: «su amado».

»Pues me distes, madre,
en tan tierna edad,
tan corto el placer,
tan largo el pesar,
15 y me cautivastes
de quien hoy se va
y lleva las llaves
de mi libertad,
dejadme llorar
20 *orillas del mar.*

»En llorar conviertan
mis ojos, de hoy más,
el sabroso oficio
del dulce mirar,
25 pues que no se pueden
mejor ocupar,
yéndose a la guerra
quien era mi paz.
Dejadme llorar
30 *orillas del mar.*

»No me pongáis freno
ni queráis culpar,
que lo uno es justo,
lo otro, por demás;

11 *distes*: «disteis».
15 *me cautivastes*: «me hicisteis cautiva» (en referencia al cautiverio de amor).
22 *de hoy más*: «de hoy en adelante, a partir de hoy».
34 *lo otro, por demás*: «lo otro (que queráis culparme) está de más, está fuera de lugar».

35 si me queréis bien,
no me hagáis mal,
harto peor fuera
morir y callar.
Dejadme llorar
40 *orillas del mar.*

»Dulce madre mía,
¿quién no llorará,
aunque tenga el pecho
como un pedernal,
45 y no dará voces,
viendo marchitar
los más verdes años
de mi mocedad?
Dejadme llorar
50 *orillas del mar.*

»Váyanse las noches,
pues ido se han
los ojos que hacían
los míos velar;
55 váyanse y no vean
tanta soledad,
después que en mi lecho
sobra la mitad.
Dejadme llorar
60 *orillas del mar*».

37 *harto*: «mucho».
44 *pedernal*: variedad de cuarzo, de dureza proverbial.
45 *no dará voces*: «no gritará».
53-54 *que hacían / los míos velar*: «que mantenían mis ojos en vela, que me tenían despierta».

[27]

El siguiente romance (otro romancillo hexasilábico de 1580, esta vez sin estribillo) fue muy imitado y llegó a desencadenar todo un ciclo poético con los personajes folclóricos de Perico y Marica. El lenguaje coloquial y la métrica propia de la lírica popular dan gracia y verosimilitud a la voz del narrador ficticio, un niño que enumera a su hermana sus planes para el domingo, con su catálogo de vestidos, juegos y picardías secretas.

Hermana Marica,
mañana, que es fiesta,
no irás tú a la amiga
ni yo iré a la escuela.
5 Pondraste el corpiño
y la saya buena,
cabezón labrado,
toca y albanega,
y a mí me pondrán
10 mi camisa nueva,
sayo de palmilla,

1 *Marica*: diminutivo de María y nombre de personaje folclórico.
3 *amiga*: «escuela de niñas».
6 *la saya buena*: «la mejor falda».
7 *cabezón labrado*: «cuello bordado».
8 *toca*: «sombrero o tocado»; *albanega*: «redecilla para el cabello».
11 *sayo de palmilla*: «casaca de paño ajustada al cuerpo».

media de estameña;
y si hace bueno
trairé la montera
15 que me dio la Pascua
mi señora abuela,
y el estadal rojo
con lo que le cuelga,
que trajo el vecino
20 cuando fue a la feria.
Iremos a misa,
veremos la iglesia,
daranos un cuarto
mi tía la ollera.
25 Compraremos de él
(que nadie lo sepa)
chochos y garbanzos
para la merienda;
y en la tardecica,
30 en nuestra plazuela,
jugaré yo al toro
y tú a las muñecas
con las dos hermanas
Juana y Madalena

12 *estameña*: «tejido de lana y estambre».
13 *si hace bueno*: «si hace buen tiempo».
14 *trairé*: vulgarismo por «traeré».
15 *que me dio la Pascua*: «que me dio por Pascua» (coloquialismo).
17 *estadal*: «cinta bendita en algún santuario que solía llevarse al cuello».
23 *cuarto*: «moneda de cobre de escaso valor».
24 *ollera*: «que hace ollas».
25 *de él*: «con él» (se refiere al *cuarto*).
27 *chochos*: «altramuces».

35 y las dos primillas
Marica y la tuerta;
y si quiere madre
dar las castañetas,
podrás tanto dello
40 bailar en la puerta;
y al son del adufe
cantará Andrehuela:
«no me aprovecharon
madre, las hierbas»;
45 y yo de papel
haré una librea
teñida con moras
por que bien parezca,
y una caperuza
50 con muchas almenas;
pondré por penacho
las dos plumas negras
del rabo del gallo
que acullá en la huerta

38 *castañetas*: «castañuelas».
39 *tanto dello*: «todo lo que quieras, hasta hartarte».
41 *adufe*: «pandero».
43-44 Estribillo de un cantar tradicional.
46 *librea*: «casaca, y en especial el traje de los caballeros en el juego de cañas».
48 *por que*: «para que».
49 *caperuza*: «gorro puntiagudo», en este caso con recorte de *almenas* en su extremo.
51 Como el niño espera vestirse imitando a un caballero en un torneo, se fabricará un *penacho* con un par de plumas de gallo.
54 *acullá*: «allá».

55 anaranjeamos
las Carnestolendas;
y en la caña larga
pondré una bandera
con dos borlas blancas
60 en sus tranzaderas;
y en mi caballito
pondré una cabeza
de guadamecí,
dos hilos por riendas,
65 y entraré en la calle
haciendo corvetas;
yo y otros del barrio,
que son más de treinta,
jugaremos cañas
70 junto a la plazuela,
por que Barbolilla
salga acá y nos vea:
Bárbola, la hija
de la panadera,

55 *anaranjeamos*: «corrimos a naranjazos», porque en las fiestas de carnaval (*Carnestolendas*) se perseguía a los gallos tirándoles piedras y otros objetos.

60 *tranzaderas*: «lazos trenzados con cuerdas».

61 *caballito*: otro juguete infantil, un simple palo al que luego le pondrá el protagonista una cabeza de cuero repujado (*guadamecí*).

66 *corvetas*: «acrobacias del caballo, andando sólo con las patas traseras».

69 *jugaremos cañas*: juego de niños imitando con las cañas los combates con lanzas.

71 *por que Barbolilla*: «para que Barbolilla (diminutivo de Bárbola o Bárbara)».

75 la que suele darme
tortas con manteca,
porque algunas veces
hacemos yo y ella
las bellaquerías
80 detrás de la puerta.

79 *bellaquerías*: «picardías».

[28]

Letrilla satírica en la que se reelabora el conocido tema del menosprecio de corte y alabanza de aldea de un modo divertido y socarrón. Góngora, que tenía entonces unos veinte años (el poema está fechado en 1581), muestra su rechazo de las preocupaciones mundanas, aquí cifradas en el poder y las intrigas políticas, el lujo, el comercio ultramarino y aun el amor ridículamente trágico de algunos mitos ilustres; el desencanto de la vida cortesana adquiere aquí el tono divertido de una defensa explícita de los placeres domésticos más cotidianos (el pan, la mantequilla, la naranjada, la morcilla, las bellotas...), todo ello a partir de un refrán conocido en la época y documentado al menos desde el siglo XV.

Ándeme yo caliente
y ríase la gente.

Traten otros del gobierno
del mundo y sus monarquías,
5 mientras gobiernan mis días
mantequillas y pan tierno,
y las mañanas de invierno
naranjada y agua ardiente,
y ríase la gente.

8 *naranjada*: «conserva de naranja».

10 Coma en dorada vajilla
el príncipe mil cuidados,
como píldoras dorados;
que yo en mi pobre mesilla
quiero más una morcilla
15 que en el asador reviente,
y ríase la gente.

Cuando cubra las montañas
de blanca nieve el Enero,
tenga yo lleno el brasero
20 de bellotas y castañas
y quien las dulces patrañas
del Rey que rabió me cuente,
y ríase la gente.

Busque muy en hora buena
25 el mercader nuevos soles;
yo conchas y caracoles
entre la menuda arena,
escuchando a Filomena

[10] *dorada vajilla*: compárese el tratamiento de este tópico con el de la primera oda de fray Luis de León (vv. 71-75), a quien Góngora pudo leer y conocer en Salamanca.

[11] *cuidados*: «preocupaciones».

[14] *quiero más*: «prefiero».

[21] Sigue rigiendo la oración el verbo *tenga* del v. 19: «y yo tenga también quien me cuente las dulces patrañas...».

[22] *El Rey que rabió*: personaje de un cuento tradicional incorporado a la fraseología del español.

[25] *nuevos soles*: «nuevos países, nuevas riquezas».

[28] *Filomena*: nombre del ruiseñor en la literatura griega y en la tradición folclórica.

sobre el chopo de la fuente,
30 *y ríase la gente.*

Pase a media noche el mar
y arda en amorosa llama
Leandro por ver su dama;
que yo más quiero pasar
35 del golfo de mi lagar
la blanca o roja corriente,
y ríase la gente.

Pues Amor es tan cruel
que de Píramo y su amada
40 hace tálamo una espada
do se junten ella y él,
sea mi Tisbe un pastel
y la espada sea mi diente,
y ríase la gente.

33 *Leandro*: personaje mitológico que cada noche cruzaba el mar Helesponto para ver a su amada Hero, hasta que una noche de tempestad se ahogó. Góngora dedicó a este mito (sobre el que puede verse el tratamiento serio de Garcilaso en el soneto XXIX) varias composiciones con voluntad paródica.

35 *lagar*: «lugar donde se pisa la uva para obtener el mosto».

36 *blanca o roja*: en referencia al vino, blanco o tinto.

39 *Píramo*: personaje mitológico enamorado de Tisbe; se suicidó creyendo que su amada estaba muerta, y ella, al verlo sin vida, se quitó la suya con la misma espada que había usado él. Como en el caso de Hero y Leandro, este episodio fue desarrollado paródicamente por Góngora en uno de sus poemas más elaborados e ingeniosos, la *Fábula de Píramo y Tisbe* (1618).

40 *tálamo*: «lecho nupcial», porque la espada los unió en la muerte.

42 El *pastel* al que se refiere solía ser de carne y era una especie de empanada.

[29]

El tópico del *carpe diem* (así llamado por cierto verso de Horacio, *Odas*, I, XI) tuvo una larga descendencia en la poesía europea. El modelo más inmediato del siguiente soneto es otro del italiano Benardo Tasso («Mentre che l'aureo crin v'ondeggia intorno»), pero enlaza también con el de Garcilaso que comienza «En tanto que de rosa y azucena» (aquí, núm. 5). De ellos toma el tema y su característica disposición sintáctica («Mientras eres joven, goza...»), pero a pesar de esa condición imitativa propia de otros sonetos de juventud (este lleva la fecha de 1582), Góngora construye su poema con gran voluntad y capacidad de perfección, estructurándolo mediante una correlación basada en los elementos de la belleza femenina (*cabello*, *frente*, *labio*, *cuello*) y sus equivalentes metafóricos (*oro*, *lilio*, *clavel*, *cristal*). En contraste con la visión más optimista de los textos del Renacimiento y aun de otros poemas de don Luis (por ejemplo, el que comienza «Ilustre y hermosísima María»), el soneto se cierra con una perfecta gradación de elementos negativos: de la máxima materialidad de la *tierra* a la máxima inmaterialidad de la *nada*.

Mientras por competir con tu cabello
oro bruñido al sol relumbra en vano;
mientras con menosprecio en medio el llano
mira tu blanca frente el lilio bello;

2 *bruñido*: «pulido»; la metáfora usual (*cabello* ~ *oro*) es perfeccionada por la hipérbole: «el oro bruñido relumbrando al sol compite en vano con tu cabello».
3 *en medio el llano*: «en medio del campo».
4 *lilio*: «lirio».

5 mientras a cada labio, por cogello,
siguen más ojos que al clavel temprano,
y mientras triunfa con desdén lozano
del luciente cristal tu gentil cuello,

goza cuello, cabello, labio y frente,
10 antes que lo que fue en tu edad dorada
oro, lilio, clavel, cristal luciente,

no sólo en plata o víola troncada
se vuelva, mas tú y ello juntamente
en tierra, en humo, en polvo, en sombra, en nada.

5 *cogello*: «cogerlo» (y nótese que el poeta anticipa de manera muy efectiva el verbo idóneo para el término metafórico, *clavel*).

7-8 *triunfa ... del*: «vence ... al»; el *desdén* de la dama no es *lozano* solo por la juventud, sino por su gallardía y altivez.

12 *víola troncada*: «violeta tronchada».

14 El *humo* no es aquí un elemento etéreo o vaporoso, sino material, vinculado al *humus* latino («tierra») y con un matiz semántico de carácter funeral (piénsese que aún usamos hoy *inhumar* como sinónimo de *enterrar*), circunstancia que hace más perfecta la gradación.

[30]

La popularidad del joven Góngora se debió también a la invención de una serie de romances llamados «de cautivos y forzados», que pretendían y consiguieron ser una original alternativa a los romances moriscos y pastoriles, ya muy manidos en manos de otros poetas. En este romance de 1583 (después continuado por otro del mismo año que comienza «La desgracia del forzado»), un cautivo cristiano le pide al mar que le dé noticias de su esposa, de la que lleva diez años separado.

Amarrado al duro banco
de una galera turquesca,
ambas manos en el remo
y ambos ojos en la tierra,
5 un forzado de Dragut
en la playa de Marbella
se quejaba al ronco son
del remo y de la cadena:
«Oh sagrado mar de España,
10 famosa playa serena,
teatro donde se han hecho
cien mil navales tragedias:

[2] *turquesca*: «turca».
[5] *forzado*: «cautivo, condenado a galeras»; *Dragut*: famoso corsario griego que estuvo al servicio de los turcos.
[10] *playa*: aquí, «porción de mar próxima a la costa».

pues eres tú el mismo mar
que con tus crecientes besas
15 las murallas de mi patria,
coronadas y soberbias,
tráeme nuevas de mi esposa,
y dime si han sido ciertas
las lágrimas y suspiros
20 que me dice por sus letras;
porque si es verdad que llora
mi captiverio en tu arena,
bien puedes al mar del Sur
vencer en lucientes perlas.
25 Dame ya, sagrado mar,
a mis demandas respuesta,
que bien puedes, si es verdad
que las aguas tienen lengua;
pero, pues no me respondes,
30 sin duda alguna que es muerta,

14 *crecientes*: «mareas».
16 *coronadas*: «pobladas de altas torres».
17 *nuevas*: «noticias».
20 *letras*: «cartas».
21-24 La clave de esta cuarteta está en el sustantivo *perlas*, que además de su sentido literal es metáfora de las lágrimas. El forzado continúa su apelación al mar Mediterráneo y le dice que, «si es verdad que mi esposa llora mi cautiverio sobre tu arena, puedes vencer en el número de perlas al mar del Sur» (denominación genérica del océano Pacífico, famoso por sus perlerías).
25 *sagrado mar*: por la condición sagrada que los antiguos daban al mar Mediterráneo.
28 El término *lengua* es utilizado aquí en sentido disémico, porque además de la «facultad de hablar», la *lengua del agua* es la «orilla».
30 *es muerta*: «está muerta».

aunque no lo debe ser,
pues que vivo yo en su ausencia.
Pues he vivido diez años
sin libertad y sin ella,
35 siempre al remo condenado,
a nadie matarán penas».
En esto se descubrieron
de la Religión seis velas,
y el cómitre mandó usar
40 al forzado de su fuerza.

31-32 Partiendo del tópico sentimental, frecuente en los textos poéticos de la época (compárese el núm. 43 de Lope), de que el alma del amante vive en la persona amada, su esposa no puede estar muerta porque él sigue con vida.

38 *seis velas*: «seis naves» (por metonimia), y dice que eran *de la Religión* en referencia a la Orden de Malta, que es la que se ocupaba de hostigar a los piratas berberiscos e intentar rescatar a los cautivos.

39 *cómitre*: «jefe de los remeros».

[31]

Se trata de uno de los primeros sonetos burlescos de Góngora, escrito en 1588, más de veinte años antes de un breve «ciclo» de poemas contra la corte madrileña, con el que presenta muchas similitudes (véase el núm. 33). Enumera y satiriza las figuras y personajes característicos de la vida cortesana, apurando magistralmente la ambigüedad latente en algunas palabras y locuciones proverbiales.

Grandes, más que elefantes y que abadas;
títulos liberales como rocas;
gentileshombres, sólo de sus bocas;
illustri cavaglier, llaves doradas;

1 *grandes*: «los títulos nobiliarios de mayor entidad»; *abadas*: «rinocerontes».

2 *títulos*: «nobles»; *liberales*: «pródigos».

3 El de *gentilhombre de la boca* era uno de los cargos más honrosos que podían detentar los servidores de la Casa Real; Góngora, jugando con la expresión, dice que en la corte abundan *gentileshombres* mezquinos y aprovechados (que solo se ocupan de mantener sus propias bocas), aunque también podría entenderse que los llama falsos y presuntuosos (pues dicen ser lo que no son).

4 «Ilustres caballeros», en italiano; *llaves doradas*: los caballeros de corte que tenían a su servicio la cámara real.

5 hábitos, capas digo remendadas;
damas de haz y envés, viudas sin tocas;
carrozas de ocho bestias, y aun son pocas
con las que tiran y que son tiradas;

catarriberas, ánimas en pena;
10 con Bártulos y Abades la milicia,
y los derechos con espada y daga;

casas y pechos, todo a la malicia;
lodos con perejil y hierbabuena:
esto es la Corte. ¡Buena pro les haga!

5 *hábitos*: los de las órdenes de caballería.

6 *de haz y envés*: «con dos caras», porque eran damas busconas y acomodaticias; *viudas sin tocas*: como la *toca* era prenda característica de las viudas, estas son «viudas alegres», tal vez en alusión al refrán «cabeza loca no sufre toca».

7-8 *carrozas de ocho bestias*: carrozas muy aparentes tiradas por ocho caballos (sin contar, nos dice, a los viajeros, a los que moteja de bestias).

9 *catarriberas*: «pretendientes, solicitantes».

10-11 Recoge el tópico del mundo al revés: la soldadesca (*la milicia*) va pertrechada con libros de estudio (alude a dos famosos jurisconsultos italianos Bartolo di Sassoferrato y el abad Panormitano), y la justicia (*los derechos*) se vale de la fuerza de las armas.

12 Se llamaba *casas a la malicia* las construidas para burlar la obligación de alojar a los servidores del rey. Como en otras frases hechas, la ironía está en entenderlas literalmente: también los *pechos* (las voluntades, las intenciones) se rigen maliciosamente.

13 Alude a la proverbial suciedad de las aguas inmundas de Madrid.

14 *¡buena pro les haga!*: «¡Que les aproveche!».

[32]

En este soneto de 1594, Góngora rememora su estancia y enfermedad en Salamanca durante el verano del año anterior, apoyándose fundamentalmente en la tradición literaria, pues se reconocen ecos y presencias de la serranilla, del peregrino del petrarquismo y de la *aegritudo Amoris* («enfermedad de amor»). La figura y las aventuras del protagonista, el uso de la tercera persona y algunos detalles más del soneto prefiguran, con dos décadas de anticipación, varios elementos esenciales de la trama de las *Soledades*: el extravío amoroso, la «confusión» del camino, los ladridos del perro «siempre despierto», el amanecer y la bella dama esquiva (compárese en particular con la *Soledad primera*, vv. 1-89).

DE UN CAMINANTE ENFERMO QUE SE ENAMORÓ DONDE FUE HOSPEDADO

Descaminado, enfermo, peregrino
en tenebrosa noche, con pie incierto
la confusión pisando del desierto,
voces en vano dio, pasos sin tino.

[2] *incierto*: «inseguro».

[3] Nótese el hipérbaton: «pisando la confusión del desierto»; *desierto* quiere decir aquí «lugar deshabitado», no necesariamente yermo o desértico (y de hecho hay que imaginar un lugar boscoso o selvático cuya confusión es acentuada por la oscuridad).

5 Repetido latir, si no vecino
distinto, oyó de can siempre despierto,
y en pastoral albergue mal cubierto
piedad halló, si no halló camino.

Salió el sol, y entre armiños escondida,
10 soñolienta beldad con dulce saña
salteó al no bien sano pasajero.

Pagará el hospedaje con la vida;
más le valiera errar en la montaña,
que morir de la suerte que yo muero.

5-6 *latir*: «ladrar»; *vecino*: «cercano, próximo»; *distinto*: «claro, nítido». Es decir, el peregrino «oyó con claridad, aunque no era un sonido cercano, los ladridos repetidos de un perro siempre despierto».

7 *pastoral*: «pastoril».

8 *si no*: «aunque no» (como en el anterior verso 5).

9 *armiños* debe entenderse metafóricamente y en virtud de la blancura del animal, pero es difícil decidir si el poeta nos dice que la mujer era una pastora rodeada de blancas ovejas o, lo que es más probable, que se trataba de una hermosa dama embozada en hermosos vestidos.

10 *dulce saña*: nótese la antítesis («dulce enfado»), propia de las bellas damas desdeñosas del petrarquismo (y que además acentúa la notoria aliteración de sibilantes en este terceto).

11 *salteó*: «asaltó», verbo característico de las serranillas.

12-14 En el último terceto, y manteniendo siempre la ambigüedad entre lo real y lo simbólico, la muerte por amor es la consecuencia lógica de la enfermedad, y en el último verso se compara por sorpresa la experiencia del caminante con la situación del *yo* poético.

[33]

Este poema, escrito en 1600, es uno de los más originales de Góngora, a pesar de que abunda en detalles procedentes de la poesía clásica y, sobre todo, italiana (Petrarca, sus seguidores y Torquato Tasso): la distancia vadeada con el auxilio del pensamiento, la *militia amoris* o los adornos habituales en la tradición epitalámica. Los interlocutores del poeta son varios y cambiantes: la dama (vv. 1-18), el pensamiento (vv. 19-42), la pareja feliz (vv. 43-54) y la propia composición (vv. 55-57), siguiendo un original proceso de distanciamiento que dispone al personaje en una actitud semejante a la del narrador de las *Soledades*. El poema contiene algunos de los rasgos de estilo más característicos de Góngora: cultismos de acepción, construcciones absolutas (v. 30) y acusativo griego (v. 37). Es una canción compuesta por seis estancias de nueve versos (*AbC, AbC: cdD*) más el envío.

¡Qué de invidiosos montes levantados,
de nieves impedidos,
me contienden tus dulces ojos bellos!
¡Qué de ríos, del hielo tan atados,
5 del agua tan crecidos,

[1] *qué de*: «cuántos» (con valor ponderativo).
[2] *impedidos*: «cargados, cubiertos».
[3] *me contienden*: «me disputan, se disputan conmigo».
[4-5] Expresa que siente la ausencia de la amada en todo momento, tanto en invierno (cuando los ríos están «atados por el hielo») como en la época de las crecidas.

me defienden el ya volver a vellos!
¡Y qué, burlando de ellos,
el noble pensamiento
por verte viste plumas, pisa el viento!

10 Ni a las tinieblas de la noche oscura
ni a los hielos perdona,
y a la mayor dificultad engaña;
no hay guardas hoy de llave tan segura
que nieguen tu persona,
15 que no desmienta con discreta maña;
ni emprenderá hazaña
tu esposo, cuando lidie,
que no la registre él, y yo no invidie.

Allá vueles, lisonja de mis penas,
20 que con igual licencia
penetras el abismo, el cielo escalas;
y mientras yo te aguardo en las cadenas
de esta rabiosa ausencia,
al viento agravien tus ligeras alas.

6 *defienden*: «impiden».
7 *qué*: «cómo, de qué manera».
9 *viste plumas, pisa el viento*: imágenes de la velocidad.
10-12 El sujeto de estas oraciones es el pensamiento.
13 *guardas*: «cerraduras».
14 *nieguen*: «oculten».
16 Nótese la aspiración de la *h* en *hazaña*.
17 *lidie*: «luche» (en términos amorosos).
19 *lisonja*: «alivio, halago»; ahora el poeta se dirige a su propio pensamiento.
24 *agravien*: «ofendan, humillen» (porque las alas del pensamiento son más rápidas que el viento).

25 Ya veo que te calas
donde bordada tela
un lecho abriga y mil dulzuras cela.

Tarde batiste la invidiosa pluma,
que en sabrosa fatiga
30 vieras (muerta la voz, suelto el cabello)
la blanca hija de la blanca espuma,
no sé si en brazos diga
de un fiero Marte, o de un Adonis bello;
ya anudada a su cuello
35 podrás verla dormida,
y a él casi trasladado a nueva vida.

Desnuda el brazo, el pecho descubierta,
entre templada nieve

25 *te calas*: «te detienes y abalanzas» (el término se aplicaba a las aves, especialmente a las rapaces).

26 *bordada tela*: la de un lecho nupcial, como se verá.

27 *cela*: «custodia».

28-30 A pesar de su velocidad, el pensamiento ha partido tarde y el poeta le explica lo que habría visto de haber llegado a tiempo (la *sabrosa fatiga* de la consumación del amor). La descripción de la dama empieza por su silencio (*muerta la voz*), que será pertinente en los versos que siguen.

31-33 Puesto que la dama es tan bella como Venus (*la blanca hija de la blanca espuma*), su valiente y bello compañero de fatigas se parecerá a Marte o a Adonis, los más célebres amantes de la diosa.

34-36 Lo que el pensamiento sí puede ver es la escena posterior a la consumación: el sueño y el cansancio de los amantes.

37 «Con el brazo desnudo, con el pecho descubierto» (construcción de acusativo griego: véase Garcilaso, poema 10, v. 19).

38-39 *contempla*: imperativo dirigido al pensamiento; *templada nieve* y *fuego helado* son antítesis caraterísticas del petrarquismo.

evaporar contempla un fuego helado,
40 y al esposo, en figura casi muerta,
que el silencio le bebe
del sueño con sudor solicitado.
Dormid, que el dios alado,
de vuestras almas dueño,
45 con el dedo en la boca os guarda el sueño.

Dormid, copia gentil de amantes nobles,
en los dichosos nudos
que a los lazos de amor os dio Himeneo;
mientras yo, desterrado, de estos robles
50 y peñascos desnudos
la piedad con mis lágrimas granjeo.
Coronad el deseo
de gloria, en recordando;
sea el lecho de batalla campo blando.

40 *en figura casi muerta*: porque está agotado y a punto de caer en el sueño, imagen de la muerte (compárese el v. 36).

41-42 Estos versos pueden entenderse de dos maneras: como metáfora del beso («el esposo bebe el silencio de la esposa dormida») o como expresión del silencio en que está embebido el esposo, propio del sueño provocado por el sudor de la unión sexual. Sea como fuere, lo más destacable es la representación fónica del siseo mediante la aliteración y la evocación, de gran efectividad plástica, de la petición de silencio con que termina la estrofa.

43 *el dios alado*: Cupido. Compárese el poema siguiente, vv. 81-82.

46 *copia*: «pareja» (italianismo).

48 *Himeneo*: dios de las bodas.

53 *en recordando*: «al despertar».

54 La comparación del lecho amoroso con un campo de batalla aparece en varios poetas italianos (Petrarca y Torquato Tasso), pero era detalle muy del gusto de don Luis, que cerró con él

55 Canción, di al pensamiento
que corra la cortina
y vuelva al desdichado que camina.

---

la primera de sus *Soledades*: «a batallas de amor, campo de pluma».

[34]

El *Orlando furioso*, un largo poema épico del italiano Ludovico Ariosto (publicado en su versión definitiva en 1532 y pronto traducido al español), fue una de las narraciones más leídas y difundidas del siglo XVI e inspiró en España muchas recreaciones en todos los géneros literarios y especialmente en el romancero. En este romance de 1602, Góngora se fija en uno de los episodios más importantes, el idilio entre Angélica, la hermosa heroína de Oriente pretendida por todos los caballeros cristianos y sarracenos, y Medoro, un humilde soldado norteafricano (*Orlando furioso*, XIX, 19-36). Precisamente por ser un episodio conocidísimo, Góngora se interesa menos en la información de los hechos, que da por sabidos (nótese que elude el nombre de los protagonistas hasta bien avanzada la narración), que en la recreación ingeniosa y exaltada de los detalles de su idilio.

En un pastoral albergue,
que la guerra entre unos robres
lo dejó por escondido
o lo perdonó por pobre,
5 do la paz viste pellico
y conduce entre pastores
ovejas del monte al llano
y cabras del llano al monte,

1 *pastoral*: «pastoril».
2 *robres*: «robles».
5 *pellico*: «zamarro hecho de pieles», típico indumento pastoril.

mal herido y bien curado,
10 se alberga un dichoso joven,
que sin clavarle Amor flecha,
lo coronó de favores.
Las venas con poca sangre,
los ojos con mucha noche,
15 lo halló en el campo aquella
vida y muerte de los hombres.
Del palafrén se derriba,
no porque al moro conoce,
sino por ver que la hierba
20 tanta sangre paga en flores.
Límpiale el rostro, y la mano
siente al Amor que se esconde
tras las rosas, que la muerte
va violando sus colores.
25 Escondiose tras las rosas

9-12 Porque Medoro se verá favorecido por el amor, sin esperarlo ni haber recibido su flecha benéfica.

15-16 Alude ahora a Angélica, deseada y perseguida por cuantos la veían.

17 *palafrén*: «caballo manso propio de damas»; *se derriba*: «desmonta».

19-20 Porque la sangre del hermoso Medoro tiñe la hierba y parece que brotan en su lugar flores coloradas.

21-24 Continúa y lleva al extremo la equiparación entre la hermosura de Medoro y las rosas: al limpiarle el rostro ensangrentado, Angélica siente la punzada del Amor, como si acabase de pincharse con las espinas; pero como el joven está malherido y lívido, es como si la muerte estuviese convirtiendo las rosas en descoloridas violetas (*violando sus colores*).

25-28 Según una creencia antigua, el diamante solo podía ablandarse con sangre, de manera que el Amor se esconde tras las rosas (que designan a Medoro) para que sus flechas (*arpones*),

por que labren sus arpones
el diamante del Catay
con aquella sangre noble.

Ya le regala los ojos,
30 ya le entra, sin ver por dónde,
una piedad mal nacida
entre dulces escorpiones.

Ya es herido el pedernal,
ya despide el primer golpe
35 centellas de agua. ¡Oh piedad,
hija de padres traidores!

Hierbas aplica a sus llagas,
que si no sanan entonces,

---

untadas en la sangre del joven, ablanden (*labren*) el corazón de Angélica, designado a su vez con una ingeniosa metáfora, *el diamante del Catay*, que alude a la proverbial dureza de la dama y a su condición de hija del rey del Catay (denominación antigua del Extremo Oriente).

29 *le regala*: «le halaga, le recrea».

31 *piedad*: «emoción, afecto». Dice el poeta *mal nacida* por la dificultad o las circunstancias excepcionales en que surgió, aunque también podría ser una alusión anticipada al trágico desenlace de los amores de Angélica y Medoro.

32 Los *escorpiones* aluden a las venenosas punzadas del amor (como antes las *rosas* y los *arpones*), y por ello son llamados *dulces*.

33-36 *pedernal*: nueva metáfora del corazón de Angélica (véase el núm. 26, v. 44). Nótese la ingeniosa complejidad del concepto: al recibir el primer golpe, el corazón de Angélica despide, como el pedernal, chispas (*centellas*), pero a diferencia de las chispas que despide la piedra, estas son *de agua*, es decir, «lágrimas». La exclamación final, como en la cuarteta anterior, expresa mediante una paradoja el sentimiento de Angélica, nacido inesperadamente *de padres traidores* (los hermosos rasgos de Medoro).

en virtud de tales manos
40 lisonjean los dolores.
Amor le ofrece su venda,
mas ella sus velos rompe
para ligar sus heridas:
los rayos del sol perdonen.
45 Los últimos nudos daba
cuando el cielo la socorre
de un villano en una yegua
que iba penetrando el bosque.
Enfrénanlo de la bella
50 las tristes piadosas voces,
que los firmes troncos mueven
y las sordas piedras oyen;
y la que mejor se halla
en las selvas que en la corte,
55 simple bondad, al pío ruego
cortésmente corresponde.
Humilde se apea el villano

40 *lisonjean*: «alivian»; es decir, que si las hierbas no curan de inmediato las heridas de Medoro, al menos mitigan sus dolores gracias a (*en virtud de*) las manos de Angélica.

41 A Cupido, dios de Amor, solía representársele con una venda sobre los ojos.

44 *los rayos del sol perdonen*: porque Angélica ha usado su velo para hacer las vendas y ha descubierto sus ojos, que compiten en luminosidad con el sol.

46-47 *la socorre de un villano*: «le envía el socorro de un aldeano».

49-50 «Lo detienen las tristes y piadosas voces de la bella, que conmueven hasta los troncos más firmes y que hasta las piedras más sordas oyen».

52-56 «Y la simple bondad (la bonhomía del aldeano), que se encuentra mejor en los bosques (*las selvas*) que en la corte, corresponde cortésmente al compasivo ruego».

y sobre la yegua pone
un cuerpo con poca sangre,
60 pero con dos corazones;
a su cabaña los guía,
que el sol deja su horizonte
y el humo de su cabaña
les va sirviendo de norte.
65 Llegaron temprano a ella,
do una labradora acoge
un mal vivo con dos almas,
y una ciega con dos soles.
Blando heno en vez de pluma
70 para lecho les compone,
que será tálamo luego
do el garzón sus dichas logre.
Las manos, pues, cuyos dedos
de esta vida fueron dioses,
75 restituyen a Medoro
salud nueva, fuerzas dobles,
y le entregan, cuando menos,
su beldad y un reino en dote,

60 El propio de Medoro y el recién conquistado de Angélica.

62 *deja su horizonte*: «se está poniendo».

67 *mal vivo*: «apenas vivo, moribundo»; *con dos almas*: véase el v. 60.

68 Los *dos soles* son los ojos de Angélica (véase el v. 44), que está *ciega* de amor.

70 *les compone*: «les prepara».

71 *tálamo*: «lecho nupcial».

72 *do*: «donde»; *garzón*: «joven».

73-74 Porque lo han salvado de la muerte.

77 *cuando menos*: «por lo menos» (para ponderar la hipérbole que sigue).

78 *un reino en dote*: el del Catay (véase el v. 27).

segunda invidia de Marte,
80 primera dicha de Adonis.
Corona un lascivo enjambre
de cupidillos menores
la choza, bien como abejas
hueco tronco de alcornoque.
85 ¡Qué de nudos le está dando
a un áspid la invidia torpe,
contando de las palomas
los arrullos gemidores!
¡Qué bien la destierra Amor,
90 haciendo la cuerda azote,
por que el caso no se infame
y el lugar no se inficione!
Todo es gala el africano,
su vestido espira olores,

79-80 Angélica es implícitamente comparada a Venus, a la que supera por el hecho de que Medoro, al obtener sus favores y sus riquezas, provocaría la envidia de Marte (*segunda* porque el dios de la guerra ya la sufrió cuando vio a Venus con Adonis) y la dicha de Adonis (*primera* porque Angélica supera en belleza a la diosa amada por el personaje mitológico).

81 *corona*: «rodea»; *lascivo*: «juguetón». Como era usual en la iconografía erótica de la época, la escena se completa con un coro de pequeños cupidos (niños alados al servicio del Amor) que revolotean como abejas.

85-88 La envidia, habitualmente comparada o representada con una serpiente venenosa, se reconcome al ver los arrullos de las palomas, y para contarlos —como solía hacerse con una cuerda: véase el v. 90— va haciendo nudos a un áspid.

91 *no se infame*: «no sea cubierto de infamia».

92 *no se inficione*: «no se contamine, no se estropee».

93 *gala*: «gracia, belleza»; *el africano*: Medoro.

94 *espira*: «exhala, despide»; *olores*: «aromas».

95 el lunado arco suspende
y el corvo alfanje depone.
Tórtolas enamoradas
son sus roncos atambores,
y los volantes de Venus
100 sus bien seguidos pendones.
Desnuda el pecho anda ella,
vuela el cabello sin orden;
si lo abrocha, es con claveles;
con jazmines, si lo coge.
105 El pie calza en lazos de oro
por que la nieve se goce
y no se vaya por pies
la hermosura del orbe.

95 *lunado*: por su forma de media luna; *suspende*: «cuelga».

96 *alfanje*: «sable corto y curvo», arma propia de sarracenos; *depone*: «deja, abandona».

97-100 Sigue desarrollando el tópico de la *militia amoris*, porque el soldado Medoro va a ocuparse ahora en otras batallas: en vez de roncos tambores se oyen los arrullos de las tórtolas, y sus banderas (*pendones*) son ahora los volantes y velos de la diosa Venus.

101 *desnuda el pecho*: «con el pecho desnudo», otro caso de acusativo griego.

105-108 *la nieve* es metáfora de la blancura de Angélica, quien después es llamada *la hermosura del orbe* (con aspiración de la *h*); los *lazos de oro* con que se calza tienen dos efectos: uno por ser dorados (*por que la nieve se goce*, «para que el pie sienta gozo», o tal vez «para que la blancura destaque más y se disfrute mejor») y otro por ser *lazos*, ataduras (para que Angélica no escape). La condición huidiza de Angélica, presente a lo largo del *Orlando furioso*, es aquí expresada con el coloquialismo *irse por pies*.

108 *hermosura*: con aspiración de la *h*.

Todo sirve a los amantes:
110 plumas les baten veloces
airecillos lisonjeros,
si no son murmuradores;
los campos les dan alfombras,
los árboles pabellones,
115 la apacible fuente sueño,
música los ruiseñores;
los troncos les dan cortezas
en que se guarden sus nombres,
mejor que en tablas de mármol
120 o que en láminas de bronce;
no hay verde fresno sin letra,
ni blanco chopo sin mote;
si un valle «Angélica» suena,
otro «Angélica» responde.
125 Cuevas do el silencio apenas
deja que sombras las moren
profanan con sus abrazos,
a pesar de sus horrores.

109 *sirve*: «se pone al servicio».

110-112 Los *airecillos* los abanican (*plumas les baten*); los llama *lisonjeros* porque son «agradables, placenteros», pero el adjetivo puede significar también «aduladores», y de ahí la matización del verso siguiente, «si no son murmuradores» (compárese el poema 36, vv. 4-12).

114 *pabellones*: «carpas, tiendas de campaña».

116-120 Como relata Ariosto en el *Orlando furioso*, Angélica y Medoro graban sus nombres en las cortezas de los árboles.

122 *mote*: «inscripción, lema».

126 *las moren*: «las habiten, las pueblen».

128 *sus horrores*: los peligros y miedos que suelen provocar las cuevas.

Choza, pues, tálamo y lecho,
130 cortesanos labradores,
aires, campos, fuentes, vegas,
cuevas, troncos, aves, flores,
fresnos, chopos, montes, valles,
contestes de estos amores,
135 el cielo os guarde, si puede,
de las locuras del Conde.

130 Nótese la paradoja: son *labradores* que pueden llamarse *cortesanos* porque son «educados y corteses».

131 *vegas* («campos fértiles») es el único de los términos enumerados en esta recapitulación que ha comparecido antes en el poema.

134 *contestes*: «testigos coincidentes en su declaración».

136 El *Conde* es Orlando, cuyas *locuras* refiere Ariosto en otro célebre pasaje de su obra (XXIII, 102-136). Cuando descubre las inscripciones amorosas de Medoro y Angélica, Orlando enloquece y se ensaña primero con los elementos de la naturaleza en los que hay o imagina huellas del idilio.

[35]

Romancillo con estribillo escrito en 1608 para disipar los celos de una muchacha (posiblemente una dama conocida, doña Isabel de Castro). Sobre el fondo de la simbología lírica tradicional (las *flores azules* significan los «celos» que suelen preceder a las *mieles* del amor) y de un estribillo que acabaría siendo proverbial (y recreado a la zaga de Góngora por Lope de Vega y Federico García Lorca), el autor compone una de las mejores elaboraciones del tema de los celos, valiéndose de varias imágenes metafóricas un tanto complejas y de la acumulación de conceptos (como ya vio y elogió Baltasar Gracián), todo ello en un poema que destaca por su graciosa musicalidad y una aparente sencillez.

Las flores del romero,
niña Isabel,
hoy son flores azules,
mañana serán miel.

5 Celosa estás, la niña,
celosa estás de aquel
dichoso, pues lo buscas,
ciego, pues no te ve,
ingrato, pues te enoja,
10 y confïado, pues
no se disculpa hoy
de lo que hizo ayer.

[3] Porque el color azul se consideraba símbolo de los celos.

Enjuguen esperanzas
lo que lloras por él,
15 que celos entre aquellos
que se han querido bien,
hoy son flores azules,
mañana serán miel.

Aurora de ti misma,
20 que cuando a amanecer
a tu placer empiezas,
te eclipsan tu placer,
serénense tus ojos,
y más perlas no des,
25 porque al Sol le está mal
lo que a la Aurora bien.
Desata como nieblas
todo lo que no ves,
que sospechas de amantes
30 y querellas después,
hoy son flores azules
mañana serán miel.

13 *enjuguen*: «sequen»; es decir, «que las esperanzas te sequen las lágrimas que lloras por él».

19 La muchacha es *aurora* porque es como un *sol* (véase el v. 25) y, por lo tanto, se anuncia a sí misma.

20-21 La expresión *a tu placer* es la clave de un doble significado: «empiezas a amanecer cuando quieres» (*a tu placer*, «a voluntad») y «empiezas a amanecer a tu placer» (esto es, «empiezas a experimentar el placer del amor»).

24-26 *más perlas no des*: «no llores más»; las *perlas* constituyen en estos versos una doble metáfora: de las «lágrimas» y del «rocío». Así, aunque le sienten bien a la Aurora, le quedan muy mal al Sol.

27 *desata*: «deshaz, disipa».

30 *querellas*: «disputas».

[36]

En 1609, después de un viaje por el norte de España, Góngora pasó unos meses en la corte e intentó avivar el proceso contra Francisco de Aguayo por la muerte de un sobrino suyo. El poema se escribió «en otoño» (v. 10), y más precisamente en octubre, pues alude como asunto de actualidad al decreto de expulsión de los moriscos valencianos, publicado el 22 de septiembre (v. 99), y refleja el desengaño del autor tras la sentencia del citado proceso, fallada el día 3 del mes siguiente. La situación del poema procede de la sátira III de Juvenal, que contiene una larga retahíla de críticas a Roma acallada también por la llegada de las cabalgaduras. Es además una espléndida recreación del «menosprecio de corte y alabanza de aldea», y, como en otras epístolas morales de la época, se recuerdan algunos motivos del *Beatus ille*... horaciano: los frutos del huerto (vv. 95-96, 115-117), el modesto servicio campestre (vv. 112-114, 118-119) o la comida «no comprada» (v. 116). Entre los lances métricos destacan la aspiración de la *h* inicial (7, 50), la diéresis (17, 20, 74, 100, 111, 117) y la sinéresis (24, 46, 88).

¡Mal haya el que en señores idolatra
y en Madrid desperdicia sus dineros,
si ha de hacer al salir una mohatra!

1 *mal haya*: «maldito sea».
3 *mohatra*: «venta fingida, fraude».

Arroyos de mi huerta lisonjeros
5 (¿lisonjeros?: mal dije, que sois claros),
Dios me saque de aquí y me deje veros.

Si corréis sordos, no quiero hablaros;
mejor es que corráis murmuradores,
que llevo muchas cosas que contaros.

10 Tenedme, aunque es otoño, ruiseñores,
ya que llevar no puedo ruicriados,
que entre pámpanos son lo que entre flores.

Si yo tuviera veinte mil ducados,
tiplones convocara de Castilla,
15 de Portugal bajetes mermelados;

4 *mi huerta*: la de don Marcos, junto al arroyo de los Pedroches, cerca de Córdoba; era propiedad del cabildo cordobés y fue arrendada por Góngora en 1602.

5 *¿lisonjeros?: mal dije*: porque el adjetivo puede tener dos sentidos, uno positivo («deleitosos, agradables») y otro negativo («aduladores, falsos»); compárese el poema 34, vv. 111-112.

12 Aunque a primera vista la frase no parece tener malicia (los ruiseñores cantan tanto en otoño, esto es *entre pámpanos*, como en primavera y *entre flores*), la sintaxis y el doble sentido de algunas expresiones favorecen una ironía sobre los *ruicriados* («criados ruines», divertida creación de Góngora en contraste con *rui-señores*), quienes también se desenvuelven perfectamente entre el vino (así puede entenderse lo de los pámpanos) y las fullerías (pues *flores* se llamaban las trampas del juego de naipes).

14 *tiplones*: «tiples» (voz aguda de los cantores).

15 *bajetes*: «bajos»; *mermelados*: «melifluos». Nótese la sutileza del poeta al usar un aumentativo para la voz más aguda (el *tiple*) y un diminutivo para la más grave (el *bajo*).

y a fe que a la pajísima capilla
tïorbas de cristal vuestras corrientes
prestaran dulces en su verde orilla.

Pájaros suplan, pues, faltas de gentes,
20 que en voces, si no métricas, suaves,
consonancias desaten diferentes;

si ya no es que de las simples aves
contiene la república volante
poetas, o burlescos sean o graves,

25 y cualque madrigal sea elegante,
librándome el lenguaje en el concento,
el que algún culto ruiseñor me cante,

prodigio dulce que corona el viento,
en unas mismas plumas escondido
30 el músico, la musa, el instrumento.

16 *capilla*: «junta de cantores», *pajísima* por ser de pajes.
17 *tïorba*: instrumento de cuerda, semejante al laúd.
18 *dulces*: referido a *tïorbas* («melodiosas»), o bien referido a *corrientes* y con valor advervial («dulcemente»).
20 *si no métricas*: «aunque no tengan medida precisa como los versos».
22-24 «A no ser que la república volante de las simples aves contenga poetas, sean graves o burlescos».
25 *cualque*: «algún» (italianismo); *madrigal*: breve composición poética para cantar.
26 *concento*: «armonía». Estos versos vienen a decir «que el melodioso canto del ruiseñor supla la falta de elocución».

Mas ¿dónde ya me había divertido,
risueñas aguas, que de vuestro dueño
os habéis con razón siempre reído?

Guardad entre esas guijas lo risueño
35 a este dómine bobo, que pensaba
escaparse de tal por lo aguileño,

celebrando con tinta, y aun con baba,
las fiestas de la corte, poco menos
que hacérselas a Judas con octava.

40 Cantar pensé en sus márgenes amenos
cuantas Dïanas Manzanares mira,
a no romadizarme sus Sirenos.

La lisonja, con todo, y la mentira
(modernas musas del Aonio coro)
45 las cuerdas le rozaron a mi lira.

31 *divertido*: «apartado, desviado».

36 La nariz aguileña se tenía por rasgo de persona ingeniosa, y en un romancillo autobiográfico de 1587 Góngora habla con gracia de su «aguileña filomocosía».

39 El verso encierra un zeugma (*hacérselas*: «hacerle fiestas») y una dilogía, pues *octava* («período de ocho días con festividades religiosas») puede tener también el sentido de «composición poética» (en concreto era la estrofa predilecta de la poesía áulica o de elogio).

42 *romadizarme*: «acatarrarme». Como llama *Dianas* a las damas de la corte (bañada por el río Manzanares), los cortesanos o galanes pueden llamarse *Sirenos*, con alusión a otro personaje de la célebre novela pastoril de Jorge de Montemayor. La gracia del verso está en el juego de palabras con *sereno*, el aire húmedo de la noche.

44 *Aonio coro*: «el coro de las Musas», por su patria Aonia (antiguo nombre de Beocia).

¿Valió por dicha al leño mío canoro
(si puede ser canoro leño mío)
clavijas de marfil o trastes de oro?

Sequedad lo ha tratado como a río;
50 puente de plata fue que hizo alguno
a mi fuga, quizá de su desvío.

No más, no, que aun a mí seré importuno,
y no es mi intento a nadie dar enojos,
sino apelar al pájaro de Juno:

55 gastar quiero de hoy más plumas con ojos
y mirar lo que escribo. El desengaño
preste clavo y pared a mis despojos.

La adulación se queden y el engaño
mintiendo en el teatro, y la esperanza
60 dando su verde un año y otro año;

46 *leño*: metonimia por el instrumento musical.
48 Se refiere figuradamente a las galas con que vestía sus elogios.
49 *sequedad*: la mezquindad de los poderosos y la sequía del río.
50 Alude a un conocido refrán, «a enemigo que huye, *puente de plata*».
51 *desvío*: «esquivez, disfavor».
52 *importuno*: «molesto, enfadoso».
53 *mi intento*: «mi intención».
54 *pájaro de Juno*: el pavo real (apelación justificada en los versos siguientes: *plumas con ojos*).
55 *de hoy más*: «de hoy en adelante».
56-57 Para colgar figuradamente sus *despojos* en el templo del desengaño, a modo de exvoto u ofrenda.
60 *verde*: «hierba, pasto» (y el color de la esperanza).

que si en el mundo hay bienaventuranza,
a la sombra de aquel árbol me espera
cuyo verdor no conoció mudanza.

Su flor es pompa de la primavera;
65 su fruto, o sea lo dulce o sea lo acedo,
en oro engasta, que al romperlo es cera.

Allí el murmurio de las aguas ledo,
ocio sin culpa, sueño sin cuidado
me guardan, si acá en polvos no me quedo

70 molido del dictamen de un letrado
en la tahona de un relator, donde
siempre hallé para mí el rocín cansado.

Dichoso el que pacífico se esconde
a este civil ruido, y litigante,
75 o se concierta o por poder responde,

64 Se refiere al naranjo o al limonero, cuyo verdor, en efecto, no conoce mudanza, pues son árboles de hoja perenne; *su flor* es la flor de azahar.

65 *acedo*: «agrio».

67 *murmurio*: «murmullo»; *ledo*: «alegre».

68 *sin cuidado*: «sin preocupación».

71 *tahona*: «molino movido por una caballería» (el *rocín* del verso siguiente); *relator*: «letrado que hace la relación de una causa en un tribunal».

72 Este terceto representa «el aburrimiento, la desesperación [de don Luis] por la actitud parcial y poco amistosa de la justicia y por la lentitud» del proceso por la muerte de su sobrino (Dámaso Alonso).

73 *se esconde a*: «huye de».

74 *civil*: «cruel».

sólo por no ser miembro corteggiante
de sierpe prodigiosa, que camina
la cola, como el gámbaro, delante.

Oh soledad, de la quietud divina
80 dulce prenda, aunque muda, ciudadana
del campo, y de sus ecos convecina;

sabrosas treguas de la vida urbana,
paz del entendimiento, que lambica
tanto en discursos la ambición humana:

85 ¿quién todos sus sentidos no te aplica?
Ponme sobre la mula, y verás cuánto
más que la espuela esta opinión la pica.

Sea piedras la corona, si oro el manto
del monarca supremo, que el prudente
90 con tanta obligación no aspira a tanto.

Entre pastor de ovejas y de gente,
un político medio lo conduce
del pueblo a su heredad, de ella a su fuente.

Sobre el aljófar que en las hierbas luce,
95 o se reclina, o toma residencia
a cada vara de lo que produce.

[76] *corteggiante*: «pretendiente» (italianismo).
[78] *gámbaro*: «especie de camarón» (italianismo).
[83] *lambica*: «alambica, destila».
[92] *político*: «discreto».
[94] *aljófar*: «perlas menudas», metáfora usual del «rocío».
[96] Como el símbolo de la justicia es una *vara*, Góngora aprovecha el equívoco para decir que en el retiro solo cabe preocuparse

Tiéndese, y con debida reverencia
responde, alta la gamba, al que le escribe
la expulsión de los moros de Valencia.

100 Tan ceremonïosamente vive,
sin dársele un cuatrín de que en la corte
le den título a aquél o el otro prive.

No gasta así papel, no paga porte
de la gaceta que escribió las bodas
105 de doña Calamita con el Norte.

Del estadista y sus razones todas
se burla, visitando sus frutales,
mientras el ambicioso sus vaivodas.

No pisa pretendiente los umbrales
110 del que trae la memoria en la pretina,
pues de ella penden los memorïales.

---

de estar tumbado (*se reclina*) o de *tomar residencia* (que en términos jurídicos es «investigar el cumplimiento de un oficio o cargo público») a las ramas de los árboles para ver el fruto que producen.

[98] *gamba*: «pierna» (italianismo).

[101] *sin dársele un cuatrín*: «sin importarle un bledo» (el *cuatrín* era una moneda de escaso valor).

[102] *prive*: «medre, prospere».

[105] *Calamita*: la piedra imán, atraída por el Norte.

[108] *vaivodas*: «magnates, mandatarios».

[110] *pretina*: «cinturón»; de ella solían colgar los funcionarios los *memoriales* con las diligencias de un pleito.

El margen de la fuente cristalina,
sobre el verde mantel que da a su mesa,
platos le ofrece de esmeralda fina.

115 Sírvele el huerto con la pera gruesa,
émula en el sabor, y no comprada,
de lo más cordïal de la camuesa.

A la gula se queden la dorada
rica vajilla, el bacanal estruendo...
120 Mas basta, que la mula es ya llegada.
¡A tus lomos, oh rucia, me encomiendo!

117 *cordïal*: «que reconforta el corazón»; *camuesa*: especie de manzana muy apreciada en la época.

119 La *rica vajilla* como símbolo del lujo excesivo o innecesario era frecuente en las recreaciones del *beatus ille*; compárese fray Luis de León, núm. 13, vv. 73-74.

121 *rucia*: «de pelo entrecano» (con el color se solía designar metonímicamente a los animales, en este caso la mula).

[37]

En su retiro cordobés, Góngora concibió sus proyectos más ambiciosos. Fue el primero una *Fábula de Polifemo y Galatea*, escrita —salvo unos pocos retoques posteriores— en 1612 y basada esencialmente en la versión ovidiana de la historia del cíclope (en el libro XIII de las *Metamorfosis*, vv. 738-897), aunque don Luis combinó con la fuente latina su profundísimo conocimiento de la poesía italiana y española y su innata propensión al ingenio y a la originalidad. A buen seguro le movió, entre otras razones, la competencia con don Luis Carrillo, quien por las mismas fechas compuso (dedicándola también al conde de Niebla) su *Fábula de Acis y Galatea*, más servil que la de Góngora a los detalles y a la estructura del modelo ovidiano. El amor es el tema dominante del *Polifemo*, pero aparece rodeado de motivos propios del elogio de la vida rústica y del contexto pastoril, piscatorio o náutico, manifestando en todo ello su relación esencial con las *Soledades*. Pronto acusaron a Góngora de haber cambiado los «modos» de la poesía antigua, porque el *Polifemo* dislocó el sistema tradicional de los géneros y no era fácil decidir si se trataba de un poema heroico (por la métrica y por el modelo ilustre), lírico (por la excelencia e importancia de las escenas amorosas) o bucólico (por la actividad cotidiana del cíclope y la recreación de motivos pastoriles). Pero también muy pronto se consolidó la *Fábula* como un prodigio de poesía descriptiva.

FÁBULA DE POLIFEMO Y GALATEA

Al conde de Niebla

I Estas que me dictó rimas sonoras,
culta sí, aunque bucólica, Talía,
¡oh excelso conde!, en las purpúreas horas
que es rosas la alba y rosicler el día,
5 ahora que de luz tu Niebla doras,
escucha, al son de la zampoña mía,
si ya los muros no te ven, de Huelva,
peinar el viento, fatigar la selva.

II Templado, pula en la maestra mano
10 el generoso pájaro su pluma,

1-8 El poeta supone al conde en su villa de *Niebla* (de ahí el juego de palabras del verso 5), y le pide que escuche al son de su zampoña las rimas dictadas o inspiradas durante las horas purpúreas del amanecer, si ya no está cazando (peinando el viento con sus halcones y fatigando el bosque con la montería) en los alrededores de Huelva.

2 *Talía*: musa de la poesía pastoril.

6 *zampoña*: «flauta de cañas», instrumento emblemático de la poesía bucólica.

9-16 Pide reposo a los animales de caza: que el halcón pula su plumaje sobre el guante del adiestrador, o que esté tan callado sobre el varal que presuma desmentir, aunque en vano, que lleva cascabel; que el caballo blanquee con la espuma el dorado freno que tasca; que el lebrel gima atado, y, en fin, que la poesía suceda a la caza (representadas por el *cuerno* y la *cítara*, instrumentos emblemáticos, respectivamente, de la caza y de la poesía).

9 *templado*: «sosegado y dispuesto».

10 *generoso*: «de ilustre linaje».

o tan mudo en la alcándara, que en vano
aun desmentir al cascabel presuma;
tascando haga el freno de oro, cano,
del caballo andaluz la ociosa espuma;
15 gima el lebrel en el cordón de seda,
y al cuerno, al fin, la cítara suceda.

III Treguas al ejercicio sean robusto
ocio atento, silencio dulce, en cuanto
debajo escuchas de dosel augusto
20 del músico jayán el fiero canto.
Alterna con las Musas hoy el gusto,
que si la mía puede ofrecer tanto
clarín (y de la Fama no segundo),
tu nombre oirán los términos del mundo.

25 IV Donde espumoso el mar sicilïano
el pie argenta de plata al Lilibeo
(bóveda o de las fraguas de Vulcano

17-24 Tras pedir que el ocio y el silencio sean treguas a la caza (un *ejercicio robusto* afín a la guerra), la octava termina con el ofrecimiento de nuevos desvelos poéticos para cantar las alabanzas del conde.

18 *en cuanto*: «en tanto, mientras».

20 *músico* es adjetivo de *jayán*, «gigante» (Polifemo).

22 *la mía*: es decir, «mi musa»; *tanto*: «tan grande, tan digno».

25-32 Góngora sitúa la acción de la fábula en Sicilia, cuyo mar *argenta* con su espuma la falda del monte Lilibeo. En aquella isla, según la tradición, se hallaban las fraguas de Vulcano o la tumba del gigante Tifeo, y a uno u otro origen puede atribuirse el color cenizoso del lugar, coronado por una cueva a la que una gran roca sirve de mordaza.

26 *Lilibeo*: monte al oeste de Sicilia.

27 *Vulcano*: dios del fuego.

o tumba de los huesos de Tifeo)
pálidas señas cenizoso un llano,
30 cuando no del sacrílego deseo,
del duro oficio da. Allí una alta roca
mordaza es a una gruta, de su boca.

V Guarnición tosca de este escollo duro
troncos robustos son, a cuya greña
35 menos luz debe, menos aire puro,
la caverna profunda, que a la peña;
caliginoso lecho, el seno oscuro
ser de la negra noche nos lo enseña
infame turba de nocturnas aves,
40 gimiendo tristes y volando graves.

VI De este, pues, formidable de la tierra
bostezo el melancólico vacío
a Polifemo, horror de aquella sierra,
bárbara choza es, albergue umbrío
45 y redil espacioso donde encierra

28 *Tifeo*: gigante que se alzó contra Zeus.

33-40 Frente al peñasco hay unos árboles cuyo tupido ramaje deja entrar en la cueva aún menos luz y menos aire que la roca misma. Una *infame turba de nocturnas aves* (nótense la disposición bimembre del verso y los dos acentos sobre la sílaba *tur*) nos muestra que el interior de la gruta es el lecho tenebroso de la noche.

33 *guarnición*: «adorno y protección».

37 *caliginoso*: «tenebroso».

40 *graves*: «pesadas, lentas».

41-48 El melancólico vacío de la cueva (que es como un formidable bostezo de la tierra) le sirve a Polifemo de choza, de albergue y de redil en el que encierra su ganado cabrío, tan numeroso que esconde los montes.

cuanto las cumbres ásperas cabrío
de los montes esconde: copia bella
que un silbo junta y un peñasco sella.

VII Un monte era de miembros eminente
50 este (que, de Neptuno hijo fiero,
de un ojo ilustra el orbe de su frente,
émulo casi del mayor lucero)
cíclope, a quien el pino más valiente,
bastón le obedecía tan ligero,
55 y al grave peso junco tan delgado,
que un día era bastón y otro cayado.

VIII Negro el cabello, imitador undoso
de las oscuras aguas del Leteo,
al viento que lo peina proceloso

46 *cabrío*: «ganado cabrío».
47 *copia*: «abundancia».
49-56 La descripción de Polifemo es completa y ordenada: envergadura (VII), el cabello y la barba (VIII), ferocidad y velocidad (IX), el zurrón (X-XI) y su terrible música (XII). En esta octava nos dice que el cíclope es grande como un monte; que en su enorme frente luce un solo ojo, comparable al Sol, y que bajo su enorme peso el pino más alto y robusto parecía un frágil junco, de manera que un día le servía de bastón y al día siguiente solo valía como cayado.
49 *eminente*: «sobresaliente, prominente».
50 *Neptuno*: dios de los mares.
53 *valiente*: «grande, robusto».
57-64 Continuando la comparación de Polifemo con una montaña, lo llama ahora *Pirineo* (es decir, «monte de fuego», de ahí el adjetivo *adusto*), y su barba indomable es un torrente que inunda el pecho.
58 *Leteo*: el río del olvido.
59 *proceloso*: «borrascoso, tempestuoso».

60 vuela sin orden, pende sin aseo;
un torrente es su barba impetuoso
que, adusto hijo de este Pirineo,
su pecho inunda, o tarde, o mal, o en vano
surcada aun de los dedos de su mano.

65 IX No la Trinacria en sus montañas, fiera
armó de crueldad, calzó de viento,
que redima feroz, salve ligera
su piel manchada de colores ciento:
pellico es ya la que en los bosques era
70 mortal horror al que con paso lento
los bueyes a su albergue reducía,
pisando la dudosa luz del día.

X Cercado es, cuanto más capaz, más lleno,
de la fruta, el zurrón, casi abortada
75 que el tardo otoño deja al blando seno
de la piadosa hierba encomendada:

62 *adusto*: «tostado, requemado».

65-72 No hay en Sicilia fiera alguna que pueda salvar su piel: si en los bosques causaba mortal espanto al labrador que conducía los bueyes a su albergue en la hora dudosa del crepúsculo, ahora es ya solo un pellico que viste Polifemo.

65 *Trinacria*: Sicilia, la isla de los tres promontorios.

67 *redima*: «salve, libre».

69 *pellico*: «zamarra de pastor», en este caso de Polifemo.

71 *reducía*: «retornaba, devolvía, conducía de vuelta».

73-80 Compara el zurrón rebosante de Polifemo con un cercado lleno de frutos tardíos: la serba, que suele madurar entre el heno, y la pera, cuya tutora (*pálida* por su color amarillento) es la paja, que la oculta (*niega*) con avaricia y la dora pródigamente.

73 *cercado*: «huerto pequeño».

la serba, a quien le da rugas el heno;
la pera, de quien fue cuna dorada
la rubia paja y, pálida tutora,
80 la niega avara y pródiga la dora.

XI Erizo es el zurrón, de la castaña
y, entre el membrillo o verde o datilado,
de la manzana hipócrita, que engaña
a lo pálido no, a lo arrebolado,
85 y de la encina (honor de la montaña,
que pabellón al siglo fue dorado)
el tributo, alimento, aunque grosero,
del mejor mundo, del candor primero.

XII Cera y cáñamo unió (que no debiera)
90 cien cañas, cuyo bárbaro ruido
de más ecos que unió cáñamo y cera
albogues duramente es repetido.
La selva se confunde, el mar se altera,
rompe Tritón su caracol torcido,

81-88 Sigue detallando el contenido del zurrón (identificado ahora con la corteza o *erizo* de la fruta que guarda): castañas, membrillos (verdes o maduros), manzanas (que con su carne blanquecina engañan hipócritamente a lo arrebolado de su piel) y bellotas (*el tributo de la encina*, fruto y árbol emblemático de la Edad de Oro).

81 *erizo*: «corteza» de algunos frutos (sentido que también puede tener *zurrón*).

82 *datilado*: «del color del dátil, maduro».

89-96 Describe la zampoña de Polifemo (cien albogues unidos con cera y cáñamo) y los efectos de su música.

91 *de*: «por».

92 *albogues*: «tubos de caña».

94 *Tritón*: dios marino, hijo de Neptuno.

95 sordo huye el bajel a vela y remo:
¡tal la música es de Polifemo!

XIII Ninfa, de Doris hija, la más bella
adora que vio el reino de la espuma;
Galatea es su nombre, y dulce en ella
100 el terno Venus de sus Gracias suma.
Son una y otra luminosa estrella
lucientes ojos de su blanca pluma:
si roca de cristal no es de Neptuno,
pavón de Venus es, cisne de Juno.

105 XIV Purpúreas rosas sobre Galatea
la Alba entre lilios cándidos deshoja:

95 *sordo*: «ensordecido» (aunque puede significar también «sigiloso»).

97-104 Nótese el contraste de esta octava con las anteriores. El poeta describe ahora a la amada del cíclope, la bella ninfa Galatea, y recurre para ello a una metáfora pura y a una compleja alusión mitológica cerrada con un trueque de atributos: sus dos ojos (*una y otra luminosa estrella*) parecen engastados en el plumaje blanquísimo de su cuerpo, de manera que la ninfa, si no es una roca de cristal del dios de los mares, es blanca como un cisne (ave propia de Venus) y tiene ojos en su pluma como el pavo real (ave consagrada a Juno).

97 *Doris*: hija de Océano, esposa de Nereo y madre de las Nereidas.

100 *Gracias*: hijas de Zeus y séquito habitual de la diosa del amor.

105-112 Con un concepto afín al de la octava anterior, el trueque de atributos se produce ahora entre la *púrpura* y la *nieve*, pues en la carne sonrosada de Galatea se mezclan el candor de las azucenas y el rubor de las rosas. La famosa y apreciada perla eritrea no puede competir con la frente de la ninfa, de manera que el dios de amor la condena a pender, engastada en oro, de su oreja nacarada.

106 *lilios cándidos*: «azucenas».

duda el Amor cuál más su color sea,
si púrpura nevada o nieve roja.
De su frente la perla es, eritrea,
110 émula vana; el ciego dios se enoja
y, condenado su esplendor, la deja
pender en oro al nácar de su oreja.

XV Invidia de las ninfas y cuidado
de cuantas honra el mar deidades era;
115 pompa del marinero niño alado
que sin fanal conduce su venera.
Verde el cabello, el pecho no escamado,
ronco sí, escucha a Glauco la ribera
inducir a pisar la bella ingrata,
120 en carro de cristal, campos de plata.

XVI Marino joven, las cerúleas sienes,
del más tierno coral ciñe Palemo,

109 *eritrea*: del mar Rojo o eritreo.

110 *el ciego dios*: Cupido.

113-120 Galatea provoca la envidia de las demás ninfas, la cuita amorosa de las deidades marinas, y es pompa y orgullo del dios de amor, que tripula *sin fanal*, como ciego que es, la concha de Venus. Uno de los pretendientes de la ninfa es Glauco, que está ronco de tanto llamarla para que pasee con él en su carro de cristal.

113 *cuidado*: «cuita, preocupación amorosa».

117 *escamado*: «escamoso».

118 *Glauco*: pescador beocio convertido en divinidad marina.

121-128 Palemo, el segundo pretendiente, posee cuantas riquezas contienen los mares de Sicilia. Aunque Galatea no sea con él tan desdeñosa como con el cíclope, tampoco le concede sus favores: apenas lo oye, huye por el campo mientras él la persigue por el agua.

121 *cerúleas*: «azules».

122 *Palemo*: otra divinidad marina de historia afín a la de Glauco.

125 rico de cuantos la agua engendra bienes,
del Faro odioso al promontorio extremo;
mas en la gracia igual, si en los desdenes
perdonado algo más que Polifemo,
de la que, aun no lo oyó, y, calzada plumas,
tantas flores pisó como él espumas.

XVII Huye la ninfa bella, y el marino
130 amante nadador ser bien quisiera,
ya que no áspid a su pie divino,
dorado pomo a su veloz carrera;
mas, ¿cuál diente mortal, cuál metal fino
la fuga suspender podrá ligera
135 que el desdén solicita? ¡Oh cuánto yerra
delfín que sigue en agua corza en tierra!

XVIII Sicilia, en cuanto oculta, en cuanto ofrece,
copa es de Baco, huerto de Pomona:
tanto de frutas ésta la enriquece,
140 cuanto aquél de racimos la corona.

124 *Faro odioso*: el de Mesina; *promontorio extremo*: el monte Lilibeo.

127 *aun no*: «apenas».

129-136 Viendo la veloz huida de su amada, Palemo desearía ser, ya que no un áspid como el que paralizó y mató a Eurídice, sí una manzana de oro que la detuviese, como las que Hipómenes arrojaba a Atalanta. Pero ni el veneno ni el oro sirven para detener una fuga provocada por el desdén.

132 *pomo*: «manzana».

135 *solicita*: «provoca, requiere».

137-144 Pondera la fertilidad de Sicilia, rica en vides, frutas y cereales: de sus espigas se abastecen todas las regiones de Europa.

138 *Baco*: dios del vino; *Pomona*: diosa de los huertos.

En carro que estival trillo parece,
a sus campañas Ceres no perdona,
de cuyas siempre fértiles espigas
las provincias de Europa son hormigas.

145 XIX A Pales su viciosa cumbre debe
lo que a Ceres, y aun más, su vega llana,
pues si en la una granos de oro llueve,
copos nieva en la otra mil de lana.
De cuantos siegan oro, esquilan nieve
150 o en pipas guardan la exprimida grana,
bien sea religión, bien amor sea,
deidad, aunque sin templo, es Galatea.

XX Sin aras no, que el margen donde para
del espumoso mar su pie ligero,
155 al labrador, de sus primicias ara,
de sus esquilmos es al ganadero;
de la copia (a la tierra, poco avara)

142 *campañas*: «campos, campiñas»; *Ceres*: diosa de la agricultura.

145-152 Continuando la materia de la octava precedente, equipara la abundancia de trigo (*granos de oro*) con la de ganado y lana (*copos de lana*). Galatea es, en definitiva, una diosa para todos, sean campesinos (los que *siegan oro*), ganaderos (*esquilan nieve*) o vinateros (*en pipas guardan la exprimida grana*).

145 *Pales*: diosa de la ganadería; *viciosa*: «fértil, frondosa».

150 *pipas*: «botes, toneles».

153-160 Galatea se ha convertido en la diosa de todos los habitantes de la isla, y, aunque no tenga templo, la playa misma sirve de ara a quienes desean hacerle ofrendas: el labrador le entrega sus primeros provechos; el ganadero, sus esquilmos, y el hortelano vierte el cuerno de la abundancia depositando sus frutos en un cesto de mimbre.

el cuerno vierte el hortelano, entero,
sobre la mimbre que tejió, prolija
160 si artificiosa no, su honesta hija.

XXI Arde la juventud, y los arados
peinan las tierras que surcaron antes,
mal conducidos, cuando no arrastrados
de tardos bueyes, cual su dueño errantes;
165 sin pastor que los silbe, los ganados
los crujidos ignoran resonantes
de las hondas, si, en vez de pastor pobre,
el Céfiro no silba, o cruje el robre.

XXII Mudo la noche el can, el día, dormido,
170 de cerro en cerro y sombra en sombra yace.
Bala el ganado; al mísero balido,

157-158 *de la copia ... el cuerno*: el cuerno de la abundancia (*cornucopia*).

159 *prolija*: «esmerada, minuciosa».

161-168 Esta octava y la siguiente describen los efectos que produce el amor por Galatea: la juventud arde de pasión; el labrador descuida sus bueyes y los arados apenas rozan los campos; los rebaños ya no oyen los silbidos del pastor ni los chasquidos de su onda, a no ser que silbe el viento y crujan los robles.

168 *Céfiro*: viento de poniente; *robre*: «roble».

169-176 El perro, en lugar de velar, vaga y dormita; el lobo (nótese la hipálage *nocturno*) se ceba en el ganado y baña con sangre de una oveja lo que ha pacido otra. La exhortación con que se cierra la octava es una de las más célebres dificultades del Polifemo: el poeta pide al Amor que haga que los silbidos vuelvan a sonar o que el sueño y el silencio del perro sigan al pastor (que el can acompañe a su amo en sus lamentaciones, o que el pastor pueda, como el animal, descansar).

nocturno el lobo de las sombras nace,
cébase y, fiero, deja humedecido
en sangre de una lo que la otra pace.
175 ¡Revoca, Amor, los silbos, o a su dueño
el silencio del can sigan y el sueño!

XXIII La fugitiva ninfa, en tanto, donde
hurta un laurel su tronco al sol ardiente,
tantos jazmines cuanta hierba esconde
180 la nieve de sus miembros, da a una fuente.
Dulce se queja, dulce le responde
un ruiseñor a otro, y dulcemente
al sueño da sus ojos la armonía,
por no abrasar con tres soles al día.

185 XXIV Salamandria del Sol, vestido estrellas,
latiendo el can del cielo estaba, cuando
(polvo el cabello, húmidas centellas,

175 *revoca*: «convoca de nuevo, haz volver».

177-184 Galatea se tumba sobre la hierba, a la sombra de un laurel, y su cuerpo blanquísimo (*jazmines*) se refleja en el agua de una fuente. El canto armonioso de dos ruiseñores entrega al sueño los ojos de la ninfa, competidores del Sol mismo (ella cierra los ojos como para evitar que haya tres soles).

185-192 El nombre de la constelación favorece una hábil metáfora zoológica: el can es también una salamandra, animal que según la fábula es invulnerable al fuego. Era, por tanto, mediodía, cuando Acis llegó cubierto de sudor (las gotas se identifican metafóricamente con *centellas* y *aljófares*, de nuevo con trueque de atributos) y, viendo dormida a Galatea (como si sus dos luces o soles estuviesen en su occidente), bebió en la fuente al tiempo que contemplaba a la bella ninfa.

186 *latiendo*: «ladrando»; *el can del cielo*: constelación del Can.

si no ardientes aljófares, sudando)
llegó Acis, y, de ambas luces bellas
190 dulce occidente viendo al sueño blando,
su boca dio, y sus ojos cuanto pudo,
al sonoro cristal, al cristal mudo.

XXV Era Acis un venablo de Cupido,
de un fauno, medio hombre, medio fiera,
195 en Simetis, hermosa ninfa, habido,
gloria del mar, honor de su ribera.
El bello imán, el ídolo dormido
que acero sigue, idólatra venera,
rico de cuanto el huerto ofrece pobre,
200 rinden las vacas, y fomenta el robre.

XXVI El celestial humor recién cuajado
que la almendra guardó entre verde y seca,

188 *aljófares*: «perlas menudas», metáfora del sudor.

192 *sonoro cristal*: metáfora del agua; *cristal mudo*: metáfora del cuerpo dormido de Galatea.

193-200 La descripción de Acis destaca por su brevedad, si bien en otros lugares de la *Fábula* se ofrecen más detalles sobre su aspecto. Aquí es comparado con un venablo (en griego *akís*, precisamente) de los que usa Cupido para herir los corazones; al hermoso joven se refiere también el verso 196, pues es *gloria del mar* por parte de la madre (la ninfa *Simetis*), y *honor de su ribera* por la del padre (un *fauno*). Sigue y venera a Galatea como el acero al imán y el idólatra a su ídolo, y es rico en fruta, leche y miel.

195 *Simetis*: hija de Simeto, río de Sicilia; *habido*: «engendrado».

200 *rinden*: «producen»; *fomenta*: «favorece, abriga».

201-208 Enumera las ofrendas de Acis a Galatea: un puñado de almendras o almendrucos, un copo de manteca y un panal de miel. Es muy posible que en los primeros versos de esta octava aluda el poeta al mito de Agdistis, relativo al origen del almendro.

en blanca mimbre se lo puso al lado,
y un copo, en verdes juncos, de manteca;
205 en breve corcho, pero bien labrado,
un rubio hijo de una encina hueca,
dulcísimo panal, a cuya cera
su néctar vinculó la primavera.

XXVII Caluroso, al arroyo da las manos,
210 y con ellas las ondas a su frente,
entre dos mirtos que, de espuma canos,
dos verdes garzas son de la corriente.
Vagas cortinas de volantes vanos
corrió Favonio lisonjeramente
215 a la (de viento cuando no sea) cama
de frescas sombras, de menuda grama.

XXVIII La ninfa, pues, la sonorosa plata
bullir sintió del arroyuelo apenas,
cuando, a los verdes márgenes ingrata,
220 seguir se hizo de sus azucenas.

205 *breve*: «pequeño».

209-216 Los mirtos entre los que se refresca Acis, blanqueados por la espuma del agua, parecen dos garzas verdes (nuevo trueque de atributos); téngase en cuenta que tanto la planta como el ave estaban consagradas a Venus. La brisa corrió unas cortinas alrededor de aquel lecho de sombras y hierbas (aunque no de viento, pues *cama de viento* se llamaba a una especie de catre de tela).

209 *caluroso*: «acalorado».

214 *Favonio*: «viento suave, brisa».

217-224 Al sentir el rumor del agua, la ninfa se levanta súbitamente con intención de huir, haciéndose seguir por sus blancos miembros (*azucenas*). Quiso huir, pero el temor paralizó su fuga.

Huyera, mas tan frío se desata
un temor perezoso por sus venas,
que a la precisa fuga, al presto vuelo,
grillos de nieve fue, plumas de hielo.

225 XXIX Fruta en mimbres halló, leche exprimida
en juncos, miel en corcho, mas sin dueño;
si bien al dueño debe, agradecida,
su deidad culta, venerado el sueño.
A la ausencia mil veces ofrecida,
230 este de cortesía no pequeño
indicio la dejó, aunque estatua helada,
más discursiva y menos alterada.

XXX No al cíclope atribuye, no, la ofrenda;
no a sátiro lascivo, ni a otro feo
235 morador de las selvas, cuya rienda
el sueño aflija que aflojó el deseo.
El niño dios, entonces, de la venda,
ostentación gloriosa, alto trofeo

223 *precisa*: «brusca, súbita».

225-232 Galatea ve los regalos y, aunque no sabe quién se los ha hecho, está agradecida a ese desconocido adorador que ha respetado su sueño. La ofrenda la tranquiliza y aumentan sus cavilaciones.

228 *culta*: «cultivada, adorada».

229 *ofrecida*: «dispuesta».

232 *discursiva*: «pensativa».

233-240 No atribuye el obsequio a ninguno de los feos moradores de las selvas cuya rienda, aflojada ya por el deseo, pueda ser *afligida* (tensada, atirantada, o tal vez rota) por el sueño de una ninfa. En ese punto acaba el desdén de Galatea, convertido por orden de Cupido en un trofeo para que cuelgue del árbol de su madre Venus.

quiere que al árbol de su madre sea
240 el desdén hasta allí de Galatea.

XXXI Entre las ramas del que más se lava
en el arroyo mirto levantado,
carcaj de cristal hizo, si no aljaba,
su blanco pecho de un arpón dorado.
245 El monstro de rigor, la fiera brava,
mira la ofrenda ya con más cuidado,
y aun siente que a su dueño sea, devoto,
confuso alcaide más el verde soto.

XXXII Llamáralo, aunque muda, mas no sabe
250 el nombre articular que más querría,
ni lo ha visto, si bien pincel suave
lo ha bosquejado ya en su fantasía.
Al pie, no tanto ya del temor grave,
fía su intento, y, tímida, en la umbría

239 *su madre*: la de Cupido (Venus).

241-248 Galatea, herida con la flecha de oro que Cupido ha clavado en su pecho (como depositándola en un carcaj), se interesa por la ofrenda y lamenta que su dueño se esconda por más tiempo entre la maleza (el *verde soto* que es comparado con un *alcaide*, *confuso* por lo enmarañado).

243 *carcaj*: «especie de aljaba para flechas grandes».

245 *monstro*: «monstruo».

249-256 Aunque no ha visto a su adorador, un suave pincel (la flecha de Cupido, como se dice explícitamente en los versos 270-272) lo ha *bosquejado* («dibujado en borrador») en su imaginación, y la ninfa, menos embarazada ya por el temor, encuentra a Acis fingiéndose dormido sobre la hierba, futuro campo de batalla de sus amores.

253 *grave*: «pesado, embarazado».

254 *tímida*: «temerosa».

255 cama de campo y campo de batalla,
fingiendo sueño al cauto garzón halla.

XXXIII El bulto vio y, haciéndolo dormido,
librada en un pie toda sobre él pende,
urbana al sueño, bárbara al mentido
260 retórico silencio que no entiende:
no el ave reina así el fragoso nido
corona inmóvil, mientras no desciende,
rayo con plumas, al milano pollo
que la eminencia abriga de un escollo,

265 XXXIV como la ninfa bella, compitiendo
con el garzón dormido en cortesía,
no sólo para, mas el dulce estruendo
del lento arroyo enmudecer querría.
A pesar luego de las ramas, viendo

257-264 Los cuatro primeros versos de esta octava describen la postura y actitud de Galatea al contemplar a Acis. Viene después una larga y compleja comparación que rompe (como en las estrofas LV-LVI) la habitual independencia sintáctica de las octavas: Galatea contemplando a Acis es como un águila sobre su atalaya antes de descender vertiginosamente, como rayo con plumas, sobre el polluelo del milano.

257 *haciéndolo*: «creyéndolo».

258 *librada*: «apoyada, mantenida».

259 *urbana*: «cortés, respetuosa»; *bárbara*: «ignorante».

261 *el ave reina*: el águila; *fragoso*: «áspero, escarpado».

264 *escollo*: «peñasco» (italianismo).

265-272 Galatea desearía enmudecer el ruido del agua en el arroyo; después empieza a ver a Acis con más detalle, como si colorease la imagen provisional que Cupido le había pintado en la imaginación.

270 colorido el bosquejo que ya había
en su imaginación Cupido hecho
con el pincel que le clavó su pecho,

XXXV de sitio mejorada, atenta mira
en la disposición robusta aquello
275 que si por lo suave no la admira,
es fuerza que la admire por lo bello.
Del casi tramontado sol aspira
a los confusos rayos, su cabello;
flores su bozo es, cuyas colores,
280 como duerme la luz, niegan las flores.

XXXVI En la rústica greña yace oculto
el áspid, del intonso prado ameno,
antes que del peinado jardín culto
en el lascivo, regalado seno:

270 *colorido*: «coloreado»; *bosquejo*: «boceto, borrador».

272 *clavó*: «atravesó»; nótese la equiparación entre el *pincel* y la flecha de Cupido.

273-280 Desde un sitio mejor, Galatea admira la belleza de Acis: su cabello tiene el color del sol cuando está a punto de esconderse; su bozo de adolescente parece hecho de flores, pero como él tiene los ojos cerrados (*como duerme la luz*), no llegan a distinguirse bien sus colores.

280 *niegan*: «ocultan, no dejan ver».

281-288 El áspid se esconde entre la yerba (es un tópico de procedencia virgiliana: *latet anguis in herba*), y como se oculta mejor en lo agreste del prado que en lo refinado del jardín, así en el rostro viril de Acis se halla lo más dulce del veneno amoroso.

282 *intonso*: «no cortado».

283 *culto*: «cultivado».

284 *lascivo*: «exuberante, lozano».

285 en lo viril desata de su vulto
lo más dulce el Amor, de su veneno;
bébelo Galatea, y da otro paso
por apurarle la ponzoña al vaso.

XXXVII Acis aún más de aquello que dispensa
290 la brújula del sueño vigilante,
alterada la ninfa esté o suspensa,
Argos es siempre atento a su semblante,
lince penetrador de lo que piensa,
cíñalo bronce o múrelo diamante:
295 que en sus paladïones Amor ciego,
sin romper muros, introduce fuego.

XXXVIII El sueño de sus miembros sacudido,
gallardo el joven la persona ostenta,
y al marfil luego de sus pies rendido,
300 el coturno besar dorado intenta.
Menos ofende el rayo prevenido

285 *desata*: «deslíe y esparce»; *vulto*: «rostro».

288 *ponzoña*: «veneno».

289-296 Acis escruta el semblante y los pensamientos de la ninfa, por más protegidos que estén; y es que el Amor sabe introducir el fuego de la pasión sin necesidad de romper muros, como en el caso célebre de la pérdida de Troya.

290 *brújula*: «resquicio».

292 *Argos*: personaje mitológico que simboliza la vigilancia.

295 *paladïones*: ingenios bélicos, construcciones guerreras, y, aquí, en particular, el caballo de Troya.

297-304 Acis se levanta e intenta besar el dorado coturno de Galatea; ella se asusta más de lo que suele turbarse el marinero ante el rayo y la tormenta previstos.

300 *coturno*: calzado antiguo, propio de divinidades y seres superiores.

al marinero, menos la tormenta
prevista le turbó o pronosticada:
Galatea lo diga, salteada.

305 XXXIX Más agradable y menos zahareña,
al mancebo levanta venturoso,
dulce ya concediéndole y risueña,
paces no al sueño, treguas sí al reposo.
Lo cóncavo hacía de una peña
310 a un fresco sitïal dosel umbroso,
y verdes celosías unas hiedras,
trepando troncos y abrazando piedras.

XL Sobre una alfombra que imitara en vano
el tirio sus matices (si bien era
315 de cuantas sedas ya hiló, gusano,
y, artífice, tejió la primavera)
reclinados, al mirto más lozano
una y otra lasciva, si ligera,
paloma se caló, cuyos gemidos
320 (trompas de amor) alteran sus oídos.

305-312 Galatea, más dispuesta, interrumpe el sueño y el reposo de Acis; el lugar (la umbría concavidad de una peña rodeada de hiedra) servirá de tálamo a los amantes.

305 *zahareña*: «esquiva».

313-320 Reclinados los amantes sobre aquella alfombra de césped (que, aunque urdida por la primavera, mostraba delicadísimos matices, inimitables aun para los afamados teñidores de Tiro), una pareja de palomas se posó en la rama de un mirto.

314 *tirio*: habitante de Tiro, ciudad fenicia famosa por sus tintes de púrpura.

319 *se caló*: «se abatió».

XLI El ronco arrullo al joven solicita;
mas con desvíos Galatea suaves
a su audacia los términos limita,
y el aplauso al concento de las aves.
325 Entre las ondas y la fruta, imita
Acis al siempre ayuno en penas graves:
que en tanta gloria infierno son no breve
fugitivo cristal, pomos de nieve.

XLII No a las palomas concedió Cupido
330 juntar de sus dos picos los rubíes,
cuando al clavel el joven atrevido
las dos hojas le chupa carmesíes.
Cuantas produce Pafo, engendra Gnido,
negras vïolas, blancos alhelíes,
335 llueven sobre el que Amor quiere que sea
tálamo de Acis ya y de Galatea.

321-328 Galatea limita las audacias de su joven amante y escatima el aplauso al canto de las aves. De tal modo, Acis se parece a Tántalo (rodeado de fruta y agua y condenado al ayuno), pues no son pequeño tormento los cercanos brazos y pechos de la ninfa, inaprensibles como el agua (*fugitivo cristal*) o la nieve.

321 *solicita*: «incita, excita».

324 *concento*: «armonía, canto acordado».

328 *pomos*: manzanas (véase el v. 132).

329-336 Apenas juntaron sus picos las palomas, cuando el joven besó a la ninfa (nótese la congruencia de las dos metáforas puras: *clavel* ~ «boca» y *hojas carmesíes* ~ «labios»). En ese momento, como culminación del rito nupcial, llueven flores sobre el tálamo.

329 *no...*: «apenas...».

333 *Pafo* y *Gnido* eran ciudades consagradas a Venus.

XLIII Su aliento humo, sus relinchos fuego,
si bien su freno espumas, ilustraba
las columnas Etón que erigió el griego
340 do el carro de la luz sus ruedas lava,
cuando, de amor el fiero jayán ciego,
la cerviz oprimió a una roca brava
que a la playa, de escollos no desnuda,
linterna es ciega y atalaya muda.

345 XLIV Árbitro de montañas y ribera,
aliento dio en la cumbre de la roca
a los albogues que agregó la cera
el prodigioso fuelle de su boca;
la ninfa los oyó, y ser más quisiera
350 breve flor, hierba humilde y tierra poca,
que de su nuevo tronco vid lasciva,
muerta de amor y de temor no viva.

337-344 La atención del poeta se dirige de nuevo al cíclope, produciéndose con ello un brusco cambio de estilo. Esta octava refiere que el carro del Sol estaba llegando al final de su trayecto (las columnas de Hércules), cuando Polifemo, ciego de amor, se sentó sobre una altísima roca que era como linterna y vigía de la playa.

339 *Etón*: uno de los caballos que tiran del carro del Sol; *el griego* es Hércules.

344 *atalaya*: «vigía».

345-352 Polifemo hizo sonar la flauta y Galatea, abrazada a su amado, se asustó. La unión del olmo y la vid (frecuente en la poesía, la pintura o la emblemática antiguas) simbolizaba la pasión amorosa; Góngora continúa la metáfora en la estrofa siguiente.

347 *agregó*: «unió, juntó».

XLV Mas (cristalinos pámpanos sus brazos)
amor la implica, si el temor la anuda,
355 al infelice olmo que pedazos
la segur de los celos hará aguda.
Las cavernas en tanto, los ribazos
que ha prevenido la zampoña ruda
el trueno de la voz fulminó luego.
360 ¡Referidlo, Pïérides, os ruego!

XLVI «¡Oh bella Galatea, más suave
que los claveles que tronchó la aurora;
blanca más que las plumas de aquel ave
que dulce muere y en las aguas mora;
365 igual en pompa al pájaro que, grave,
su manto azul de tantos ojos dora
cuantas el celestial zafiro estrellas!
¡Oh tú, que en dos incluyes las más bellas!:

353-360 El amor y el temor mantienen a Galatea abrazada a Acis. Después de tocar su zampoña, Polifemo fulmina las *cavernas* y los *ribazos* de Sicilia con su canto atronador.

354 *implica*: «enreda».

356 *segur*: «hacha». Es particularmente violento el hipérbaton de estos versos: «al infeliz olmo que la aguda segur de los celos hará pedazos».

360 *Piérides*: las Musas (compárese con Garcilaso, *Égloga I*, v. 236).

361-368 El canto de Polifemo (XLVI-LVIII) comienza con una descripción de Galatea afín a la del narrador (XIII): la ninfa es más blanca que un cisne (*aquel ave que dulce muere y en las aguas mora*) y tan majestuosa como un pavo real, que adorna su plumaje con tantos ojos como estrellas tiene el firmamento (*celestial zafiro*). Las *dos estrellas* del último verso son los ojos de Galatea.

365 *grave*: aquí, «majestuoso, solemne».

XLVII »Deja las ondas, deja el rubio coro
370 de las hijas de Tetis, y el mar vea,
cuando niega la luz un carro de oro,
que en dos la restituye Galatea.
Pisa la arena, que en la arena adoro
cuantas el blanco pie conchas platea,
375 cuyo bello contacto puede hacerlas,
sin concebir rocío, parir perlas.

XLVIII »Sorda hija del mar, cuyas orejas
a mis gemidos son rocas al viento:
o dormida te hurten a mis quejas
380 purpúreos troncos de corales ciento,
o al disonante número de almejas
(marino, si agradable no, instrumento)
coros tejiendo estés, escucha un día
mi voz por dulce, cuando no por mía.

369-376 El cíclope pide a Galatea que abandone la compañía de los seres marinos (así podrá ver el mar que, cuando ya se pone el sol, ella puede restituir la luz del día con sus dos ojos) y que pasee por la playa. Basándose en la leyenda (sancionada por Plinio y asumida por la Antigüedad) de que las perlas se engendraban en las conchas fecundadas por el rocío, el cíclope pondera el *bello contacto* del pie de la ninfa.

370 *Tetis*: esposa de Océano y madre de las oceánides.

371 *carro de oro*: el del Sol.

377-384 Suponiéndola en el fondo del mar, rodeada de corales, o bailando al son de las conchas, Polifemo pide atención a Galatea, que se muestra tan insensible a sus quejas como las rocas al viento.

381 *número*: «cadencia, música».

385 XLIX »Pastor soy, mas tan rico de ganados,
que los valles impido más vacíos,
los cerros desparezco levantados
y los caudales seco de los ríos;
no los que, de sus ubres desatados
390 o derivados de los ojos míos,
leche corren y lágrimas, que iguales
en número a mis bienes son mis males.

L »Sudando néctar, lambicando olores,
senos que ignora aun la golosa cabra
395 corchos me guardan, más que abeja flores
liba inquïeta, ingenïosa labra;
troncos me ofrecen árboles mayores,
cuyos enjambres, o el abril los abra
o los desate el mayo, ámbar distilan
400 y en ruecas de oro rayos del sol hilan.

385-392 Polifemo presume de su riqueza: su ganado es tan numeroso que cubre los valles y cerros (compárense los vv. 46-47) y seca los ríos en que abreva. Equipara después la abundancia de leche con el ímpetu torrencial de sus lágrimas.
386 *impido*: «oculto, embarazo».
387 *desparezco*: «hago desaparecer».
391 *corren*: «fluyen, manan».
393-400 El cíclope tiene innumerables colmenas en unos escondrijos y en los troncos que le ofrecen los árboles. Aparte la hipérbole (más *corchos* o colmenas que flores liba una abeja), nótense las bellas metáforas de la miel (*rayos del sol*) y de la cera de los panales (*ruecas de oro*).
393 *lambicando*: «destilando».
394 *senos*: «escondrijos».
395 *corchos*: «colmenas».

LI »Del Júpiter soy hijo de las ondas,
aunque pastor; si tu desdén no espera
a que el monarca de esas grutas hondas,
en trono de cristal te abrace nuera,
405 Polifemo te llama, no te escondas,
que tanto esposo admira la ribera
cual otro no vio Febo más robusto
del perezoso Volga al Indo adusto.

LII »Sentado, a la alta palma no perdona
410 su dulce fruto mi robusta mano;
en pie, sombra capaz es mi persona
de innumerables cabras el verano.
¿Qué mucho, si de nubes se corona
por igualarme la montaña en vano,
415 y en los cielos desde esta roca puedo
escribir mis desdichas con el dedo?

401-408 El enamorado jayán asegura ser un esposo perfectamente digno: es hijo del dios supremo de los mares, y, a no ser que la desdeñosa Galatea quiera que sea el propio Neptuno quien la abrace como nuera, no hay bajo el Sol nadie tan robusto y valeroso como él, desde el Volga (embarazado por el hielo y, por tanto, *perezoso*) hasta el ardiente río Indo.

401 *Júpiter... de las ondas*: Neptuno.

406 *tanto*: «tan grande, tan digno» (véase el v. 22).

407 *Febo*: el Sol.

408 *adusto*: «tostado, abrasado» (véase el v. 62).

409-416 Polifemo alardea ahora de alto: sentado alcanza los dátiles; si se pone en pie, en la sombra que da su cuerpo pueden cobijarse innumerables cabras; ninguna montaña, aun coronada de nubes, llega a igualarle, y, en fin, puede escribir en el cielo sus desdichas.

413 *¿qué mucho?*: «¿qué tiene de extraño?».

LIII »Marítimo alcïón roca eminente
sobre sus huevos coronaba, el día
que espejo de zafiro fue luciente
420 la playa azul de la persona mía:
miréme, y lucir vi un sol en mi frente,
cuando en el cielo un ojo se veía;
neutra el agua dudaba a cuál fe preste,
o al cielo humano o al cíclope celeste.

425 LIV »Registra en otras puertas el venado
sus años, su cabeza colmilluda
la fiera cuyo cerro levantado
de helvecias picas es muralla aguda;
la humana suya el caminante errado
430 dio ya a mi cueva, de piedad desnuda,

417-424 En un día de calma (pues el alción, según la mitología, solo ponía huevos cuando estaba tranquilo el mar), Polifemo se vio reflejado en el agua (*la playa azul fue luciente espejo de zafiro de la persona mía*). La situación genera en manos de Góngora un hábil concepto: la confusión entre el Sol y el ojo único del cíclope, culminada con un nuevo verso bimembre con disyunción (que provoca una sinalefa especialmente violenta) y trueque de atributos.

417 *alcïón*: ave marina que, según la tradición, ponía sus huevos en los días de calma.

420 *playa*: «porción de mar próxima a la ribera».

423 *neutra*: «indecisa».

425-432 Igual que en otras puertas cuelgan cabezas de venados o jabalíes, junto a la cueva de Polifemo colgaban antaño cabezas de caminantes extraviados. Sin embargo, el amor que siente por Galatea ha hecho de él un ser hospitalario.

425 *registra*: «muestra, certifica».

428 *helvecias picas*: armas de los piqueros suizos o esguízaros.

429 *suya*: «su cabeza» (véase el v. 426).

albergue hoy por tu causa al peregrino,
do halló reparo, si perdió camino.

LV »En tablas dividida, rica nave
besó la playa miserablemente,
435 de cuantas vomitó riquezas grave
por las bocas del Nilo el Orïente.
Yugo aquel día, y yugo bien suave,
del fiero mar a la sañuda frente
imponiéndole estaba (si no al viento
440 dulcísimas coyundas) mi instrumento,

LVI »cuando entre globos de agua entregar veo
a las arenas ligurina haya
en cajas los aromas del Sabeo,
en cofres las riquezas de Cambaya:
445 delicias de aquel mundo, ya trofeo
de Escila, que, ostentado en nuestra playa,

433-440 Pensando en convencer a Galatea, el cíclope refiere ahora una pequeña historia: un día, mientras él domeñaba los mares y los vientos con la suave música de su flauta, naufragó una nave cargada de riquezas orientales.

433 *dividida*: «rota, despedazada».

434 *miserablemente*: «lastimosamente».

435 *grave*: «cargada».

441-448 Todas las riquezas que la nave llevaba quedaron esparcidas en la playa y fueron saqueadas durante dos días por los infames y codiciosos ladrones de Sicilia.

441 *globos de agua*: metáfora de las olas.

442 *ligurina*: «genovesa»; *haya*: sinécdoque por la nave.

443 *Sabeo*: de Saba, región de la Arabia antigua.

444 *Cambaya*: región de la India oriental.

446 *Escila*: uno de los dos extremos del estrecho de Mesina; *ostentado*: «expuesto».

lastimoso despojo fue dos días
a las que esta montaña engendra arpías.

LVII »Segunda tabla a un ginovés mi gruta
450 de su persona fue, de su hacienda;
la una reparada, la otra enjuta,
relación del naufragio hizo horrenda.
Luciente paga de la mejor fruta
que en hierbas se recline o en hilos penda,
455 colmillo fue del animal que el Ganges
sufrir muros lo vio, romper falanges:

LVIII »arco, digo, gentil, bruñida aljaba,
obras ambas de artífice prolijo,
y de Malaco rey a deidad Java
460 alto don, según ya mi huésped dijo.

449-456 Polifemo socorrió a un genovés, quien, en pago de la fruta ofrecida por el cíclope —tanto de la que madura entre la hierba (recuérdese la octava X) como de la que llega a sazón colgada de un hilo—, regaló a su salvador un arco hecho con el colmillo de un elefante (animal aludido aquí mediante una perífrasis: el que en la India arremete contra los escuadrones enemigos y anda cargado con pequeñas torres llenas de soldados).

451 *enjuta*: «seca».

456 *sufrir*: «cargar, acarrear»; *falanges*: «escuadrones».

457-464 Polifemo ofrece a Galatea los regalos del náufrago, le pide que tome el arco con su mano y que cuelgue la aljaba de su hombro; así, convencida ya Venus, puede imitar a su hijo el arquero Cupido.

457 *gentil*: «hermoso».

458 *prolijo*: «minucioso» (compárese el v. 159).

459 *Malaco*: «malayo, de Malaca»; *Java*: «javanesa, de la isla de Java».

460 *alto*: «digno, ilustre».

De aquél la mano, de ésta el hombro agrava;
convencida la madre, imita al hijo:
serás a un tiempo en estos horizontes
Venus del mar, Cupido de los montes.»

465 LIX Su horrenda voz, no su dolor interno,
cabras aquí le interrumpieron, cuantas
(vagas el pie, sacrílegas el cuerno)
a Baco se atrevieron en sus plantas;
mas, conculcado el pámpano más tierno
470 viendo el fiero pastor, voces él tantas,
y tantas despidió la honda piedras,
que el muro penetraron de las hiedras.

LX De los nudos, con esto, más suaves,
los dulces dos amantes desatados,
475 por duras guijas, por espinas graves
solicitan el mar con pies alados:
tal, redimiendo de importunas aves

461 *agrava*: «carga, embaraza» (imperativo).

465-472 El canto del cíclope es interrumpido por unas cabras que hollaron las vides (plantas de Baco). Viendo Polifemo pisoteados los pámpanos más tiernos, lanzó tantos gritos y piedras, que unos y otras acabaron atravesando el muro de hiedra y descubriendo a Acis y Galatea.

467 *vagas*: «errantes».

469 *conculcado*: «hollado, pisoteado».

473-480 Los amantes desatan sus amorosos nudos y huyen hacia el mar, pisando piedras y espinas. Góngora compara esa situación con la de un segador que, queriendo espantar a las aves del sembrado, asustó y separó a una pareja de liebres.

475 *graves*: «molestas, gravosas».

476 *solicitan*: «buscan».

477 *redimiendo*: «librando» (compárese el v. 67).

incauto meseguero sus sembrados,
de liebres dirimió copia así amiga
480 que vario sexo unió y un surco abriga.

LXI Viendo el fiero jayán con paso mudo
correr al mar la fugitiva nieve
(que a tanta vista el líbico desnudo
registra el campo de su adarga breve)
485 y al garzón viendo, cuantas mover pudo
celoso trueno, antiguas hayas mueve:
tal, antes que la opaca nube rompa,
previene rayo fulminante trompa.

LXII Con vïolencia desgajó infinita
490 la mayor punta de la excelsa roca,
que al joven, sobre quien la precipita,

478 *incauto*: «desprevenido»; *meseguero*: «guardián de los sembrados».
479 *dirimió*: «separó»; *copia*: «pareja».
480 *vario*: «distinto, diferente».
481-488 Viendo huir a Galatea (*la fugitiva nieve*) y a Acis, Polifemo sacudió los árboles con su grito atronador. Destacan en esta octava la hipérbole de los versos 483-484 (la vista del cíclope es tan aguda que llega a distinguir los dibujos de los pequeños escudos de los soldados africanos) y la curiosa comparación del pareado, en la que la fulminante trompa del trueno precede al rayo, histerología que aparece en otros textos antiguos.
483 *líbico*: «libio».
484 *registra*: «muestra»; *campo*: aquí, la «superficie de piel del escudo».
489-496 Polifemo desgajó violentamente el extremo de una gran peña y lo precipitó sobre el joven, a quien la roca servirá de monumento funerario. Los amantes invocan a los dioses del mar y la sangre de Acis se convierte en agua cristalina.
490 *excelsa*: «elevada, alta».

urna es mucha, pirámide no poca.
Con lágrimas la ninfa solicita
las deidades del mar, que Acis invoca:
495 concurren todas, y el peñasco duro
la sangre que exprimió, cristal fue puro.

LXIII Sus miembros lastimosamente opresos
del escollo fatal fueron apenas,
que los pies de los árboles más gruesos
500 calzó el líquido aljófar de sus venas.
Corriente plata al fin sus blancos huesos,
lamiendo flores y argentando arenas,
a Doris llega, que, con llanto pío,
yerno lo saludó, lo aclamó río.

493 *solicita*: «requiere, llama, reclama».

497-504. La metamorfosis de Acis se consuma (baña los árboles, como calzándolos, y llega hasta la madre de Galatea) y la *Fábula* se cierra con el broche idóneo de un nuevo verso bimembre.

497 *opresos*: «aplastados».

498 *del*: «por el».

[38]

El mayor esfuerzo creativo de Góngora quedó sin culminar. Parece ser que el plan inicial de las *Soledades* (1613-1614) se componía de cuatro partes: serían, según Díaz de Rivas (un erudito amigo del autor), la *Soledad de los campos*, la *Soledad de las riberas*, la *Soledad de las selvas* y la *Soledad del yermo*. Otras interpretaciones antiguas proponen las cuatro edades del hombre, las edades del mundo o las estaciones del año. Sea como fuere, parece clara la intención de lograr la total autonomía del lenguaje poético, dar una imagen completa del mundo natural y elaborar temas y recursos característicos de la época (el desengaño y la alegoría, por ejemplo), pero sin atenerse, a diferencia del *Polifemo*, a ningún asunto ilustre impuesto o sancionado por la tradición. El principal elemento que da sentido y cohesión al poema es la narración en tercera persona de las peripecias de un náufrago. La *Soledad primera* estaba terminada en mayo de 1613, pues don Luis la envió, acompañada del *Polifemo*, a Pedro de Valencia, cuyas observaciones sobre ciertos pasajes llevaron al poeta a modificar la versión primitiva. El siguiente parecer fue el de don Francisco Fernández de Córdoba, abad de Rute, que conoció parte de la *Soledad segunda*; en ella debió de trabajar don Luis, tal vez ya algo desanimado, hasta dejarla más o menos acabada, pero después interrumpió la escritura de la obra y nunca la continuó. Autores de la talla de Lope de Vega, Quevedo o Juan de Jáuregui combatieron el estilo de don Luis desde distintos frentes y con distintas armas, porque también las *Soledades* desencajaron la división tradicional de los géneros. A pesar de las diferencias de detalle, los defensores de Góngora y de la «nueva poesía» tuvieron que echar mano de expresiones como «obra suelta» y «arbitrio del poeta» para poder defenderla a la luz de la teoría literaria contemporánea. La labor de los comentaristas acabó concediendo al poeta cordobés el estatuto privilegiado de un clásico: «Homero español» y «Píndaro andaluz». Incluimos como muestra los fragmentos iniciales de ambas *Soledades*.

Soledad primera

Era del año la estación florida
en que el mentido robador de Europa,
media luna las armas de su frente
y el sol todo los rayos de su pelo,
5 luciente honor del cielo,
en campos de zafiro pace estrellas,
cuando el que ministrar podía la copa
a Júpiter mejor que el garzón de Ida,
náufrago y desdeñado, sobre ausente,

1-6 Los seis primeros versos sitúan la acción en la primavera (*la estación florida*), y más concretamente durante la época del año dominada por el signo de Tauro (de ahí la alusión a Júpiter, que raptó a la ninfa Europa metamorfoseándose en toro). Nótese el juego de palabras en las metáforas astronómicas de los vv. 3-4 (los cuernos del toro son una *media luna* y su rubio pelo es el *sol todo*).

2 *robador de Europa*: Júpiter, transformado en toro (y por ello *mentido*).

3 *las armas de su frente*: los cuernos.

6 *campos de zafiro*: metáfora del firmamento.

7-14 Un joven náufrago, tan hermoso que podría ser más digno copero de Júpiter que el propio Gaminedes, se queja dulcemente al mar; sus gemidos aplacaron la furia del viento y de las olas, como si fueran una segunda cítara de Arión, el navegante de Lesbos a cuya música acudieron los delfines que le salvaron la vida (véase el v. 18).

7 *ministrar*: «administrar, escanciar».

8 *garzón*: Ganimedes, raptado por Júpiter en el monte Ida.

9 *sobre ausente*: «además de ausente».

10 lagrimosas de amor dulces querellas
da al mar, que, condolido,
fue a las ondas, fue al viento
el mísero gemido
segundo de Arïón dulce instrumento.
15 Del siempre en la montaña opuesto pino
al enemigo Noto
piadoso miembro roto,
breve tabla, delfín no fue pequeño
al inconsiderado peregrino
20 que a una Libia de ondas su camino
fió, y su vida a un leño.
Del océano, pues, antes sorbido,
y luego vomitado
no lejos de un escollo coronado
25 de secos juncos, de calientes plumas,

12 *fue a*: «sirvió».

13 *mísero*: «triste, lastimoso».

15-21 Una pequeña tabla de pino (árbol siempre opuesto en la montaña al ímpetu del viento) sirvió de delfín al joven atrevido que confió su camino al mar y su vida a una embarcación.

16 *Noto*: viento del sur.

18 *breve*: «pequeña».

19 *inconsiderado*: «atrevido, imprudente».

20 *Libia de ondas*: metáfora del mar («desierto de olas»).

21 *leño*: sinécdoque por navío.

22-33 El náufrago, sorbido primero y vomitado después por el Océano, llegó a la orilla cubierto de algas y espuma, y halló hospitalidad cerca de una roca coronada por el nido de un águila. Después de besar la arena, depositó junto a la roca, como exvoto y en señal de agradecimiento, la tabla que lo había llevado hasta la playa (acción que propicia un nuevo guiño del poeta: el recuerdo del refrán «Dádivas quebrantan peñas»).

alga todo y espumas,
halló hospitalidad donde halló nido
de Júpiter el ave.
Besa la arena, y de la rota nave
30 aquella parte poca
que lo expuso en la playa dio a la roca:
que aun se dejan las peñas
lisonjear de agradecidas señas.
Desnudo el joven, cuanto ya el vestido
35 océano ha bebido,
restituir le hace a las arenas,
y al sol lo extiende luego,
que, lamiéndolo apenas
su dulce lengua de templado fuego,
40 lento lo embiste, y con suave estilo
la menor onda chupa al menor hilo.
No bien, pues, de su luz los horizontes
que hacían desigual, confusamente,

28 *de Júpiter el ave*: el águila, ave de Júpiter.

31 *lo expuso*: «lo depositó».

34-41 El joven se desnuda, exprime sus ropas (devolviendo a la arena toda el agua de que se habían empapado) y las extiende al sol. Con gran habilidad, y volviendo a la relación conceptual del astro rey con un toro, dice el poeta luego que el sol lame la ropa con la lengua de sus templados rayos, la embiste con parsimonia y chupa dulcemente hasta la más pequeña gota del hilo más diminuto.

42-51 Apenas advierte el peregrino que empieza a anochecer (el horizonte está ya sin la luz dorada y el mar se confunde con las montañas), cuando se viste de nuevo (como si se entregase a lo que logró rescatar del mar fiero) y, pisando la luz crepuscular entre las espinas del terreno, escala, con más confusión que cansancio, unos riscos que incluso a un ave veloz e intrépida le costaría alcanzar.

montes de agua y piélagos de montes,
45 desdorados los siente,
cuando, entregado el mísero extranjero
en lo que ya del mar redimió fiero,
entre espinas crepúsculos pisando,
riscos que aun igualara mal volando
50 veloz, intrépida ala,
menos cansado que confuso, escala.
Vencida al fin la cumbre,
del mar siempre sonante,
de la muda campaña
55 árbitro igual e inexpugnable muro,
con pie ya más seguro
declina al vacilante
breve esplendor de mal distinta lumbre,
farol de una cabaña
60 que sobre el ferro está, en aquel incierto
golfo de sombras anunciando el puerto.
«Rayos —les dice—, ya que no de Leda
trémulos hijos, sed de mi fortuna

46 *entregado*: «reintegrado, devuelto».

52-61 Una vez en la cumbre —que es como un árbitro entre el mar y la ribera (compárese el *Polifemo*, v. 345)—, se dirige hacia una luz que se distingue con dificultad (*mal distinta lumbre*) y que posiblemente sea el farol de una cabaña. El pasaje termina con una sucesión de metáforas náuticas.

57 *declina*: «se dirige, se encamina».

60 *ferro*: «ancla».

62-64 El náufrago desea que esa luz signifique el fin de sus penalidades, aunque sus rayos no sean los fuegos de Santelmo o Dióscuros (Cástor y Pólux, hijos de Leda y Zeus), que con su aparición anunciaban la bonanza posterior a la tormenta (*fortuna*).

63 *trémulos*: «temblorosos».

término luminoso.» Y recelando
65 de invidïosa bárbara arboleda
interposición, cuando
de vientos no conjuración alguna,
cual, haciendo el villano
la fragosa montaña fácil llano,
70 atento sigue aquella
(aun a pesar de las tinieblas bella,
aun a pesar de las estrellas clara)
piedra, indigna tïara
(si tradición apócrifa no miente)
75 de animal tenebroso, cuya frente
carro es brillante de nocturno día:
tal, diligente, el paso
el joven apresura,
midiendo la espesura
80 con igual pie que el raso,
fijo, a despecho de la niebla fría)
en el carbunclo, norte de su aguja,

64-83 Temiendo que se interpongan en su camino los árboles (ocultándole la luz) o el viento (apagándola), el peregrino corre por el terreno escarpado con igual velocidad que por el llano, mirando fijamente —a pesar, incluso, de la niebla— la luz de la cabaña, único carbunclo o norte de su camino. La larga comparación que complica este pasaje (*cual el villano..., tal el joven*) recoge la noticia, creencia antigua, leyenda o «tradición apócrifa» de que cierto animal (el lobo o el tigre, según las mejores propuestas antiguas y modernas) luce en su frente —a modo de indigno tocado o diadema— un carbúnculo que, con su brillo, guía al *villano* («aldeano») e ilumina la noche.

80 *raso*: «llano, campo raso».

82 *carbunclo*: especie de rubí.

o el austro brame o la arboleda cruja.
El can ya, vigilante,
85 convoca despidiendo al caminante,
y la que desvïada
luz poca pareció, tanta es vecina,
que yace en ella la robusta encina,
mariposa en cenizas desatada.

[...]

Soledad segunda

Éntrase el mar por un arroyo breve
que a recebillo con sediento paso
de su roca natal se precipita,
y mucha sal no sólo en poco vaso,
5 mas su rüina bebe,
y su fin (cristalina mariposa,

83 *austro*: lo mismo que *Noto*, viento del sur.

84-89 Unos ladridos orientan al caminante, aunque pretendían ahuyentarlo; la luz, que a lo lejos parecía pequeña, es, vista de cerca, una hoguera tan grande que la enorme encina que en ella se consume parece una mariposa deshecha en cenizas.

86 *desvïada*: «apartada, lejana» (en oposición a *vecina*, «cercana, próxima»).

89 *desatada*: «deshecha, disuelta».

1-8 El mar se adentra por un arroyuelo que, desde la roca en que nace, se precipita con sediento paso a recibirlo, y no es sal lo único que el arroyo bebe en el pequeño vaso de su cauce, sino que bebe también su propia ruina, pues, como una mariposa (cristalina por sus aguas), va a buscar su muerte en el farol de la diosa Tetis.

1 *breve*: «pequeño, estrecho».

no alada, sino undosa)
en el farol de Tetis solicita.
Muros desmantelando, pues, de arena,
10 centauro ya espumoso el Oceano,
medio mar, medio ría,
dos veces huella la campaña al día,
escalar pretendiendo el monte en vano,
de quien es dulce vena
15 el tarde ya torrente
arrepentido, y aun retrocedente.
Eral lozano así, novillo tierno,
de bien nacido cuerno
mal lunada la frente,
20 retrógrado cedió en desigual lucha
a duro toro, aun contra el viento armado:
no, pues, de otra manera
a la violencia mucha

8 *Tetis*: divinidad marina (y, por metonimia, el mar mismo).

9-16 El Océano, desmantelando muros de arena y convertido ya en un centauro (pues es medio ría y medio mar), inunda los campos dos veces al día y pretende en vano escalar el monte por el que baja el torrente del dulce arroyo, que se arrepiente tarde, y aun se diría que retrocede.

17-26 El poeta compara ahora el arroyo con un novillo que, con bien nacidos pero todavía débiles y pequeños cuernos (compárese la *Soledad primera*, v. 3), se enfrenta en combate desigual y tiene que retroceder ante un recio toro (tan bien armado que podría desafiar al mismo viento). No de otra manera, pues, el arroyo quiere resistir el ímpetu del Océano, pero finalmente se le somete y pierde tierra (le cede la que ocupaba su cauce).

17 *eral*: «becerro o novillo de un año».

20 *retrógrado*: «que camina hacia atrás».

del padre de las aguas, coronado
25 de blancas ovas y de espuma verde,
resiste obedeciendo, y tierra pierde.
En la incierta ribera,
guarnición desigual a tanto espejo,
descubrió la Alba a nuestro peregrino
30 con todo el villanaje ultramarino,
que a la fiesta nupcial, de verde tejo
toldado, ya capaz tradujo pino.
Los escollos el Sol rayaba, cuando
con remos gemidores
35 dos pobres se aparecen pescadores,
nudos al mar de cáñamo fiando.
Ruiseñor en los bosques, no, más blando
el verde robre, que es barquillo ahora,
saludar vio la Aurora,
40 que al uno en dulces quejas, y no pocas,

24 *padre de las aguas*: el dios Océano.

25 *ovas*: «algas».

27-32 En aquella ribera (ya sea incierta por desconocida o por mudable e insegura) que sirve de desigual adorno o marco al espejo enorme del mar, el alba halló al peregrino con todos los lugareños de la otra orilla a los que una embarcación entoldada de verdes ramas de tejo había conducido a las bodas.

32 *tradujo*: «trasladó, transportó, condujo»; *pino*: nueva sinécdoque por «navío».

33-41 El sol rayaba ya los riscos, cuando, en una barca de gemidores remos, aparecen dos pobres pescadores que lanzan al mar sus redes. Uno de los pescadores, con las muchas y dulces querellas de su canto, endureció o petrificó las aguas y logró que las rocas se deshiciesen en lágrimas; el poeta asegura que el verde roble de cuya madera se construyó el barquillo no vio a ruiseñor alguno saludar más dulce y blandamente a la Aurora.

36 *nudos ... de cáñamo*: las redes.

ondas endurecer, liquidar rocas.
Señas mudas la dulce voz doliente
permitió solamente
a la turba, que dar quisiera voces
45 a la que de un ancón segunda haya,
cristal pisando azul con pies veloces,
salió improvisa, de una y otra playa
vínculo desatado, instable puente.
La prora diligente
50 no sólo dirigió a la opuesta orilla,
mas redujo la música barquilla,
que en dos cuernos del mar caló no breves
sus plomos graves y sus corchos leves.
Los senos ocupó del mayor leño

41 *liquidar*: «licuar, convertir en líquido».

42-53 La multitud llamó por señas (y con gritos, para respetar el canto del pescador) a otra nave que salió súbita y velozmente de un ancón y que hacía de vínculo o puente entre las dos orillas. La nave dirigió su proa a la orilla opuesta y fue seguida por la barquilla de los pescadores, que hundió los plomos y los corchos de sus redes (es decir, echó el trasmallo) en dos amplias calas con forma de cuerno.

45 *ancón*: «caleta, pequeña ensenada»; *haya*: como el pino del v. 32.

46 *pies*: los remos, que pisan el mar azul.

47 *improvisa*: «súbita, repentina».

48 *instable*: «móvil».

49 *prora*: «proa».

51 *redujo*: «trajo consigo, arrastró».

52 *caló*: «hundió».

54-60 El tropel de los pescadores y marineros ocupó la nave mayor, usando al entrar en ella toda la cortesía que habían aprendido en la ruda escuela de la lengua del agua; y así se despidieron del peregrino, que prefirió sentarse en la popa de la barquilla.

55 la marítima tropa,
usando al entrar todos
cuantos les enseñó corteses modos
en la lengua del agua ruda escuela
con nuestro forastero, que la popa
60 del canoro escogió bajel pequeño.
Aquél las ondas escarchando vuela;
éste con perezoso movimiento
el mar encuentra, cuya espuma cana
su parda aguda prora
65 resplandeciente cuello
hace de augusta Coya peruana,
a quien hilos el sur tributó ciento
de perlas cada hora.
Lágrimas no enjugó más de la Aurora
70 sobre víolas negras la mañana,
que arrolló su espolón con pompa vana
caduco aljófar, pero aljófar bello.

58 *lengua del agua*: Góngora juega con el doble sentido de la frase, «orilla» y «lenguaje de los marineros».

61-68 La embarcación grande parece volar, escarchando de espuma las olas; la otra, más lenta, va topando con el mar y, con su proa parda y aguda, hace que la blanca espuma del agua parezca el cuello resplandeciente de una excelsa reina del Perú, adornado con los centenares de sartas de perlas que hora tras hora le ofrecen los mares del Sur.

66 *Coya*: reina o emperatriz del antiguo Perú.

69-72 La hipérbole comparativa de estos versos expresa que el espolón de la barquilla arrolló más aljófar (fugaz, pero bello) que lágrimas de la Aurora (es decir, gotas de rocío) secó la mañana sobre las violetas.

71 *arrolló*: «enrolló, devanó».

Dando el huésped licencia para ello,
recurren no a las redes que, mayores,
75 mucho océano y pocas aguas prenden,
sino a las que ambiciosas menos penden,
laberinto nudoso, de marino
Dédalo, si de leño no, de lino
fábrica escupulosa, y aunque incierta,
80 siempre murada, pero siempre abierta.

[...]

73-80 Con permiso del huésped, los pescadores no vuelven a las redes mayores, que abarcan mucho Océano y prenden poco agua (las mencionadas en el v. 36), sino a las menos ambiciosas redes colgantes (véanse los vv. 52-53) que, como un laberinto de nudos tejido por un Dédalo marino, constituyen una obra minuciosa, «siempre murada, pero siempre abierta».

74 *recurren*: «vuelven».

78 *Dédalo*: constructor del laberinto de Creta; el calambur *leño / lino* se basa en la polisemia de *nudoso* (porque los nudos pueden hacerse con una cuerda y pueden estar presentes en los árboles).

[39]

En la poesía barroca abundan los juegos de ingenio sobre circunstancias —no necesariamente reales— como la de esta dama que, al quitarse una sortija, se pinchó con un alfiler. Un mérito notable de don Luis fue recurrir generosamente a la diéresis (vv. 3, 5, 7, 9, 12 y 13), que es una licencia métrica muy característica de su obra, pero que nunca ha sido tan expresiva como en este soneto de 1620, puesto en boca del galán que asiste a la escena.

DE UNA DAMA QUE, QUITÁNDOSE UNA SORTIJA, SE PICÓ CON UN ALFILER

Prisión del nácar era articulado,
de mi firmeza un émulo luciente,
un dïamante, ingenïosamente
en oro también él aprisionado.

5 Clori, pues, que su dedo apremïado
de metal aun precioso no consiente,
gallarda un día, sobre impacïente,
lo redimió del vínculo dorado.

1 *nácar ... articulado*: metáfora por el dedo.
2 *émulo*: «imitador» (porque el *diamante* remeda o simboliza la firmeza amorosa del galán).
5 *apremïado*: «oprimido, apretado».
6 *de*: «por».
7 *sobre*: «además de».
8 *redimió*: «liberó»; el *vínculo dorado* es la sortija.

Mas ay, que insidïoso latón breve
10 en los cristales de su bella mano
sacrílego divina sangre bebe:

púrpura ilustró menos indïano
marfil; invidïosa, sobre nieve
claveles deshojó la Aurora en vano.

[9] *latón breve*: el alfiler.

[12] *ilustró*: «coloreó, tiñó»; *indïano*: aquí, «de la India» (no de las Indias).

[14] Los cuartetos describen la primera acción («quitándose la sortija») y los tercetos la segunda («se picó...»). El hermoso contraste de la sangre sobre la blanca mano de Clori no pueden igualarlo ni el marfil teñido de púrpura ni los claveles que la Aurora esparce sobre la nieve (y a este último propósito recuérdense y compárense los vv. 105-106 del *Polifemo*).

[40]

Varios de los últimos poemas de Góngora revelan una preocupación y, sobre todo, una capacidad de expresión poética bastante afín a la del Quevedo metafísico. Este soneto, escrito el 29 de agosto de 1623 (según precisa el más importante de los códices gongorinos, el manuscrito Chacón), trata de la caducidad de todo lo humano, recordando viejas ideas senequistas (por ejemplo, la de que la vida nos acerca cotidianamente a la muerte) y aludiendo a motivos que, como el de la destrucción de Cartago, fueron evocados con frecuencia por la llamada poesía de las ruinas. Nótese la gran fuerza expresiva de la conclusión, basada en reiteraciones intensivas y en una perfecta anadiplosis (*horas ... días ... años*; *limando ... royendo*).

DE LA BREVEDAD ENGAÑOSA DE LA VIDA

Menos solicitó veloz saeta
destinada señal, que mordió aguda;
agonal carro por la arena muda
no coronó con más silencio meta,

1-6 Los primeros versos encierran una comparación complicada por la estructura correlativa; el sentido es: «nuestra vida llega a su fin con más velocidad (*presurosa*) que una flecha a su diana y con más silencio o sigilo (*secreta*) del que envuelve a una cuadriga cuando corona o rodea la meta en los juegos agonales».

1 *solicitó*: «persiguió, procuró alcanzar».

3 *agonal*: «de carrera o certamen» (en alusión a los del circo romano).

5 que presurosa corre, que secreta
a su fin nuestra edad. A quien lo duda,
fiera que sea de razón desnuda,
cada sol repetido es un cometa.

Confiésalo Cartago, ¿y tú lo ignoras?
10 Peligro corres, Licio, si porfías
en seguir sombras y abrazar engaños.

Mal te perdonarán a ti las horas,
las horas que limando están los días,
los días que royendo están los años.

7 *fiera que sea*: «aunque sea una fiera».
8 *cada sol repetido*: «cada día», comparado con un *cometa* por lo que este tiene de fugaz y tenía para los antiguos de incierto o aciago.
10 *Licio*: este nombre de un interlocutor imaginario, usado ya como *alter ego* en un poema de 1585 y en otro de los sonetos metafísicos de vejez, permite al poeta distanciarse y apelar con su ejemplo a la necesidad del desengaño.

LOPE DE VEGA

(Madrid, 1562 – 1635)

[41]

El siguiente poema es un romance de ambientación morisca y de carácter autobiográfico en el que Lope (disfrazado de *Zaide*) recrea un pasaje de su juventud: los reproches de Elena Osorio (*Zaida*) por su escasa prudencia y su incontinencia verbal (véase en especial el verso 31: *que eres pródigo de lengua*). Cuando Lope y Elena rompieron relaciones, en 1588, corrieron por Madrid unos libelos contra ella y su familia. Lope fue acusado de ser el autor de aquellos textos difamatorios y condenado al destierro durante cuatro años. El romance, puesto en boca del personaje femenino, presenta un inicio abrupto propio del lenguaje coloquial, común a otros poemas del mismo ciclo morisco (como el que comienza «Di, Zaida, ¿de qué me avisas?», réplica al presente), y se cierra de manera consecuente con un refrán.

«Mira, Zaide, que te digo
que no pases por mi calle,
no hables con mis mujeres,
ni con mis cautivos trates,
5 no preguntes en qué entiendo
ni quién viene a visitarme,
qué fiestas me dan contento
ni qué colores me aplacen;

3-4 *mis mujeres ... mis cautivos*: detalles de la ambientación morisca, en referencia a las damas y criadas que acompañan a Zaida y a los cautivos cristianos a su servicio.
5 *en qué entiendo*: «en qué me ocupo».
8 *me aplacen*: «me gustan, me agradan».

basta que son por tu causa
10 las que en el rostro me salen,
corrida de haber mirado
moro que tan poco sabe.
Confieso que eres valiente,
que hiendes, rajas y partes,
15 y que has muerto más cristianos
que tienes gotas de sangre;
que eres gallardo jinete,
que danzas, cantas y tañes,
gentilhombre, bien criado
20 cuanto puede imaginarse:
blanco, rubio por extremo,
señalado entre linajes,
el gallo de las bravatas,
la nata de los donaires;
25 que pierdo mucho en perderte
y gano mucho en ganarte,
y que si nacieras mudo
fuera posible adorarte;

10 *las que en el rostro me salen*: «las colores...», por la vergüenza que Zaide le hace sentir; en la época el sustantivo *color* era femenino.

11 *corrida*: «avergonzada».

14 *hiendes, rajas y partes*: los tres verbos se refieren a la habilidad de Zaide con la espada.

15 *has muerto*: «has matado».

21 *rubio por extremo*: «muy rubio».

22 *señalado entre linajes*: «de las mejores familias, destacado entre buenos linajes».

23 *el gallo de las bravatas*: «el más bravo, el campeón de las valentonadas».

24 *la nata de los donaires*: «el más ingenioso y gracioso».

mas por ese inconveniente
30 determino de dejarte,
que eres pródigo de lengua
y amargan tus liviandades;
habrá menester ponerte
la que quisiere llevarte
35 un alcázar en los pechos
y en los labios un alcaide.
Mucho pueden con las damas
los galanes de tus partes,
porque los quieren briosos,
40 que hiendan y que desgarren;
mas con esto, Zaide amigo,
si algún banquete les hacen
del plato de sus favores
quieren que coman y callen.
45 Costoso me fue el que heciste;
que dichoso fueras, Zaide,
si conservarme supieras
como supiste obligarme.

31 *pródigo de lengua*: «demasiado hablador, charlatán».
32 *liviandades*: «ligerezas».
33 *habrá menester*: «necesitará» (el sujeto está en el verso siguiente: *la que quisiere llevarte*).
35-36 *alcázar*: «fortaleza, recinto amurallado»; *alcaide*: «guardián principal de una fortaleza»; ambas palabras son de origen árabe.
38 *de tus partes*: «de tus prendas, con tus dotes naturales».
39 *briosos*: «valientes, bravos, gallardos».
41-44 Es decir, que las damas quieren que los galanes a los que conceden sus favores sean discretos. La expresión coloquial con que se cierra la cuarteta no está exenta de ingeniosa malicia.
45 *costoso me fue el que heciste*: «me salió caro el *convite* (véase v. 42) que hiciste».
48 *obligarme*: «rendirme, conquistarme».

Mas no bien saliste apenas
50 de los jardines de Atarfe,
cuando heciste de la mía
y de tu desdicha alarde.
A un morillo mal nacido
he sabido que enseñaste
55 la trenza de mis cabellos
que te puse en el turbante.
No quiero que me la vuelvas,
ni que tampoco la guardes,
mas quiero que entiendas, moro,
60 que en mi desgracia la traes.
También me certificaron
cómo le desafiaste
por las verdades que dijo,
que nunca fueran verdades.
65 De mala gana me río;
¡qué donoso disparate!,
no guardaste tu secreto
¿y quieres que otro lo guarde?
No puedo admitir disculpa,
70 otra vez torno a avisarte

50 *Atarfe*: en Granada.

51-52 *hacer alarde*: «exponer públicamente, exhibir con ostentación».

55-56 Un mechón de cabello solía ser prueba y prenda de amor, y es posible que en este caso aluda a un episodio real de la juventud de Lope.

57 *vuelvas*: «devuelvas».

60 *la traes*: «la luces, la llevas».

62 *le desafiaste*: al *morillo* del v. 53.

64 *que nunca fueran verdades*: frase desiderativa, «ojalá nunca...».

66 *donoso*: «gracioso».

70 *torno*: «vuelvo».

que esta será la postrera
que te hable y que me hables.»
  Dijo la discreta Zaida
al gallardo Abencerraje,
75 y al despedirse replica:
«Quien tal hace que tal pague».

71 *la postrera*: «la última» (el sustantivo elidido es la *vez* del verso anterior).

74 *Abencerraje*: «moro noble», en alusión a una conocida familia de la aristocracia nazarí cuyo nombre acabó usándose como designación genérica.

[42]

Lope compuso el siguiente romance (romancillo hexasílabo en su segunda mitad) poco después de llegar desterrado a Valencia a principios de 1589. Pertenece a un extenso ciclo de romances pastoriles en los que evoca y recrea experiencias personales bajo el disfraz de *Belardo*. En las huertas de Valencia siembra Belardo muchas flores y plantas que resultan útiles por sus propiedades terapéuticas a mujeres de toda edad, condición y estado. El narrador nos informa después de que el protagonista viste un espantapájaros con los vistosos ropajes cortesanos que lució en el pasado; un día, mientras riega, Belardo se ríe al ver el espantajo y le cuenta, entre grotesca y melancólicamente, sus triunfos y penalidades, que recrean, una vez más, las experiencias reales del autor. La gran popularidad alcanzada por este romance convirtió alguno de sus versos en proverbiales (por ejemplo, los dos últimos de la primera cuarteta).

Hortelano era Belardo
de las huertas de Valencia,
que los trabajos obligan
a lo que el hombre no piensa.
5 Pasado el hebrero loco,
flores para mayo siembra,
que quiere que su esperanza

3 *trabajos*: «penalidades».
5 *hebrero*: «febrero».

dé fruto a la primavera.
El trébol para las niñas
10 pone al lado de la huerta,
porque la fruta de amor
de las tres hojas aprenda.
Albahacas amarillas,
a partes verdes y secas,
15 trasplanta para casadas
que pasan ya de los treinta.
Y para las viudas pone
muchos lirios y verbena,
porque lo verde del alma
20 encubre la saya negra.
Toronjil para muchachas
de aquellas que ya comienzan
a deletrear mentiras,
que hay poca verdad en ellas.
25 El apio a las opiladas
y a las preñadas almendras,
para melindrosas cardos

8 *a la primavera*: «en primavera».
9 El *trébol* simboliza la esperanza en el amor.
13 A la *albahaca* se atribuían diversas propiedades, entre ellas la de favorecer la crecida de la leche materna y la de combatir la melancolía.
18 La *verbena* era apropiada para regular los trastornos menstruales.
20 *saya*: «falda», negra por la viudedad.
21 *toronjil*: planta de uso medicinal que se administraba para facilitar la digestión o combatir el exceso de humor melancólico.
25 *opiladas*: «pálidas por la obstrucción del flujo menstrual».
26 Porque las *almendras* pueden tener efectos relajantes y favorecer el sueño.
27 *melindrosas*: «afectadas, demasiado delicadas, tiquismiquis»; el *cardo* tiene propiedades depurativas.

y ortigas para las viejas.
Lechugas para briosas,
30 que cuando llueve se queman,
mastuerzo para las frías
y ajenjos para las feas.
De los vestidos que un tiempo
trujo en la corte, de seda,
35 ha hecho para las aves
un espantajo de higuera.
Las lechuguillazas grandes,
almidonadas y tiesas
y el sombrero boleado
40 que adorna cuello y cabeza.
Y sobre un jubón de raso

[28] Seguramente porque las *ortigas* se consideraban estimulantes.

[29] *briosas*: aquí, «impetuosas, ardientes»; de las *lechugas* se creía que aplacaban la lujuria.

[30] *se queman*: «se estropean, se echan a perder» (tal vez jugando con los ardores de las mujeres *briosas* del verso anterior y el contraste con las *frías* del verso siguiente).

[31] *frías*: «frígidas»; el *mastuerzo* se usaba como estimulante del apetito sexual.

[32] La utilidad del *ajenjo* para las feas se debe tal vez a sus virtudes como depurativo del humor colérico o como paliativo de la embriaguez.

[34] *trujo*: «llevó puestos, vistió».

[36] *espantajo*: «espantapájaros».

[37] *lechuguillazas*: aumentativo de *lechuguillas*, unos cuellos hechos de tiras onduladas que estuvieron de moda a finales del siglo XVI; para que tuvieran prestancia se trataban con almidón.

[39] *boleado*: «de copa redonda» (a modo de bola).

[41] *jubón*: chaqueta ceñida que cubría el torso.

la más guarnecida cuera,
sin olvidarse las calzas
españolas y tudescas.
45 Andando regando un día,
viole en medio de la higuera
y riéndose de velle,
le dice de esta manera:
—¡Oh ricos despojos
50 de mi edad primera
y trofeos vivos
de esperanzas muertas!
¡Qué bien parecéis
de dentro y de fuera,
55 sobre que habéis dado
fin a mi tragedia!
¡Galas y penachos
de mi soldadesca,
un tiempo colores
60 y agora tristeza!
Un día de Pascua

[42] *cuera*: prenda de cuero, también una especie de chaqueta, en este caso *guarnecida*, «con adornos».
[43] *calzas*: «medias».
[44] *tudescas*: «alemanas».
[47] *velle*: «verle» (se refiere al espantajo).
[49] En este verso se inicia un romancillo hexasílabo en el que Belardo, al contemplar sus viejas ropas en el espantapájaros, se dirige a él para recordar tiempos pasados.
[55] *sobre que*: «además de que, sin contar que».
[57] *galas*: se refiere a los vestidos de su uniforme militar, en el que no faltaban sombreros con vistosas plumas (*penachos*).
[58] *soldadesca*: «agrupación de soldados» y, genéricamente, «milicia, vida militar»; en 1588, Lope de Vega se alistó y participó en la llamada Armada Invencible.

os llevé a mi aldea
por galas costosas,
invenciones nuevas.
65 Desde su balcón
me vio una doncella
con el pecho blanco
y la ceja negra.
Dejose burlar,
70 caseme con ella,
que es bien que se paguen
tan honrosas deudas.
Supo mi delito
aquella morena
75 que reinaba en Troya
cuando fue mi reina.
Hizo de mis cosas
una grande hoguera,
tomando venganza
80 en plumas y letras.

64 *invenciones*: aquí, «atavíos, adornos».

69-70 Alusión a la primera mujer de Lope, Isabel de Urbina (la *Belisa* de varios romances de este ciclo y otros textos lopescos).

73-76 Se refiere a Elena Osorio equiparándola con la heroína homónima, Helena de Troya; la alusión es doblemente pertinente porque evoca la destrucción de la ciudad antigua por un enorme incendio que compara con el fuego amoroso y con la reacción de Elena (vv. 77-78).

80 *plumas y letras*: lo más seguro es que ambos términos aludan a los *libelos* que circularon tras la ruptura con Elena Osorio, invirtiendo el papel de los protagonistas (ella sería, según *Belardo*, la difamadora), pero también cabe la posibilidad de que se aluda a los escritos del proceso y a las consecuencias legales de la sentencia.

[43]

Bajo un aspecto renovado, el viejo recurso trovadoresco y petrarquista del juego de opósitos da pie al siguiente soneto enumerativo, concebido como una definición de la ausencia amorosa (aunque el elemento definido no se desvela hasta el penúltimo verso). La antítesis inicial (*Ir y quedarse*) sería empleada posteriormente por otros autores en composiciones religiosas, y el soneto en su conjunto fue admirado e imitado por poetas de la talla del italiano Marino y los españoles Quevedo y Villamediana, en buena medida por su desafiante alarde de paradojas conceptuales y figuras retóricas: oxímoron, quiasmo, anadiplosis, políptoton... Vale la pena comparar este soneto (incluido en las *Rimas* desde la edición de 1602) con las coplas a una partida del acto tercero de *El caballero de Olmedo*.

Ir y quedarse, y con quedar partirse,
partir sin alma, y ir con alma ajena,
oír la dulce voz de una sirena
y no poder del árbol desasirse;

1 *partirse*: «marcharse».
2 *con alma ajena*: porque el alma del amante vive en la persona amada; «Yo lo siento, y voy a Olmedo / dejando el alma en Medina. / No sé cómo parto y quedo», dice el protagonista de *El caballero de Olmedo* al separarse de doña Inés (vv. 2178-2180).
4 *árbol*: «mástil»; las *sirenas*, seres mitológicos con cabeza de mujer y cuerpo de ave que atraían con su canto a los navegantes, se convirtieron en emblema de la seducción amorosa gracias al episodio clásico de la *Odisea* que aquí se recuerda: Ulises fue el primer mortal que pudo oír su canto sin perecer, puesto que or-

5 arder como la vela y consumirse
haciendo torres sobre tierna arena;
caer de un cielo, y ser demonio en pena,
y de serlo jamás arrepentirse;

hablar entre las mudas soledades,
10 pedir prestada, sobre fe, paciencia,
y lo que es temporal llamar eterno;

creer sospechas y negar verdades,
es lo que llaman en el mundo ausencia,
fuego en el alma y en la vida infierno.

---

denó a su tripulación que lo ataran al mástil de la nave para no sucumbir a su canto.

7 *demonio en pena*: intensificación de la expresión habitual (*alma en pena*) para ponderar el sufrimiento de la ausencia.

9 *soledades*: «lugares solitarios».

10 *sobre fe*: «con la fe amorosa como garantía» (o bien, «además de fe»).

[44]

En respuesta a un soneto perdido de Lupercio Leonardo de Argensola, o tal vez como réplica amistosa a la opinión graciosamente despectiva del aragonés sobre la confesión autobiográfica de los romances pastoriles de Belardo («enfado general de nuestros días», escribió Lupercio), Lope de Vega hace un breve y emocionado balance de su vida y una defensa explícita de su razón principal para escribir: la identificación entre vida y literatura y, con ello, la necesidad de una trasposición poética de la experiencia personal, con el amor como centro.

A LUPERCIO LEONARDO

Pasé la mar cuando creyó mi engaño
que en él mi antiguo fuego se templara;
mudé mi natural, porque mudara
naturaleza el uso, y curso el daño.

1 Puede referirse a la expedición a las Azores en 1583 o a su participación en la Armada Invencible en 1588.

2 *mi antiguo fuego*: «mi antigua pasión amorosa» (pensando en las primeras y tormentosas relaciones con Elena Osorio e Isabel de Urbina).

3-4 *porque mudara...*: «para que mi naturaleza mudara sus hábitos y con ello el *daño* (que cabe entender como "el mal de amor") cambiara de curso».

5 En otro cielo, en otro reino extraño,
más trabajos se vieron en mi cara,
hallando, aunque otra tanta edad pasara,
incierto el bien y cierto el desengaño.

El mismo amor me abrasa y atormenta,
10 y de razón y libertad me priva.
¿Por qué os quejáis del alma que le cuenta?

¿Que no escriba, decís, o que no viva?
Haced vos con mi amor que yo no sienta,
que yo haré con mi pluma que no escriba.

5 Lope cumplió en el reino de Valencia el destierro al que le obligaba la sentencia del proceso por calumnias a la familia de Elena Osorio. La frase *en otro cielo* («bajo otro cielo») recuerda tal vez una de las formulaciones más conocidas del tópico de la inutilidad de cambiar de lugar para cambiar de vida: «animum debes mutare non coelum» (Séneca, *Epístolas a Lucilio*).

6 *trabajos*: «penalidades», el mismo término usado en el inicio del romance de Belardo.

7 *aunque otra tanta edad pasara*: «aunque volviera a cumplir los años que tengo».

9-10 Es decir, que Lope confiesa no tener remedio porque lo ha intentado todo, pero sigue siendo esclavo de la pasión amorosa. Su nuevo amor en esas fechas debía ser Micaela Luján («Camila Lucinda»).

11 *os*: se refiere a Lupercio Leonardo; *le cuenta*: «lo cuenta», es decir, «cuenta el amor».

[45]

Soneto de definición del amor publicado en las *Rimas*. Basado de nuevo en la acumulación de antítesis y paradojas (compárese el anterior número 43), ofrece una enumeración de los opuestos estados de ánimo que el amor puede causar. Los cuartetos destacan por la abundante adjetivación dispuesta en parejas antitéticas, y los tercetos continúan de manera más ordenada y sistemática la sucesión de infinitivos con que se inicia el poema. El último verso desvela la clave («esto es amor») y apela a la experiencia común de todos los que aman.

Desmayarse, atreverse, estar furioso,
áspero, tierno, liberal, esquivo,
alentado, mortal, difunto, vivo,
leal, traidor, cobarde y animoso;

5 no hallar fuera del bien centro y reposo,
mostrarse alegre, triste, humilde, altivo,
enojado, valiente, fugitivo,
satisfecho, ofendido, receloso;

2 *liberal*: aquí «sociable, extravertido» (antítesis contextual de *esquivo*).
3 *alentado*: «vigoroso, vivaz».
5 Con *el bien* se refiere a una bondad de espíritu propia del estado del enamorado.

huir el rostro al claro desengaño,
10 beber veneno por licor süave,
olvidar el provecho, amar el daño;

creer que un cielo en un infierno cabe,
dar la vida y el alma a un desengaño:
esto es amor, quien lo probó lo sabe.

[9] *huir el rostro*: «esquivar, apartar...».
[10] *por licor süave*: «como si fuera un agradable licor».
[14] La apelación a la experiencia como garantía del conocimiento auténtico del amor es requisito frecuente en los poetas del *dolce stil novo*, en Petrarca (que en el primer soneto del *Canzoniere* espera la comprensión de quien «per prova intenda amore») y en muchos de los petrarquistas, como, por ejemplo, Garcilaso de la Vega.

[46]

Hacia 1593 y bajo un disfraz pastoril compuso Lope la primera versión de este poema perteneciente al llamado ciclo de los *mansos*, un conjunto de cuatro sonetos que incluyó en *La Arcadia* (1598), en alguna de sus comedias y en las *Rimas*. Se trata de una alegoría en la que Lope, mixtificando a su favor la realidad de los hechos, poetizó la ruptura de sus amores con Elena Osorio (el *manso* del texto), atribuyéndola al rapto de un poderoso *mayoral*, que por esta y por otras recreaciones (como el personaje de Don Bela en *La Dorotea*) puede identificarse con el rico y poderoso indiano Francisco Perrenot de Granvela, el amante de Elena Osorio tras la ruptura con Lope.

Suelta mi manso, mayoral extraño,
pues otro tienes de tu igual decoro,
deja la prenda que en el alma adoro,
perdida por tu bien y por mi daño.

5 Ponle su esquila de labrado estaño,
y no le engañen tus collares de oro;

1 *manso*: «animal dócil que sirve de guía al rebaño»; *mayoral*: «pastor principal, jefe de los pastores».

2 *decoro*: «estima, valor»; es decir, «que ya tienes otro de tu misma condición».

5 *labrado*: «elaborado, adornado».

toma en albricias este blanco toro,
que a las primeras hierbas cumple un año.

Si pides señas, tiene el vellocino
10 pardo encrespado, y los ojuelos tiene
como durmiendo en regalado sueño.

Si piensas que no soy su dueño, Alcino,
suelta, y verasle si a mi choza viene,
que aún tienen sal las manos de su dueño.

7 *en albricias*: «como regalo o como pago compensatorio».
8 *a las primeras hierbas*: «cuando llegue la primavera».
9 *vellocino*: «lana que se esquila», aquí metáfora del cabello.
10 *pardo encrespado*: «castaño y rizado».
11 *regalado*: «tranquilo y placentero».
12 *Alcino* es nombre habitual de pastor en la literatura bucólica.
14 Comer la *sal* de la propia mano del pastor es signo de la confianza del animal.

[47]

Hacia 1610 escribió Lope este soneto *de repente*, que incluyó en su comedia *La niña de plata*. Se trata de un poema en que, «burla burlando», se improvisa sobre la marcha la composición de soneto, procedimiento que cuenta con precedentes en la literatura española (destaca uno atribuido a Diego Hurtado de Mendoza, «Pedís, Reina, un soneto: ya le hago») y con ejercicios similares en otras lenguas europeas.

Un soneto me manda hacer Violante,
que en mi vida me he visto en tanto aprieto;
catorce versos dicen que es soneto;
burla burlando van los tres delante.

5 Yo pensé que no hallara consonante,
y estoy a la mitad de otro cuarteto;
mas si me veo en el primer terceto,
no hay cosa en los cuartetos que me espante.

1 *Violante*: personaje de la comedia *La niña de plata*; quien improvisa y recita el soneto en la comedia es el lacayo Chacón.
5 *consonante*: «rima consonante».

Por el primer terceto voy entrando,
10 y parece que entré con pie derecho,
pues fin con este verso le voy dando.

Ya estoy en el segundo, y aun sospecho
que voy los trece versos acabando;
contad si son catorce, y está hecho.

10 *con pie derecho*: «con buen pie», expresión especialmente adecuada por el matiz métrico y rítmico del sustantivo.

[48]

En 1614, y como resultado de una crisis espiritual debida sobre todo a las desgracias familiares de los años anteriores, Lope publicó las *Rimas sacras*, que vienen a ser el contrapunto religioso de las propias rimas amorosas en un momento de auge de la literatura penitencial. El siguiente soneto es uno de los más logrados y característicos de la colección: alternando interrogaciones y exclamaciones, Lope expresa su angustia y confiesa su ingratitud de pecador arrepentido ante la figura de Cristo, humanizado como un amigo. El tema, frecuente en la poesía religiosa del barroco, procede de las *Confesiones* de San Agustín: «¿Hasta cuando, Señor, dice llorando, / diré "mañana voy", pues no te sigo?» (así lo resume el mismo Lope en el poema «Agustino a Dios»).

¿Qué tengo yo que mi amistad procuras?
¿Qué interés se te sigue, Jesús mío,
que a mi puerta cubierto de rocío
pasas las noches del invierno escuras?

5 ¡Oh cuánto fueron mis entrañas duras,
pues no te abrí! ¡Qué extraño desvarío,

1 *procuras*: «buscas».
2 *¿qué interés se te sigue?*: «¿qué provecho sacas?, ¿cómo puede interesarte?».
4 *escuras*: «oscuras».
5 «¡Oh, qué sordas e insensibles fueron mis entrañas!».
6 *desvarío*: «locura, desconcierto».

si de mi ingratitud el hielo frío
secó las llagas de tus plantas puras!

¡Cuántas veces el ángel me decía:
10 «Alma, asómate agora a la ventana,
verás con cuánto amor llamar porfía»!

¡Y cuántas, hermosura soberana,
«Mañana le abriremos», respondía,
para lo mismo responder mañana!

[7] Nótese el hipérbaton: «si el frío hielo de mi ingratitud...».
[8] *llagas*: se refiere a las heridas de Cristo crucificado.
[11] *llamar porfía*: «insiste en llamar, llama insistentemente».

[49]

La calavera es un emblema universal de la muerte, pero en la época de Lope de Vega estuvo especialmente de moda como símbolo para la meditación sobre la vanidad de la vida humana. Basta recordar el famoso pasaje del último acto de *Hamlet* (escrito pocos años antes que este soneto de las *Rimas sacras*), en el que el protagonista toma la calavera de Yorik y dice, por ejemplo, que «aquí colgaban los labios que besé no sé cuántas veces». Aunque ambos textos y autores comparten tópicos y procedimientos (como la efectividad dramática de los deícticos: «Esta cabeza... aquí ... aquí ... aquí...»), Lope, lejos del contexto grotesco y de la intención tragicómica de Shakespeare, plantea en términos más morales y metafísicos la caducidad de la belleza.

A UNA CALAVERA

Esta cabeza, cuando viva, tuvo
sobre la arquitectura de estos huesos
carne y cabellos, por quien fueron presos
los ojos que, mirándola, detuvo.

5 Aquí la rosa de la boca estuvo,
marchita ya con tan helados besos;

3-4 *por quien fueron presos / los ojos*: «por los cuales quedaron atrapados los ojos...» (se refiere a la *carne* y los *cabellos*: el pronombre *quien* se aplicaba también a cosas y su número era invariable).

5 La *rosa* era una de las metáforas habituales para designar la boca de una mujer hermosa.

aquí los ojos de esmeralda impresos,
color que tantas almas entretuvo.

Aquí la estimativa en que tenía
10 el principio de todo el movimiento,
aquí de las potencias la armonía.

¡Oh hermosura mortal, cometa al viento,
donde tan alta presunción vivía
desprecian los gusanos aposento!

[7] *de esmeralda*: «de color verde», el color de la esperanza.

[8] *tantas almas*: las de los galanes y admiradores; *entretuvo*: «distrajo, recreó».

[9] *estimativa*: «juicio».

[11] Nótese de nuevo el hipérbaton: «la armonía de las potencias», en referencia a las tres potencias del alma (memoria, entendimiento y voluntad).

[14] *aposento*: «vivienda, residencia». No es fácil decidir si estos últimos versos constituyen una exclamación (que equivale a una constatación desengañada y sentenciosa de una verdad moral) o una interrogación (que por la condición retórica de la pregunta expresaría de manera más angustiada y paradójica el dominio de la muerte).

[50]

Carlos Félix, hijo de Lope de Vega y de su segunda esposa, Juana de Guardo, murió a los siete años en el verano de 1612. En un momento indeterminado de las semanas o meses posteriores, Lope escribió esta estremecedora elegía (curiosamente en estancias de canción petrarquista, aunque sin el usual envío final) que incluyó en las *Rimas sacras* (1614). El texto presenta y preserva los elementos más importantes de las elegías fúnebres (la lamentación, el elogio del difunto y la consolación), pero discursivamente destaca por su división aproximada en dos mitades: en la primera Lope se dirige a Dios (vv. 1-91) y en la segunda a su hijo fallecido (vv. 92-195). A pesar de las referencias cultas (bíblicas o de cultura general), de la elaborada estructura y de la ocasional complejidad de sus razonamientos, Lope de Vega, como escribió el gran crítico José F. Montesinos, «encuentra las palabras más sencillas, más familiares, para expresar el dolor más hondo».

A LA MUERTE DE CARLOS FÉLIX

Este de mis entrañas dulce fruto,
con vuestra bendición, ¡oh Rey eterno!,
ofrezco humildemente a vuestras aras;
que si es de todos el mejor tributo
5 un puro corazón humilde y tierno,

3 *aras*: «lugares para la ofrenda».
4 *que si es de todos el mejor tributo*: «que si el mejor tributo de todos es...».

y el más precioso de las prendas caras,
no las aromas raras
entre olores fenicios
y licores sabeos,
10 os rinden mis deseos,
por menos olorosos sacrificios,
sino mi corazón, que Carlos era;
que en el que me quedó, menos os diera.

Diréis, Señor, que en daros lo que es vuestro
15 ninguna cosa os doy, y que querría
hacer virtud necesidad tan fuerte,
y que no es lo que siento lo que muestro,
pues anima su cuerpo el alma mía,
y se divide entre los dos la muerte.
20 Confieso que de suerte
vive a la suya asida,
que cuanto a la vil tierra,
que el ser mortal encierra,
tuviera más contento de su vida;

6 *y el más precioso de las prendas caras*: «y el más precioso tributo de todas las pertenencias más queridas».
7 *las aromas*: «los aromas, los perfumes».
9 *licores sabeos*: de la región de Saba, de donde procedían las sustancias aromáticas más apreciadas, entre ellas el incienso.
10 *rinden*: «entregan, ofrendan».
13 *en el que me quedó*: se refiere a su corazón, demediado por la muerte de Carlos y menos valioso que el del hijo muerto.
18-19 A partir de la idea, común en la literatura de la época, de que los enamorados intercambiaban sus almas, el amor hace que el alma del padre esté en el cuerpo del hijo y, con ello, compartan la muerte.
20 *de suerte*: «de manera».

25 mas cuanto al alma, ¿qué mayor consuelo
que lo que pierdo yo me gane el cielo?

Póstrese nuestra vil naturaleza
a vuestra voluntad, imperio sumo,
autor de nuestro límite, Dios santo;
30 no repugne jamás nuestra bajeza,
sueño de sombra, polvo, viento y humo,
a lo quc vos queréis, que podéis tanto;
afréntese del llanto
injusto, aunque forzoso,
35 aquella inferior parte
que a la sangre reparte
materia dc dolor tan lastimoso,
porque donde es inmensa la distancia,
como no hay proporción, no hay repugnancia.

40 Quiera yo lo que vos, pues no es posible
no ser lo que queréis, que no quiriendo,

26 *me gane*: «me lo gane».
27 *póstrese*: «ríndase, arrodíllese».
28 *imperio sumo*: porque la voluntad de Dios es omnipotente.
29 *autor de nuestro límite*: «autor de nuestra vida y nuestra muerte».
30 *no repugne*: «no se resista, no se oponga»; es decir, «que nuestra bajeza no ofrezca resistencia a vuestra voluntad» (*a lo que vos queréis*).
33 *afréntese*: «avergüéncese».
37 *lastimoso*: «triste, penoso».
38-39 Se refiere a la enorme diferencia (*inmensa ... distancia*) entre el cuerpo mortal (*aquella inferior parte* del v. 35) y la eternidad del alma.
41 *no ser lo que queréis*: «que no ocurra lo que queréis»; *quiriendo*: «queriendo».

saco mi daño a vuestra ofensa junto.
Justísimo sois vos: es imposible
dejar de ser error lo que pretendo,
45 pues es mi nada indivisible punto.
Si a los cielos pregunto
vuestra circunferencia
inmensa, incircunscrita,
pues que sólo os limita
50 con margen de piedad vuestra clemencia,
¡oh guarda de los hombres!, yo ¿qué puedo
adonde tiembla el serafín de miedo?

Amábaos yo, Señor, luego que abristes
mis ojos a la luz de conoceros,
55 y regalome el resplandor suave.
Carlos fue tierra; eclipse padecistes,
divino Sol, pues me quitaba el veros,
opuesto como nube densa y grave.

42 *saco mi daño a vuestra ofensa junto*: es decir, que oponiéndose a la voluntad divina no obtendría otra cosa que ofender a Dios y perjudicarse a sí mismo.

43-44 *es imposible / dejar de ser error*: «es imposible que no sea un error».

48 *incircunscrita*: «ilimitada».

51 *guarda*: «vigilante» (se refiere a Dios).

52 *serafín*: «espíritu bienaventurado»; según la teología cristiana, ángel del primer coro. El sentido de estos versos es algo complejo: ante la inmensidad de Dios, que solo puede entenderse contemplando la inmensidad del universo, Lope se pregunta qué es lo que él puede hacer, en su insignificancia.

53 *abristes*: «abristeis».

55 *regalome*: «me dio gozo, me produjo placer».

58 *opuesto*: «interpuesto»; es decir, que Carlos eclipsó por un tiempo a Dios.

Gobernaba la nave
60 de mi vida aquel viento
de vuestro auxilio santo
por el mar de mi llanto
al puerto del eterno salvamento,
y cosa indigna, navegando, fuera
65 que rémora tan vil me detuviera.

¡Oh cómo justo fue que no tuviese
mi alma impedimentos para amaros,
pues ya por culpas proprias me detengo!
¡Oh cómo justo fue que os ofreciese
70 este cordero yo para obligaros,
sin ser Abel, aunque envidiosos tengo!
Tanto, que a serlo vengo

59 *gobernaba*: «tripulaba, conducía». El sentido de estos versos es el siguiente: «El viento de vuestro auxilio conducía la nave de mi vida, a través del mar de mi llanto, hacia el puerto de la salvación eterna». La vida como navegación es metáfora muy querida por Lope: véase el número 53.

65 *rémora*: un pequeño pez al que los antiguos atribuían la propiedad de detener las naves; aquí se refiere figuradamente al amor por el hijo.

66 *cómo justo fue*: «cuán justo fue».

68 *proprias*: «propias».

70 *obligaros*: «comprometeros, moveros en mi favor».

71 *sin ser Abel*: porque Caín empezó a envidiar a su hermano Abel al ver que este ofrecía a Dios sus mejores corderos (Génesis, 5, 3-5); *aunque envidiosos tengo*: Lope se refirió muchas veces —alguna de ellas exagerando la inquina de otros escritores— a la envidia de sus contemporáneos.

72-77 Lope dice ingeniosamente sentir envidia de sí mismo porque Dios le ofrece la oportunidad de conducir su alma hacia la obediencia divina.

yo mismo de mí mismo,
pues ocasión como ésta
75 en un alma dispuesta
la pudiera poner en el abismo
de la obediencia, que os agrada tanto,
cuanto por loco amor ofende el llanto.

¡Oh quién como aquel padre de las gentes,
80 el hijo solo en sacrificio os diera,
y los filos al cielo levantara!
No para que, con alas diligentes,
ministro celestial los detuviera,
y el golpe al corderillo trasladara,
85 mas porque calentara
de rojo humor la peña,
y en vez de aquel cordero,
por quien corrió el acero,
y cuya sangre humedeció la leña,

77-78 «La obediencia os agrada tanto cuanto os ofende el llanto causado por un loco amor» (recuérdese el *llanto injusto* de los vv. 33-34).

79 *padre de las gentes*: Abraham (tal denominación es de origen bíblico: véase Génesis, 17, 5), quien por obediencia a Dios aceptó sacrificar a su hijo Isaac.

80 *hijo solo*: «hijo único».

81 *los filos* del cuchillo o puñal, que puede cortar por ambos lados.

82-84 Cuando Abraham estaba con el puñal en alto, un ángel (*ministro celestial*) sustituyó a Isaac por un cordero (Génesis, 22, 9-13).

86 *rojo humor*: «líquido rojo», la sangre del cordero.

88 *por quien corrió el acero*: «por el que se movió el acero del puñal».

90 muriera el ángel, y, trocando estilo,
en mis entrañas comenzara el filo.

Y vos, dichoso niño, que en siete años
que tuvistes de vida, no tuvistes
con vuestro padre inobediencia alguna,
95 corred con vuestro ejemplo mis engaños,
serenad mis paternos ojos tristes,
pues ya sois sol donde pisáis la luna;
de la primera cuna
a la postrera cama
100 no distes sola un hora
de disgusto, y agora
parece que le dais, si así se llama
lo que es pena y dolor de parte nuestra,
pues no es la culpa, aunque es la causa, vuestra.

105 Cuando tan santo os vi, cuando tan cuerdo,
conocí la vejez que os inclinaba

90-91 Teniendo siempre como referencia la narración bíblica, en el caso de la muerte de Carlos Félix podría decirse que murió el mismo ángel, y no el cordero, y que fue en las entrañas de su padre donde se clavó el cuchillo.

93 *tuvistes*: «tuvisteis».

95 *corred*: «avergonzad»; es decir, «haced con vuestro ejemplo que me avergüence de mis errores».

97 «Pues ya estáis en el cielo»; la expresión *pisar la luna* solía usarse literariamente para referirse a la condición superior de algunos seres tras la muerte (compárese con la *Égloga primera* de Garcilaso, vv. 394-395).

98-99 *primera cuna* y *postrera cama*: el nacimiento y la muerte.

100 *sola un hora*: «ni una sola hora».

102 *parece que le dais*: «parece que lo dais» (un disgusto).

106 *inclinaba*: «acercaba, conducía».

a los fríos umbrales de la muerte;
luego lloré lo que ahora gano y pierdo,
y luego dije: «Aquí la edad acaba,
110 porque nunca comienza de esta suerte».
¿Quién vio rigor tan fuerte,
y de razón ajeno,
temer por bueno y santo
lo que se amaba tanto?
115 Mas no os temiera yo por santo y bueno,
si no pensara el fin que prometía
quien sin el curso natural vivía.

Yo para vos los pajarillos nuevos,
diversos en el canto y las colores,
120 encerraba, gozoso de alegraros;
yo plantaba los fértiles renuevos
de los árboles verdes, yo las flores,
en quien mejor pudiera contemplaros,

108 *luego*: «al momento, enseguida»; *gano y pierdo*: porque la pérdida de Carlos supone, como luego explica, una ganancia.

109-110 Puesto que Carlos Félix dio en su niñez muestras de gran cordura y santidad, propias de la vejez, era lógico pensar que estaba ya a las puertas de la muerte.

112 *de razón ajeno*: «sin razón, sin motivo».

115-117 La santidad y la bondad extremas del niño infundían temor a su padre: Lope, dirigiéndose a Carlos Félix, le dice que no habría sentido temor por él de no ser consciente de que su vida extraordinaria, fuera de lo común (*sin el curso natural*), anunciaba su final (*el fin que prometía*).

119 *las colores*: véase Garcilaso, soneto XXIII, v. 2.

121 *renuevos*: «brotes».

123 *quien*: se refiere a las *flores*, que se parecen a Carlos Félix por su breve vida, como explican los versos siguientes.

pues a los aires claros
125 del alba hermosa apenas
salistes, Carlos mío,
bañado de rocío,
cuando, marchitas las doradas venas,
el blanco lirio convertido en hielo,
130 cayó en la tierra, aunque traspuesto al cielo.

¡Oh qué divinos pájaros agora,
Carlos, gozáis, que con pintadas alas
discurren por los campos celestiales
en el jardín eterno, que atesora
135 por cuadros ricos de doradas salas
más hermosos jacintos orientales,
adonde a los mortales
ojos la luz excede!
¡Dichoso yo, que os veo
140 donde está mi deseo
y donde no tocó pesar, ni puede;
que sólo con el bien de tal memoria
toda la pena me trocáis en gloria!

¿Qué me importara a mí que os viera puesto
145 a la sombra de un príncipe en la tierra,

126 *salistes*: «salisteis».

129-130 Carlos es como un lirio que se hiela apenas florecido y yace en tierra, aunque trasplantado (*traspuesto*) al cielo.

131-138 Estos versos contienen una descripción del paraíso, figurado como un *jardín eterno* con aves de colorido extraordinario, dividido en espacios suntuosos y sembrado de flores vistosísimas.

143 *me trocáis*: «me transformáis, me convertís».

pues Dios maldice a quien en ellos fía,
ni aun ser el mismo príncipe compuesto
de aquel metal del sol, del mundo guerra,
que tantas vidas consumir porfía?
150 La breve tiranía,
la mortal hermosura,
la ambición de los hombres
con títulos y nombres,
que la lisonja idolatrar procura,
155 al expirar la vida, ¿en qué se vuelven,
si al fin en el principio se resuelven?

Hijo, pues, de mis ojos, en buen hora
vais a vivir con Dios eternamente
y a gozar de la patria soberana.
160 ¡Cuán lejos, Carlos venturoso, agora
de la impiedad de la ignorante gente
y los sucesos de la vida humana,
sin noche, sin mañana,
sin vejez siempre enferma,
165 que hasta el sueño fastidia,
sin que la fiera envidia

146 *fía*: «confía».
147 *ni aun ser ... compuesto* : «ni aunque estuviese hecho».
148-149 *aquel metal del sol*: alusión al oro, que provoca guerras y consume la vida de muchos hombres.
153 *títulos y nombres*: «títulos aristocráticos y grandes cargos».
154 *la lisonja*: «la adulación».
156 *se resuelven*: «se disuelven, se reducen», porque vuelven a la nada.
159 *la patria soberana*: «el cielo».
165 *fastidia*: «molesta, inquieta».
166-167 Nótese el hipérbaton: «sin que la fiera envidia duerma a las puertas (*a los umbrales*) de la virtud».

de la virtud a los umbrales duerma,
del tiempo triunfaréis, porque no alcanza
donde cierran la puerta a la esperanza!

170 La inteligencia que los orbes mueve
a la celeste máquina divina
dará mil tornos con su hermosa mano,
fuego el León, el Sagitario nieve;
y vos, mirando aquella esencia trina,
175 ni pasaréis invierno ni verano,
y desde el soberano
lugar que os ha cabido,
los bellísimos ojos,
paces de mis enojos,
180 humillaréis a vuestro patrio nido;

168 *del tiempo triunfaréis*: «triunfaréis sobre el tiempo». Aunque caben otras interpretaciones, parece que el sujeto de *no alcanza* es la *envidia* (y no el *tiempo*), que reside en el infierno, lugar implícitamente presente por oposición al cielo y aludido, además, con un recuerdo de la *Divina comedia* de Dante y de la inscripción que rezaba a las puertas del infierno: «Lasciate ogni speranza voi ch'entrate» («Perded toda esperanza los que entráis», *Inferno*, III, 9).

170 *orbes*: «planetas».

172 *tornos*: «vueltas, giros».

173 *fuego el León, el Sagitario nieve*: por las constelaciones que se corresponden con los extremos climáticos del año, el verano y el invierno (véase v. 175); es decir, «Dios hará que el universo siga dando vueltas».

174 *aquella esencia trina*: por la Santa Trinidad de la teología católica (Dios es Padre, Hijo y Espíritu Santo).

177 *os ha cabido*: «os ha correspondido»; *el soberano lugar* es el cielo (compárese el v. 159).

178-180 *los bellísimos ojos ... humillaréis*: «bajaréis la vista».

y si mi llanto vuestra luz divisa,
los dos claveles bañaréis en risa.

Yo os di la mejor patria que yo pude
para nacer, y agora, en vuestra muerte,
185 entre santos dichosa sepultura;
resta que vos roguéis a Dios que mude
mi sentimiento en gozo, de tal suerte,
que a pesar de la sangre que procura
cubrir de noche escura
190 la luz de esta memoria,
viváis vos en la mía;
que espero que algún día
la que me da dolor me dará gloria,
viendo al partir de aquesta tierra ajena
195 que no quedáis adonde todo es pena.

181 Nótese el hipérbaton: «si vuestra luz divisa mi llanto».

182 *los dos claveles*: metáfora pura por «los labios».

186 *resta*: «solo falta».

186-187 *que mude / mi sentimiento en gozo*: «que cambie mi pena en alegría»; *de tal suerte*: «de tal manera».

189 *escura*: «oscura».

191 *en la mía*: «en mi memoria».

193 *la que me da dolor me dará gloria*: parece referirse a la muerte, porque la de Carlos le produce ahora dolor y la propia le dará la gloria «algún día», cuando al morir parta «de aquesta tierra ajena»; sin embargo, es también posible que siga hablando de la *memoria* (el recuerdo le provoca dolor, pero con el tiempo le dará gozo), elemento esencial en todas las elegías consolatorias.

194 *ajena*: «extraña».

195 *quedáis*: «restáis, permanecéis».

[51]

La Filomena (1621) es un volumen misceláneo al que da título una extensa fábula de tema mitológico, pero que se compone de textos muy variados, tanto en prosa (una novela corta y un texto polémico sobre la poesía de Góngora) como en verso, entre los que destacan varias epístolas en tercetos. La novena de esas epístolas está dedicada al poeta Juan de Arguijo, miembro del consistorio sevillano (*veinticuatro*, como allí se decía) y personaje destacado al que Lope había dedicado ya varios volúmenes y composiciones desde *La hermosura de Angélica con otras diversas Rimas* en 1602. Como es frecuente en los textos de Lope, en esta epístola se combina la confesión autobiográfica con la reflexión sobre la actualidad literaria, esta vez con alusiones a los debates en torno a la nueva poesía. Destacan el inicio sobre la locura de Torquato Tasso, varias ironías sobre autores y críticos contemporáneos y una larga serie de curiosos detalles sobre la actividad de las academias literarias. En ese contexto, no exento de reivindicación personal, inserta Lope algunas brillantes formulaciones de tópicos morales (la brevedad de la vida, la vanidad de los artistas o la arbitrariedad de la fama). Es el caso de los fragmentos escogidos, que abren y cierran la composición.

A DON JUAN DE ARGUIJO, VEINTICUATRO DE SEVILLA

Epístola nona

(Fragmentos inicial y final)

En humilde fortuna, mas contento,
aquí, señor don Juan, la vida paso:
ella pasa por mí, yo por el viento.

Y como nadie sabe el postrer paso,
5 de toda loca vanidad me río,
por no perder el seso como el Taso.

No, porque tanto del ingenio fío,
que me tiraran piedras los tasistas,
que aun no quieren dejarnos albedrío.

10 Yo he visto enloquecer dos mil versistas,
a quien el seso la afición ofusca,
en seguir su opinión monjas bautistas.

Difícilmente la verdad se busca,
si quisieren saber qué mundo corre,
15 traslado a la academia de la Crusca.

6 *el Taso*: Torquato Tasso, poeta italiano nacido en Sorrento 1544 y muerto en Roma 1595 (véase el v. 18). A consecuencia de la composición de su obra más famosa, la *Gerusalemme liberata*, que incidía de lleno en los debates literarios de la época, Tasso padeció manía persecutoria, alucinaciones y accesos de locura que le llevaron a ser recluido en el convento de San Francesco en Ferrara.

8 *los tasistas*: «los partidarios de Tasso».

10 *versistas*: «versificadores, poetas».

15 La Accademia della Crusca (literalmente, «del salvado», por alusión a la necesidad de cerner la harina como símbolo de pureza lingüística) es una institución todavía activa fundada en Florencia en 1582. Su actividad más importante de aquellos años, y que Lope conoció sin duda, fue la publicación del *Vocabolario* en 1612, base de la lexicografía moderna. Sin embargo, las cuestiones filosóficas y literarias a las que aluden un poco misteriosamente estos versos se refieren a los debates en torno a la poética aristotélica y a las críticas a Tasso por parte de los académicos florentinos, y en particular de Lorenzo Salviati, a

Así con aficiones me socorre
la contraria opinión, si bien no ha sido
tal que su fama al gran Torcato borre.

Es nuestro entendimiento parecido,
20 por las especies que recibe dentro,
a la potencia del común sentido.

Sale con las fantasmas al encuentro
que de las cosas exteriores siente,
y por más noble, se la lleva al centro.

25 No puede inteligible constar ente,
como sin luz no viven las colores,
sin este noble entendimiento agente.

Con esto, de las formas exteriores
percibe cada cual su estimativa,
30 y da lugar, si sabe, a las mayores.

Mas cuando la potencia aprehensiva
se deja gobernar de afición loca,
no hay luz que alumbre y resplandezca viva.

---

quien el sorrentino replicó en 1585 con la *Apologia della «Gerusalemme liberata»*.

19-33 En estos tercetos aparecen expresiones y conceptos propios de la filosofía aristotélica y su teoría del conocimiento: *fantasma* o imagen, *inteligible ente*, *entendimiento agente* y *potencia aprehensiva*, entre otros.

26 *las colores*: véase la nota al núm. 5, v. 2.

Pero diréis que a mí por qué me toca
35 aristotelizar epistolando,
si no es que el Arïosto me provoca.

Peregrina invención, furioso Orlando,
defiéndete de tantos Rodamontes
que están en el Torcato idolatrando:

40 que hay hombres que, si no es que por los montes
más ásperos camine la poesía,
vestida de remotos horizontes,

no la tendrán en más que yo la mía;
mirad si lo encarezco; mas, ¿qué importa,
45 si vive la verdad donde solía?

Pero volviendo a lo que más me exhorta,
que es el discurso de mi humilde vida,
me admira el verla tan ligera y corta.

36 *el Arïosto* (aquí cuatrisílabo por razones métricas): Ludovico Ariosto (1474-1533), autor del *Orlando furioso* (véase el verso siguiente) y contrapuesto a Tasso en los debates estéticos de aquellos años.

38 *Rodamontes*: por el personaje del temible sarraceno Rodomonte, derrotado por Ruggiero en el último canto del *Orlando furioso*. Lope toma partido por Ariosto y alude traslativamente a ciertos autores modernos, más partidarios de Tasso, que prefieren una poesía extraña: no parece que pueda ser nadie más que Góngora, criticado también en otros textos de *La Filomena* que tratan de «la nueva poesía».

39 *idolatrando*: el verbo *idolatrar* se construía con la preposición *en*, como otros verbos afines (*creer*, *confiar*, *esperar*).

46 *me exhorta*: «me importa, me interesa».

48 *me admira*: «me asombra, me maravilla».

Pasan las horas de la edad florida,
50 como suele escribir ringlón de fuego
cometa por los aires encendida.

Viene la edad mayor, y viene luego,
tal es su brevedad, y finalmente
pone templanza el varonil sosiego.

55 Mas cuando un hombre de sí mismo siente
que sabe alguna cosa, y que podría
comenzar a escribir más cuerdamente,

ya se acaba la edad, y ya se enfría
la sangre, el gusto, y la salud padece
60 avisos varios que la muerte envía.

De suerte que la edad, cuando florece,
no sabe aquello que adquirió pasando,
y cuando supo más, desaparece.

[...]

49 *la edad florida*: «la juventud» (que es primavera de la vida).

50 *ringlón*: «renglón, estela».

51 El género de la palabra *cometa* era variable y aquí Lope la usa en femenino.

52 *la edad mayor*: «la mayoría de edad, la edad adulta»; *viene luego*: «llega enseguida» (por eso dice después ponderativamente *tal es su brevedad*).

58 *la edad*: aquí y en el v. 61 es equivalente a «la vida».

60 *avisos varios que la muerte envía*: las dolencias propias de la vejez.

61-63 Es decir, que el joven no es consciente de la experiencia que está adquiriendo al vivir, y el viejo ya no puede aprovechar esa experiencia porque llega la muerte.

280 Caducas están ya mis esperanzas,
mas no pude decir que tuve alguna
en tantas ocasiones y mudanzas.

Encerrose conmigo mi fortuna
en un rincón de libros y de flores:
285 ni me fue favorable ni importuna.

En tierna edad canté guerras y amores;
para sin protección disculpa tengo
de no ser más que letras los errores.

Y no penséis que al desengaño vengo,
290 divino ingenio, vos, tarde y sin gusto;
años ha que le tengo y le entretengo.

Las pretensiones no me dan disgusto,
porque conozco mi contraria estrella,
y porque conocer me fue más justo.

295 Vos sois la imagen más valiente y bella
para ejemplo del mundo; a vuestro asilo
en víctima me ofrezo, viendo en ella
mi historia propia por mejor estilo.

282 *ocasiones*: «circunstancias azarosas».

286 *guerras y amores*: por sus obras épicas (la más temprana es *La dragontea*) y sus rimas amorosas, pero con obvio recuerdo del principio del *Orlando furioso*: «Le donne, i cavalier, l'arme, gli amori ... io canto».

291 *le tengo y le entretengo*: se refiere al desengaño.

296 *asilo*: aquí, «amparo, protección».

297 *en ella*: en la imagen ejemplar del amigo.

[52]

En el primer acto de *La Dorotea* (1632), obra dramática en prosa, el protagonista don Fernando canta el siguiente «romance de Lope». La acción de *La Dorotea* contiene la enésima recreación de los amores de juventud de Lope de Vega con Elena Osorio, pero ahora el desengaño tiñe de introspección y de melancolía, con ribetes de sátira social, las palabras del poeta, que constituyen una excelente muestra del ánimo del autor en una de las creaciones más felices de su vejez.

A mis soledades voy,
de mis soledades vengo,
porque para andar conmigo
me bastan mis pensamientos.
5 No sé qué tiene el aldea
donde vivo y donde muero,
que con venir de mí mismo,
no puedo venir más lejos.
Ni estoy bien ni mal conmigo;
10 mas dice mi entendimiento
que un hombre que todo es alma
está cautivo en su cuerpo.
Entiendo lo que me basta,
y solamente no entiendo

8 *más lejos*: «desde más lejos».

15 cómo se sufre a sí mismo
un ignorante soberbio,
De cuantas cosas me cansan,
fácilmente me defiendo;
pero no puedo guardarme
20 de los peligros de un necio.
Él dirá que yo lo soy,
pero con falso argumento;
que humildad y necedad
no caben en un sujeto.
25 La diferencia conozco,
porque en él y en mí contemplo
su locura en su arrogancia,
mi humildad en mi desprecio.
O sabe naturaleza
30 más que supo en este tiempo,
o tantos que nacen sabios
es porque lo dicen ellos.
«Solo sé que no sé nada»,
dijo un filósofo, haciendo
35 la cuenta con su humildad,
adonde lo más es menos.
No me precio de entendido,
de desdichado me precio;
que los que no son dichosos,
40 ¿cómo pueden ser discretos?

[15] *cómo se sufre*: «cómo puede soportarse».

[28] *en mi desprecio*: «en el desprecio de mí mismo», signo de humildad.

[33] La sentencia se atribuye a Sócrates y debemos su conservación al *Fedro* de Platón.

[40] *discreto* tiene el sentido de «juicioso e inteligente» (recuérdese la obra homónima de Gracián).

No puede durar el mundo,
porque dicen, y lo creo,
que suena a vidro quebrado
y que ha de romperse presto.
45 Señales son del juicio
ver que todos le perdemos,
unos por carta de más,
otros por carta de menos.
Dijeron que antiguamente
50 se fue la verdad al cielo:
tal la pusieron los hombres,
que desde entonces no ha vuelto.
En dos edades vivimos
los propios y los ajenos:
55 la de plata los extraños,
y la de cobre los nuestros.
¿A quién no dará cuidado,
si es español verdadero,
ver los hombres a lo antiguo,

43 *vidro*: «vidrio».
44 *presto*: «pronto».
46 *le perdemos*: «lo perdemos» (el juicio).
47-48 Es decir, unos por exceso y otros por defecto.
49-50 Se trata también de una idea clásica aplicada a la verdad, a la piedad o a la justicia, y que tiene su origen en el mito de la subida a los cielos de Astrea.
51 *tal la pusieron*: «la trataron tan mal, la despreciaron tanto».
55-56 Se refiere al declive español con respecto a la situación económica de los demás países (*los extraños*), pensando seguramente en las varias devaluaciones que hacia 1630 padeció la moneda de cobre.
57 *¿A quién no dará cuidado...?*: «¿A quién no preocupará...».
59-60 Es decir, «los hombres vestidos a lo antiguo o preciados de ser como los antiguos, pero dotados hoy de poco valor».

60 y el valor a lo moderno?
Todos andan bien vestidos,
y quéjanse de los precios,
de medio arriba romanos,
de medio abajo romeros.
65 Dijo Dios que comería
su pan el hombre primero
en el sudor de su cara
por quebrar su mandamiento;
y algunos, inobedientes
70 a la vergüenza y al miedo,
con las prendas de su honor
han trocado los efetos.
Virtud y filosofía
peregrinan como ciegos;
75 el uno se lleva al otro,
llorando van y pidiendo.
Dos polos tiene la tierra,
universal movimiento:
la mejor vida, el favor

63-64 Aunque cabe entenderlo solo como alusión a la indumentaria («en parte lujosa y ostentosa y en parte raída y miserable»), parece clara la interpretación moral: «De cintura para arriba severos y virtuosos como los antiguos romanos, y de cintura para abajo juerguistas y pecadores». Las romerías se consideraban tradicionalmente propicias al desenfreno, como prueba el refrán «Ir romera, y volver ramera».

65-68 Lo dice en el Génesis, 3, 19.

68 *quebrar*: «incumplir».

71-72 Porque en lugar de ganarse el pan con el sudor de su frente *han trocado los efectos* y se lo ganan *con las prendas de su honor*, en alusión a sus esposas: viven de ellas desvergonzadamente.

79 *el favor*: «la protección de los poderosos».

80 la mejor sangre, el dinero.
Oigo tañer las campanas,
y no me espanto, aunque puedo,
que en lugar de tantas cruces
haya tantos hombres muertos.
85 Mirando estoy los sepulcros,
cuyos mármoles eternos
están diciendo sin lengua
que no lo fueron sus dueños.
¡Oh! ¡Bien haya quien los hizo,
90 porque solamente en ellos
de los poderosos grandes
se vengaron los pequeños!
Fea pintan a la envidia;
yo confieso que la tengo
95 de unos hombres que no saben
quién vive pared en medio.
Sin libros y sin papeles,
sin tratos, cuentas ni cuentos,
cuando quieren escribir,
100 piden prestado el tintero.
Sin ser pobres ni ser ricos,
tienen chimenea y huerto;
no los despiertan cuidados,

80 *la mejor sangre*: «la nobleza».
83 *que en lugar*: «de que en lugar»; *tantas cruces*: por las que llevaban en el pecho los caballeros de las órdenes militares, como si tales cruces certificasen su condición de *hombres muertos*, inútiles y sin valor.
86 *mármoles eternos*: las lápidas.
88 *que no lo fueron*: «que no fueron eternos».
89 *bien haya*: «bendito sea»; *los hizo*: se refiere a los sepulcros.
91-92 Recoge el tópico del poder igualador de la muerte.

ni pretensiones ni pleitos,
105 ni murmuraron del grande,
ni ofendieron al pequeño;
nunca, como yo, firmaron
parabién, ni Pascuas dieron.
Con esta envidia que digo,
110 y lo que paso en silencio,
a mis soledades voy,
de mis soledades vengo.

107 «Nunca enviaron un mensaje de congratulación o enhorabuena ni felicitaron las pascuas».
110 *y lo que paso en silencio*: «y lo que me callo».

[53]

Esta composición pertenece al ciclo de las «barquillas», una serie de cuatro romancillos incluidos en el acto III de *La Dorotea*. La siguiente es cantada también por el protagonista, don Fernando, quien, queriendo expresar su tristeza por el abandono de su amada, recrea el tópico de la vida como una navegación —presente ya en la Biblia y convertido en tema poético al menos desde Horacio— y desarrolla la imagen de la barquilla como símbolo de los vaivenes de la existencia.

Pobre barquilla mía,
entre peñascos rota,
sin velas desvelada,
y entre las olas sola.
5 ¿Adónde vas perdida?
¿Adónde, di, te engolfas?
Que no hay deseos cuerdos
con esperanzas locas.
Como las altas naves,
10 te apartas animosa
de la vecina tierra,
y al fiero mar te arrojas.
Igual en las fortunas,

[3] *desvelada*: «inquieta»; nótense en estos versos los calambures *velas ~ desvelada* y *olas ~ sola*.
[6] *te engolfas*: «te adentras en el mar».
[10] *animosa*: «valiente, intrépida».
[13] *fortunas*: «tormentas» (véase el v. 48).

mayor en las congojas,
15 pequeño en las defensas,
incitas a las ondas,
advierte que te llevan
a dar entre las rocas
de la soberbia envidia,
20 naufragio de las honras.
Cuando por las riberas
andabas costa a costa,
nunca del mar temiste
las iras procelosas.
25 Segura navegabas;
que por la tierra propria
nunca el peligro es mucho
adonde el agua es poca.
Verdad es que en la patria
30 no es la virtud dichosa,
ni se estimó la perla
hasta dejar la concha.
Dirás que muchas barcas
con el favor en popa,
35 saliendo desdichadas,
volvieron venturosas.

14 *congojas*: «angustias».

20 *naufragio de las honras* es definición metafórica de la envidia.

22 *andabas costa a costa*: «navegabas sin alejarte de la costa, costeabas».

24 *procelosas*: «tempestuosas, borrascosas».

26 *propria*: «propia».

29-32 Recrea el tópico de que «nadie es profeta en su tierra».

34 *el favor en popa*: la expresión habitual es «viento en popa», pero el sustantivo *favor* evoca el contexto social de la alegoría (véase el poema anterior, v. 79).

No mires los ejemplos
de las que van y tornan;
que a muchas ha perdido
40 la dicha de las otras.
Para los altos mares
no llevas, cautelosa,
ni velas de mentiras,
ni remos de lisonjas.
45 ¿Quién te engañó, barquilla?
Vuelve, vuelve la proa,
que presumir de nave
fortunas ocasiona.
¿Qué jarcias te entretejen?
50 ¿Qué ricas banderolas
azote son del viento
y de las aguas sombra?
¿En qué gavia descubres,
del árbol alta copa,
55 la tierra en perspectiva
del mar incultas orlas?
¿En qué celajes fundas
que es bien echar la sonda,

43-44 Las *mentiras* y las *lisonjas* («adulaciones») son propias de la vida cortesana; compárese Góngora, núm. 36, vv. 43-44.

49 *jarcias*: «aparejos y cabos de un barco».

50 *banderolas*: «pequeñas cintas o bandas que servían de insignia a las naves».

53 *gavia*: «soporte en lo alto del mástil principal».

56 *incultas orlas*: «bárbaras riberas».

57 *celajes*: «presagios» (por el aspecto del cielo y las nubes o el color del mar).

58 *sonda*: «cuerda con un peso de plomo que sirve para medir la profundidad de las aguas».

cuando, perdido el rumbo,
60 erraste la derrota?
Si te sepulta arena,
¿qué sirve fama heroica?
Que nunca desdichados
sus pensamientos logran.
65 ¿Qué importa que te ciñan
ramas verdes o rojas,
que en selvas de corales
salado césped brota?
Laureles de la orilla
70 solamente coronan
navíos de alto bordo
que jarcias de oro adornan.
No quieras que yo sea
por tu soberbia pompa
75 Faetonte de barqueros,
que los laureles lloran.
Pasaron ya los tiempos,
cuando lamiendo rosas
el céfiro bullía

60 *derrota*: «rumbo, trayectoria marina».

62 *¿qué sirve...?*: «¿de qué sirve...?».

63-64 «Que los desdichados nunca cumplen sus deseos».

71 *navíos de alto bordo*: «grandes navíos» (el *bordo* o *borde* es el costado de las embarcaciones, que determina la altura del casco), navíos ricos y poderosos, coronados con *laureles* (símbolo de la victoria) y adornados con oro.

74 *pompa*: «ostentación, lujo».

75 *Faetonte*: Faetón o Faetonte fue el hijo del dios Helio (el Sol) y por su soberbia encontró la muerte cuando conducía el carro solar; sus hermanas las Helíades lloraron su desgracia y se transformaron en álamos (aquí aludidos con los *laureles*).

79 *céfiro*: «viento suave».

80 y suspiraba aromas.
Ya fieros huracanes
tan arrogantes soplan,
que, salpicando estrellas,
del Sol la frente mojan.
85 Ya los valientes rayos
de la vulcana forja,
en vez de torres altas,
abrasan pobres chozas.
Contenta con tus redes,
90 a la playa arenosa
mojado me sacabas;
pero vivo, ¿qué importa?
Cuando de rojo nácar
se afeitaba la aurora,
95 más peces te llenaban
que ella lloraba aljófar.
Al bello sol que adoro,
enjuta ya la ropa,
nos daba una cabaña
100 la cama de sus hojas.
Esposo me llamaba,

81-84 El contraste entre la bonanza de los tiempos pasados (vv. 77-80) y la turbulencia del tiempo presente se expresa con logrados paralelismos: *el céfiro bullía / huracanes ... soplan, lamiendo rosas / salpicando estrellas, suspiraba aromas / la frente del sol mojan.*

86 *la vulcana forja*: la fragua de Vulcano, dios del fuego.

94 *se afeitaba*: «se maquillaba»; nótese el oxímoron *rojo nácar*, que recoge el tópico de la mezcla del color blanco y el rojo en el rostro de una mujer o, como en este caso, en la aurora, personificada.

96 *aljófar*: «perla irregular», metáfora de las lágrimas y del rocío; es decir, «llevabas más peces que gotas de rocío lloraba la aurora».

98 *enjuta*: «seca».

yo la llamaba esposa,
parándose de envidia
la celestial antorcha.

105 Sin pleito, sin disgusto,
la muerte nos divorcia:
¡ay de la pobre barca
que en lágrimas se ahoga!

Quedad sobre la arena,
110 inútiles escotas;
que no ha menester velas
quien a su bien no torna.

Si con eternas plantas
las fijas luces doras,
115 ¡oh dueño de mi barca!,
y en dulce paz reposas,

merezca que le pidas
al bien que eterno gozas,
que adonde estás me lleve
120 más pura y más hermosa.

Mi honesto amor te obligue;
que no es digna victoria
para quejas humanas
ser las deidades sordas.

125 Mas ¡ay, que no me escuchas!
Pero la vida es corta:
viviendo, todo falta;
muriendo, todo sobra.

104 *la celestial antorcha*: «el sol».

110 *escotas*: «cabos o cuerdas de un barco que sirven para tensar las velas».

112 *no torna*: «no vuelve, no retorna».

114 *doras*: «iluminas».

[54]

En las *Rimas humanas y divinas del licenciado Tomé de Burguillos* (1634), Lope de Vega creó un *alter ego* al que convirtió en autor, entre otros muchos textos, de una especie de cancionero amoroso que parodia las convenciones lingüísticas y sociales del amor cortés y de sus derivaciones petrarquistas. Tomé es un estudiante pobre y su amada Juana es una lavandera, y en el siguiente soneto él exagera con humor el deseo que siente por ella, que no le permite hacer nada de lo que quisiera.

ENCARECE SU AMOR PARA OBLIGAR A SU DAMA A QUE LO PREMIE

Juana, mi amor me tiene en tal estado,
que no os puedo mirar, cuando no os veo;
ni escribo, ni manduco, ni paseo,
entretanto que duermo sin cuidado.

5 Por no tener dineros no he comprado
(¡oh Amor cruel!) ni manta, ni manteo;

2 Parodia con una verdad perogrullesca el tópico de la ausencia.
3 *ni manduco*: «ni como» (en lenguaje coloquial).
4 *entretanto*: «mientras»; *sin cuidado*: «descuidado, sin preocupación».
6 *manteo*: una especie de capa (indumento propio de estudiantes, como la *sotana* del v. 13).

tan vivo me derrienga mi deseo
en la concha de Venus amarrado.

De Garcilaso es este verso, Juana:
10 todos hurtan, paciencia, yo os le ofrezco.
Mas volviendo a mi amor, dulce tirana,

tanto en morir y en esperar merezco,
que siento más el verme sin sotana,
que cuanto fiero mal por vos padezco.

7 *me derrienga*: «me destroza» (particularmente la espalda o los riñones).

9 De la oda *A la flor de Gnido*, v. 35.

10 *Todos* los poetas, se entiende; *os le ofrezo*: «os lo ofrezco» (el verso de Garcilaso).

11 *dulce tirana*: el oxímoron parodia los apelativos paradójicos de la dama frecuentes en el amor cortés («dulce enemiga», «dulce guerrera» y otros similares).

12 El verso reúne tres verbos fundamentales en la convención del amor cortés: *morir*, *esperar* y *merecer*.

13 La *sotana* era una vestidura talar propia, entre otros, de estudiantes, bachilleres y licenciados.

14 «Que todos los grandes dolores que padezco por vos».

[55]

En los desplazamientos de la corte, el rey se detenía con su comitiva de cortesanos, funcionarios y soldados en alguna villa del camino (el *lugar* del v. 13). Al arrimo de esa corte fugaz acudían pretendientes, damas de variable virtud y curiosos. El autor, por boca una vez más de Tomé de Burguillos, describe en este soneto una de esas *jornadas* para satisfacer el interés del amigo al que informa.

ESCRIBE A UN AMIGO EL SUCESO DE UNA JORNADA

Claudio, después del rey y los tapices,
de tanto grande y forastero incauto,
no tiene la jornada, a ver el auto,
qué te pueda escribir que solemnices.

2 *tanto grande*: «tanto noble».

3 *jornada*: «viaje del rey con su corte», pero Lope juega con otro de los muchos sentidos del término: «acto de una obra teatral», y de ahí la mención inmediata del *auto*, una de las piezas teatrales características de la época; *a ver el auto*: «a la vista del auto, a juzgar por el auto».

4 *que solemnices*: «que celebres, que admires, que te parezca importante». Es decir, que no ha habido nada particularmente interesante.

5 Fue todo cortesanas meretrices
de las que pinta en sus comedias Plauto;
anduve casto, porque ya soy cauto
en ayunarlas o comer perdices.

Ya los ventores, con el pico al norte,
10 andaban por las damas circunstantes:
que al recibir las cartas se da el porte.

Partiose el Rey, llevose a los amantes,
quedó al lugar un breve olor de Corte,
como aposento en que estuvieron guantes.

5 *cortesanas meretrices*: «prostitutas».

6 *Plauto*: comediógrafo latino del siglo II a. C.

8 Las mención de las cortesanas en relación con las *perdices*, que en la lengua de la época propiciaron una variada fraseología, se justifica por las indicaciones sobre la *caza* de la estrofa siguiente.

9 Los *ventores* designan humorísticamente a los hombres que están rondando a las mujeres, pues son como los perros *ventores* que huelen la presa; el *pico* designa festivamente el hocico del animal, pero esconde maliciosamente una intención obscena, pues señala hacia el norte.

10 *circunstantes*: literalmente, «que están alrededor de alguien o algo», es decir, que las rondaban o mariposeaban a su alrededor.

11 *porte*: «pago por un transporte o mensajería», aquí tal vez en alusión al pago por otro servicio.

13 *quedó al lugar*: «quedó en la villa».

14 Porque en la época se usaba perfumar los guantes con ámbar u otras sustancias olorosas.

FRANCISCO DE QUEVEDO

(Madrid, 1580 – Villanueva de los Infantes,
Ciudad Real, 1645)

[56]

Los poemas morales, sobre todo los que versan sobre la brevedad de la vida y alcanzan una dimensión metafísica, destacan por la combinación de sentencias demoledoras y angustiadas expresiones coloquiales, y son los que reflejan mejor el «desgarrón afectivo» con el que Dámaso Alonso, uno de los grandes filólogos del siglo XX, definió la poesía de Quevedo. Tal vez no haya mejor ejemplo de ese desgarrón que el impresionante soneto en que, como resume el título de *El Parnaso* (1648), *Represéntase la brevedad de lo que se vive y cuán nada parece lo que se vivió*. Las angustiadas apelaciones de los primeros versos dejan paso a un tono más sentencioso que recoge ideas neoestoicas y que se caracteriza por la sustantivación de adverbios y de formas verbales referidos a los tres planos temporales: pasado, presente y futuro.

REPRESÉNTASE LA BREVEDAD DE LO QUE SE VIVE Y CUÁN NADA PARECE LO QUE SE VIVIÓ

¡Ah de la vida!... ¿Nadie me responde?
¡Aquí de los antaños que he vivido!

1 *¡Ah de la vida!*: la frase remeda muy eficazmente el coloquialismo de expresiones entonces corrientes como *¡Ah de la casa!* o *¡Ah del castillo!*

2 La expresión *¡Aquí de los antaños...!*, intensificando el mismo recurso del verso anterior, supone una petición de socorro para que acuda el pasado (invocado por la sustantivación de un adverbio, *los antaños*, «los años pasados»).

La fortuna mis tiempos ha mordido;
las horas mi locura las esconde.

5 ¡Que sin poder saber cómo ni adónde
la salud y la edad se hayan huido!
Falta la vida, asiste lo vivido,
y no hay calamidad que no me ronde.

Ayer se fue; mañana no ha llegado;
10 hoy se está yendo sin parar un punto:
soy un fue, y un será, y un es cansado.

En el hoy y mañana y ayer, junto
pañales y mortaja, y he quedado
presentes sucesiones de difunto.

3-4 La diosa *Fortuna* representa la condición azarosa del destino, aquí investida de una especial crueldad por el verbo *morder*. Quiere decir el poeta que el destino (*fortuna*) consume irremediablemente la vida y que es necedad (*locura*) esconder las horas para intentar que escapen a su voracidad.

7 *asiste*: «está presente», en contraste con *falta*, del mismo modo en que *la vida* se opone a *lo vivido*.

10 Todo el terceto destaca por la sustantivación de adverbios (*ayer*, *hoy*, *mañana*) y de formas verbales (*fue*, *es*, *será*), con un claro matiz de intensificación expresiva reservada al presente (*hoy* y *es*) mediante la frase *sin parar un punto* («sin detenerse ni un instante») y el adjetivo *cansado* (*un es cansado*: «un presente a punto de dejar de serlo»).

13 *pañales y mortaja*: el nacimiento y la muerte (o, por decirlo con el título también metonímico de otra obra de Quevedo, *La cuna y la sepultura*).

14 La idea de que la vida es una sucesión de muertes, un cotidiano morir, frecuente en Séneca y entre los neoestoicos, aparece en muchos textos de la época y fue glosada por Quevedo en diversas ocasiones. «Señor don Manuel, hoy cuento yo cincuenta y dos años, y en ellos cuento otros tantos entierros míos» (de una carta del 16 de agosto de 1635).

[57]

Nueva elaboración del mismo tema del soneto anterior, con idéntica base de ideas senequistas y neoestoicas, aunque aquí destacan la eficacia con que desarrolla ciertas imágenes de la vida (equiparada con la guerra en el segundo cuarteto y con la labranza en el segundo terceto) y el dolor obsesivo sugerido mediante la aliteración del verso final.

SIGNIFÍCASE LA PROPRIA BREVEDAD DE LA VIDA, SIN PENSAR Y CON PADECER SALTEADA DE LA MUERTE

Fue sueño ayer, mañana será tierra.
Poco antes nada, y poco después humo.
¡Y destino ambiciones! ¡Y presumo
apenas punto al cerco que me cierra!

1-2 Nótese la alternancia entre los términos abstractos asignados al pasado (*sueño* y *nada*) y los concretos del futuro (*tierra* y *humo*, ambos con significación funeral, como se advierte en los verbos *enterrar* e *inhumar*).

3-4 *destino*: «designo, preparo, determino»; *presumo*: «oso, imagino con vanagloria»; *apenas punto*: «apenas un breve instante» (el *punto* como imagen de la brevedad es un motivo senequiano que Quevedo recogió en otros lugares). Para hacer más efectiva la sentenciosidad de los dos endecasílabos iniciales, el poeta se exclama por la inutilidad de sus ambiciones y por la imposibilidad de hacer frente al *cerco* de la muerte (nótese el matiz bélico, ampliado a continuación).

5 Breve combate de importuna guerra,
en mi defensa soy peligro sumo,
y mientras con mis armas me consumo,
menos me hospeda el cuerpo, que me entierra.

Ya no es ayer, mañana no ha llegado,
10 hoy pasa y es y fue, con movimiento
que a la muerte me lleva despeñado.

Azadas son la hora y el momento
que, a jornal de mi pena y mi cuidado,
cavan en mi vivir mi monumento.

5-7 La imagen de la vida humana como combate, que tiene claras resonancias bíblicas, fue muy repetida en la época de Quevedo («una milicia a la malicia», dirá, por ejemplo, Baltasar Gracián), pero aquí se lleva a las consecuencias paradójicas de la identificación entre el vivir y el morir: la misma *defensa* constituye un *peligro*, y el hombre se consume y se muere guerreando (es decir, viviendo).

8 La identidad entre vida y muerte supone la identidad del *cuerpo* con un sepulcro: no nos da alojamiento, sino que nos entierra.

9-11 *despeñado*: «precipitado» (nótese el doble matiz: «con violencia y con celeridad»). Como en el soneto anterior, se recogen aquí los tres planos temporales para destacar con análoga insistencia la condición fugaz del presente: la escueta y negativa definición del ayer (*ya no es*) y del mañana (*no ha llegado*) contrasta con la variedad y el polisíndeton de las acciones asignadas al hoy, que *pasa, y es, y fue...*

12-14 *a jornal*: «a sueldo» (el *jornal* es el pago por un día de trabajo, frecuente en el mundo rural en que se basa la imagen); *pena* y *cuidado* son sinónimos en este contexto («padecimiento, cuita»); *monumento*: «tumba, sepulcro». El poeta asigna al tiempo de la vida, representado por *la hora y el momento*, la máxima concreción de una metáfora extraída de la actividad de la labranza (*azadas*), en la misma medida en que la abstracción de la muerte se concreta obsesivamente en el individuo (*mi pena, mi cuidado, mi vivir, mi monumento*).

[58]

Este soneto formó parte de la colección *Heráclito cristiano* (con el epígrafe «Salmo XVII»; el título que lleva aquí es, como en los otros casos, el de *El Parnaso español*). En un acercamiento progresivo al individuo (*los muros de la patria*, el *campo*, *mi casa*, *mi báculo*, *mi espada*), todas las imágenes conducen a una constatación final, a modo de sentencia. No hay aspecto de la vida (la historia del heroísmo colectivo y personal, el ciclo natural de las estaciones, el hogar...) que escape a esa certidumbre, presentada como resultado de la experiencia personal (*miré*, *salí*, *vi*, *entré*, *sentí*); pero se trata de una experiencia en la que no es necesario buscar resonancias o interpretaciones políticas, como alguna vez se ha hecho, sino el eco de un tema literario ilustre que fue tratado en términos semejantes por los neoestoicos y en particular por Séneca en sus *Epístolas a Lucilio*: «Adondequiera que me vuelvo veo la evidencia de lo avanzado de la edad» (y sigue con la descripción de la casa de campo, ya derruida, y con otros detalles que la convierten en fuente segura del soneto de Quevedo).

ENSEÑA CÓMO TODAS LAS COSAS AVISAN DE LA MUERTE

Miré los muros de la patria mía,
si un tiempo fuertes, ya desmoronados,
de la carrera de la edad cansados,
por quien caduca ya su valentía.

3-4 La personificación hace más efectiva la imagen: los *muros de la patria* están *cansados* y *su valentía* («su fuerza, su vigor») cadu-

5 Salime al campo; vi que el sol bebía
los arroyos del hielo desatados,
y del monte quejosos los ganados,
que con sombras hurtó su luz al día.

Entré en mi casa; vi que, amancillada,
10 de anciana habitación era despojos;
mi báculo, más corvo y menos fuerte.

Vencida de la edad sentí mi espada,
y no hallé cosa en que poner los ojos
que no fuese recuerdo de la muerte.

---

ca a causa de la celeridad del tiempo (*la carrera de la edad*). Téngase en cuenta que el pronombre relativo *quien* se usaba también para cosas.

5-8 Nuevas personificaciones: *el sol bebía los arroyos*, es decir, que secaba los torrentes de agua formados (*desatados*: «brotados, surgidos») con el deshielo, y los ganados estaban *quejosos* porque el monte, con su sombra, le robaba la luz al día.

9 *amancillada*: «mancillada, deteriorada, sucia».

10 *habitación*: «morada»; el endecasílabo encierra un nuevo hipérbaton (los otros, menos llamativos, están en los vv. 3, 6, 7 y 12): *era despojos de antigua habitación* («la casa se había convertido ya en restos o despojos de la antigua vivienda, era una ruina de lo que fue»).

11 *báculo*: «bastón»; *corvo*: «encorvado».

12 *vencida de la edad*: «vencida por la edad»; asigna simbólicamente a la *espada*, como al *báculo* del verso anterior, los rasgos de vejez y derrota que son propios del individuo que habla.

[59]

En su casa de la Torre de Juan Abad, pequeño pueblo manchego donde solía retirarse, Quevedo compuso este soneto en el que, sobre la base temática del elogio de la vida apartada de la corte, recoge varios de los motivos de la literatura estoica: la soledad culta, con la única compañía de unos pocos libros (humanizados como amigos), y la lectura y el estudio como consuelo y guía del hombre virtuoso. Llama la atención el elogio de la imprenta en el primer terceto. Se conserva un autógrafo con importantes variantes, aunque en el título de *El Parnaso español* (1648), González de Salas se desvela o postula como destinatario del poema (véase el verso 11) y da alguna información más que permite fecharlo en años próximos a 1639: *Algunos años antes de su prisión última me envió este excelente soneto desde la Torre.*

[DESDE LA TORRE]

Retirado en la paz de estos desiertos,
con pocos pero doctos libros juntos,
vivo en conversación con los difuntos
y escucho con mis ojos a los muertos.

1 *desiertos*: «soledades, parajes solitarios, lugares de retiro» (no necesariamente desérticos o yermos).

3-4 Describe la actividad de la lectura como un diálogo con los muertos, y esa idea básica es desarrollada con rasgos conceptistas (como *escucho con mis ojos*) ya advertidos por Jorge Luis Borges, si bien el gran escritor argentino opinaba que «el sone-

5 Si no siempre entendidos, siempre abiertos,
o enmiendan o fecundan mis asuntos;
y en músicos callados contrapuntos
al sueño de la vida hablan despiertos.

Las grandes almas que la muerte ausenta,
10 de injurias de los años vengadora,
libra ¡oh gran don Ioseph! docta la emprenta.

---

to es eficaz a despecho de ellos, no a causa de ellos» (en *Otras inquisiciones*).

5-8 Todo el cuarteto se refiere a los libros, *si no siempre entendidos, siempre abiertos*, con nuevos alardes conceptistas de base antitética. *En músicos callados contrapuntos*: «en rítmica y silenciosa armonía»; *músicos* es adjetivo y se opone a *callados*, del mismo modo que *sueño* contrasta con *despiertos*: en definitiva, los libros están siempre en vela y hablan a la vida, que es como un sueño (y aquí posiblemente se recogen dos ideas clásicas: la vida como sueño, desarrollada en aquellos mismos años por Calderón de la Barca, y la similitud entre el sueño y la muerte: *somnium imago mortis*).

9 *ausenta*: «hace desaparecer».

9-11 El sentido más probable de este terceto (podemos dejar aparte la fórmula vocativa *oh gran don Ioseph*, referida a José González de Salas) es el siguiente: «La docta imprenta, vengadora de las injurias de los años, libera a las grandes almas que la muerte ha hecho desaparecer». Sin embargo, no es imposible que *vengadora* se refiera a la muerte, y el sentido sería: «La docta imprenta libera a las grandes almas a las que ha hecho desaparecer la muerte, vengadora de las injurias de los años» (es decir, vengadora o liberadora a su vez de las ofensas y miserias de la vida).

En fuga irrevocable huye la hora,
pero aquélla el mejor cálculo cuenta
que en la lección y estudios nos mejora.

12-14 El sentido general de este terceto es sencillo, pero conviene tener en cuenta algunos matices léxicos: *la hora* significa «el tiempo» (por metonimia), pero después, en el pronombre *aquélla*, recupera su sentido habitual («momento, espacio de tiempo»); *cálculo* significa literalmente «piedrecilla» (como las usadas por los antiguos para sus cómputos), y *lección* debe entenderse como «lectura de la que se extrae una enseñanza». En definitiva, «la mejor hora es aquella que dedicamos al estudio». Nótese además el matiz enunciativo del cultismo *irrevocable* («que no puede ser llamado de nuevo»), muy pertinente en el contexto dialógico del soneto (*conversación*, *escucho*, *hablan*).

[60]

El conde-duque de Olivares accedió al cargo de valido del rey Felipe IV en 1621. Quevedo, que había destacado por su adhesión al duque de Osuna y necesitaba congraciarse con el nuevo hombre fuerte del reino, compuso este poema en los años siguientes (seguramente entre 1623, fecha de ciertos *Capítulos de reformación* dictados por Olivares y elogiados por Quevedo, y 1625, fecha de uno de los manuscritos que conserva la epístola). Tras los tercetos iniciales de invocación y presentación (versos 1-30), de enorme eficacia expresiva (por la alusión a los gestos de silencio o amenaza del primer terceto o las preguntas retóricas del segundo), elogia el pasado español, lleno de virtudes y arrojo, con un nostálgico orgullo que aparece en otros escritos del autor (versos 31-110); viene después la crítica de las costumbres de su tiempo, con interesantísimas alusiones a hechos contemporáneos (versos 111-165), y el ruego final al valido (versos 165-205). En la estela de Horacio, Quevedo siguió en parte la tradición de la epístola moral, ya muy desarrollada en España (la más famosa, la *Epístola moral a Fabio*, es de hacia 1610), pero dio a su poema un tono censorio (más quizá que satírico) que lo convierte en una severa advertencia sobre el presente a la luz de un pasado más digno y más glorioso.

EPÍSTOLA SATÍRICA Y CENSORIA CONTRA LAS COSTUMBRES PRESENTES DE LOS CASTELLANOS, ESCRITA A DON GASPAR DE GUZMÁN, CONDE DE OLIVARES, EN SU VALIMIENTO

No he de callar, por más que con el dedo,
ya tocando la boca, o ya la frente,
silencio avises o amenaces miedo.

¿No ha de haber un espíritu valiente?
5 ¿Siempre se ha de sentir lo que se dice?
¿Nunca se ha de decir lo que se siente?

Hoy, sin miedo que, libre, escandalice,
puede hablar el ingenio, asegurado
de que mayor poder le atemorice.

10 En otros siglos pudo ser pecado
severo estudio y la verdad desnuda,
y romper el silencio el bien hablado.

1-3 La interpelación inicial no se dirige a Olivares (a quien llama «Señor Excelentísimo» en el v. 25 y a quien aplica, naturalmente, el tratamiento de más respeto: «Vos»), sino que supone la presencia de alguien exigiendo o aconsejando al poeta que guarde silencio.

5-6 En estos versos, con antítesis (*siempre / nunca*) y quiasmo («sentir ... dice» / «decir ... siente») aparecen dos sentidos del verbo *sentir*: primero «lamentar» y después «pensar».

7-8 *Hoy sin miedo que, libre, escandalice, / puede hablar el ingenio*: «Hoy puede hablar el ingenio sin miedo a escandalizar por hablar libremente».

Pues sepa quien lo niega, y quien lo duda,
que es lengua la verdad de Dios severo,
15 y la lengua de Dios nunca fue muda.

Son la verdad y Dios, Dios verdadero.
Ni eternidad divina los separa,
ni de los dos alguno fue primero.

Si Dios a la verdad se adelantara,
20 siendo verdad, implicación hubiera
en ser y en que verdad de ser dejara.

La justicia de Dios es verdadera,
y la misericordia y todo cuanto
es Dios, todo ha de ser verdad entera.

25 Señor Excelentísimo, mi llanto
ya no consiente márgenes ni orillas.
Inundación será la de mi canto.

Ya sumergirse miro mis mejillas,
la vista por dos urnas derramada
30 sobre las aras de las dos Castillas.

14 El razonamiento de los versos 14-24, lleno de sutilezas argumentativas, identifica los conceptos de Dios y de Verdad (recogiendo una idea frecuente en textos bíblicos y en tratados de carácter religioso).

20 *implicación*: «contradicción».

25 *Señor Excelentísimo*: primera apelación explícita a Olivares.

28-30 El abatimiento del poeta se expresa mediante el llanto hiperbólico y dos metáforas (la primera de ellas con omisión del término real, «ojos») basadas en elementos funerarios: las mejillas están sumergidas por la *inundación*, y los ojos son *urnas* («vasijas») por los que la vista se derrama (nueva imagen del llanto) sobre las *aras* («altares») de las dos Castillas.

Yace aquella virtud desaliñada,
que fue, si rica menos, más temida,
en vanidad y en sueño sepultada,

y aquella libertad esclarecida,
35 que en donde supo hallar honrada muerte,
nunca quiso tener más larga vida.

Y pródiga del alma nación fuerte,
contaba por afrentas de los años
envejecer en brazos de la suerte.

40 Del tiempo el ocio torpe y los engaños
del paso de las horas y del día
reputaban los nuestros por extraños.

Nadie contaba cuánta edad vivía,
sino de qué manera; ni aun un hora
45 lograba sin afán su valentía.

La robusta virtud era señora,
y sola dominaba al pueblo rudo;
edad, si mal hablada, vencedora.

31-33 «Aquella virtud del pasado, que no cuidaba de su apariencia y vestía sin lujos (*desaliñada*) y que era más pobre (*menos rica*) pero más temida y respetada, hoy yace sepultada en vanidad y en sueño».

37-39 Recoge un tópico del heroísmo, el no temer a la muerte y aun desearla: «Aquella nación fuerte del pasado, de alma pródiga, tenía por afrenta llegar a la vejez».

40-45 «Nuestros antepasados tenían por extraños el ocio y la pérdida de tiempo; no contaban cuánto, sino cómo vivían, y no había momento en que no mostrasen su valor».

48 *si mal hablada*: «aunque mal hablada». En toda esta alabanza del pasado, pautada por el tópico de la Edad de Oro, se des-

El temor de la mano daba escudo
50 al corazón, que en ella confiado
todas las armas despreció desnudo.

Multiplicó en escuadras un soldado
su honor precioso, su ánimo valiente,
de sola honesta obligación armado.

55 Y debajo del cielo, aquella gente,
si no a más descansado, a más honroso
sueño entregó los ojos, no la mente.

Hilaba la mujer para su esposo
la mortaja, primero que el vestido;
60 menos le vio galán que peligroso.

---

taca la rudeza (*desaliñada*, *mal hablada*...) como sinónimo de autenticidad, naturalidad y valentía.

49-51 «El temor que infundía la mano valerosa bastaba para proteger el corazón (que no es solo el órgano corporal, naturalmente, sino también símbolo tradicional de la valentía), que no necesitaba otro escudo y que, confiado y desnudo, despreciaba todas las armas».

52-54 «Un solo soldado, armado únicamente con la conciencia de su deber y de su honor, valía por todo un ejército» (*multiplicó en escuadras*).

55-57 Este *sueño honroso* del héroe está inspirado, como ya indicó González de Salas, en el reposo de Eneas: «se tiende en la ribera bajo la fría bóveda del cielo / y acaba por rendir su cuerpo al tardo sueño» (Virgilio, *Eneida*, VIII, 29-30).

58-60 Varias de estas ideas se corresponden con algunos textos satíricos de la Antigüedad (de Juvenal especialmente) en los que se exaltan las virtudes domésticas de las matronas romanas.

59 *primero*: «antes».

60 *galán*: «atildado, presumido» (con el mismo matiz despectivo de *dama* en el verso 64).

Acompañaba el lado del marido
más veces en la hueste que en la cama;
sano le aventuró, vengole herido.

Todas matronas y ninguna dama,
65 que nombres del halago cortesano
no admitió lo severo de su fama.

Derramado y sonoro, el oceano
era divorcio de las rubias minas
que usurparon la paz del pecho humano.

70 Ni los trujo costumbres peregrinas
el áspero dinero, ni el Oriente
compró la honestidad con piedras finas.

62 *hueste*: «ejército».

63 *sano le aventuró, vengole herido*: «cuando estuvo sano lo alentó y animó a la batalla y cuando estuvo herido lo vengó».

64 La austera virtud familiar de la *matrona* se opone a la frívola hermosura de la *dama*.

67-69 Una vez expuesto el valor de los hombres y la virtud de las mujeres, Quevedo elogia el modo de vida antiguo por contraste con el mercantilismo de la sociedad contemporánea. «El océano (entonces se decía *oceano*, como la rima exige) servía para separarnos (*era divorcio*) de las minas de oro (*rubias minas*) que han sembrado la discordia entre los hombres».

70-72 Los antiguos desconocían el efecto pernicioso del dinero (*áspero* porque era «nuevo y rugoso», pero también con matiz peyorativo) y las joyas: «El dinero no les trajo costumbres extrañas (*peregrinas*) ni el Oriente compró la honestidad con sus piedras preciosas (*piedras finas*)».

Joya fue la virtud pura y ardiente,
gala el merecimiento y alabanza.
75 Sólo se cudiciaba lo decente.

No de la pluma dependió la lanza,
ni el cántabro con cajas y tinteros
hizo el campo heredad, sino matanza.

Y España, con legítimos dineros,
80 no mendigando el crédito a Liguria,
más quiso los turbantes que los ceros.

Menos fuera la pérdida y la injuria,
si se volvieran Muzas los asientos,
que esta usura es peor que aquella furia.

73-75 «La única joya era la virtud y la única gala el merecimiento, y no se codiciaba (*cudiciaba*) la riqueza, sino la decencia».

76-78 En este terceto recoge el tema de la oposición entre armas y letras, distanciándose de la hermandad ideal entre ambas que propugnaron muchos de sus contemporáneos, aunque en Quevedo el contraste se establece entre el heroísmo de los cántabros antiguos y el burocratismo de los modernos (de ahí, por ejemplo, el uso dilógico de *caja*: la de los útiles del escribano y el tambor de la milicia): «Las armas (*la lanza*) no dependían de las letras (*la pluma*) y el cántabro no usaba la caja y el tintero para cuentas y herencias, sino para matanzas».

79-81 En la época de Quevedo, los principales y más ricos acreedores del reino de España eran los banqueros genoveses (de *Liguria*), ya vistos como hábiles comerciantes en la Antigüedad y retratados como usureros en muchos textos españoles del Siglo de Oro. «La España del pasado, con dineros legítimos y no prestados con usura por Génova, prefería obtener *turbantes* (metonimia por las victorias contra los moros) que *ceros* («ingresos, negocios»)».

82-84 *asientos*: aquí, «entradas o anotaciones en los libros de cuentas» (también podría traducirse más vagamente por «contrato

85 Caducaban las aves en los vientos
y expiraba decrépito el venado;
grande vejez duró en los elementos,

que el vientre entonces bien diciplinado
buscó satisfacción y no hartura,
90 y estaba la garganta sin pecado.

Del mayor infanzón de aquella pura
república de grandes hombres era
una vaca sustento y armadura.

No había venido, al gusto lisonjera,
95 la pimienta arrugada, ni del clavo
la adulación fragrante forastera.

---

mercantil»). La alusión al «moro Muza», uno de los principales guerreros de la invasión árabe, aún conserva hoy un eco proverbial; aquí, en plural, *Muzas*, equivale por sinécdoque a «moros». Es decir, «mejor nos iría si los contratos comerciales se convirtiesen en soldados árabes, porque la usura de hoy es más perjudicial que la furia guerrera de nuestros enemigos del pasado».

85-90 Otra de las ventajas de la vida antigua era la perduración del mundo natural, representado por los *elementos* (tierra, agua, aire y fuego) y por los animales, que morían de viejos y no a causa de la gula de los hombres: el vientre, *diciplinado* («disciplinado, ordenado»), se conformaba con lo necesario y la garganta era ajena al pecado.

91 *infanzón*: «caballero o hidalgo que es además señor de vasallos»; Quevedo usa deliberadamente un término antiguo que remite idealmente a los tiempos, por ejemplo, del Cid.

93 *sustento y armadura*: porque se comían la carne y con el cuero fabricaban escudos.

94-96 Aún no se conocían las especias (llegadas a raíz del comercio con Oriente), como la *pimienta* y el *clavo*, a las que asigna defectos humanos: la lisonja y la adulación.

Carnero y vaca fue principio y cabo,
y con rojos pimientos y ajos duros
tan bien como el señor comió el esclavo.

100 Bebió la sed los arroyuelos puros;
después mostraron del carquesio a Baco
el camino los brindis mal seguros.

El rostro macilento, el cuerpo flaco,
eran recuerdo del trabajo honroso,
105 y honra y provecho andaban en un saco.

Pudo sin miedo un español velloso
llamar a los tudescos bacanales,
y al holandés, hereje y alevoso.

97-99 *principio y cabo*: «principio y final» (de la comida). Todos, desde el señor hasta el esclavo, se conformaban con alimentos sencillos: carnero, vaca, pimientos y ajos (y recuérdese a este propósito la dieta de don Quijote: «una olla de algo más vaca que carnero...»).

100-102 Trata de las bebidas dando a entender que «Antes se apagaba la sed con el agua pura de los arroyos», pero lo que sigue presenta alguna dificultad a causa del hipérbaton y las alusiones cultas: *Baco* era el dios griego del vino, y el *carquesio* un tipo de vaso lujoso usado por los antiguos para brindar. Es decir, «después los brindis (*mal seguros* por las vacilaciones y tambaleos de los bebedores) mostraron a Baco el camino del carquesio» (aunque también podría entenderse que «mostraron el camino del carquesio a Baco», dicho más prosaicamente, «el camino que va del vaso al vino»).

103-104 *El rostro macilento* («descolorido») y *el cuerpo flaco* son rasgos característicos del hipócrita y del ocioso, pero en el tiempo añorado e idealizado por Quevedo *eran recuerdo del trabajo honroso.*

105 *en un saco*: juntos («en el mismo saco», decimos hoy).

106-111 Aquí se contraponen diversas naciones europeas con prejuicios corrientes en la época. Así, el *español velloso* («peludo»,

Pudo acusar los celos desiguales
110 a la Italia; pero hoy de muchos modos
somos copias, si son originales.

Las descendencias gastan muchos godos,
todos blasonan, nadie los imita,
y no son sucesores, sino apodos.

115 Vino el betún precioso que vomita
la ballena o la espuma de las olas;
que el vicio, no el olor, nos acredita.

---

signo de virilidad) de antaño podía llamar con orgullo a los *tudescos* (alemanes) *bacanales* («ebrios, bebedores», por derivación precisamente de *Baco*) y al *holandés hereje y alevoso* (en referencia a la confesión luterana y a sus acciones de piratería), y también podía *acusar* («denunciar») los *celos* de los italianos. Sobre el defecto atribuido a los italianos, no parece probable que sea una simple alusión a la envidia entre naciones, y sus celos son *desiguales* (no solo «desmedidos», sino «torpes, desproporcionados, impropios») porque tienen su origen en la propensión de los italianos a las relaciones homosexuales (siempre según los tópicos que circulaban en la época). Quevedo acaba diciendo que los españoles copian ya los peores vicios originales de las otras naciones.

112-114 Critica ahora la presunción de nobleza, que en la época se definía burlonamente con la frase *hacerse de los godos*. «Todos presumen (nótese el matiz heráldico de *blasonar*) de sus muchos antepasados ilustres, pero nadie los imita, de manera que los títulos no son ya herencia de linaje, sino simples motes».

115-117 *betún*: «ungüento», *precioso* porque se refiere en concreto al ámbar, muy apreciado, usado en la fabricación de perfumes y aquí connotado como vicioso (y del que da dos posibles orígenes: la grasa de la ballena o la espuma del mar).

Y quedaron las huestes españolas
bien perfumadas pero mal regidas,
120 y alhajas las que fueron pieles solas.

Estaban las hazañas mal vestidas,
y aún no se hartaba de buriel y lana
la vanidad de fembras presumidas.

A la seda pomposa siciliana,
125 que manchó ardiente múrice, el romano
y el oro hicieron áspera y tirana.

Nunca al duro español supo el gusano
persuadir que vistiese su mortaja,
intercediendo el Can por el verano.

118-120 Frente al valor y la austeridad indumentaria de los antiguos combatientes, los ejércitos de ahora destacan por su afeminamiento y afectación: mal gobernados, muy perfumados y cubiertos de alhajas.

121-123 «Antes las hazañas (que es metonimia por los héroes que las lograban) se celebraban vistiendo pobremente, y aún no ocurría como ahora, que la vanidad de las mujeres (*fembras*, «hembras») presuntuosas se ha hartado de usar los paños más modestos» (como el *buriel* y la *lana*).

124-126 El hipérbaton complica una vez más el entendimiento de este terceto; el orden sintáctico normal sería *El romano y el oro hicieron áspera y tirana a la seda pomposa siciliana que el ardiente múrice manchó*. Quiere dar a entender que la seda siciliana, ya *pomposa* («lujosa, ostentosa») por sí misma, lo resultaba más por efecto del *múrice*, una especie de marisco con que se fabricaba un tinte de color púrpura (de ahí el epíteto *ardiente*), y que, además, se volvió *áspera y tirana* por sus adornos de oro (véase el v. 71) y por servir de vestimenta a los dictadores romanos.

127-129 Con un concepto agudo expresa que el español antiguo se negaba a vestir ropajes de seda: «El gusano nunca supo con-

130 Hoy desprecia el honor al que trabaja,
y entonces fue el trabajo ejecutoria
y el vicio graduó la gente baja.

Pretende el alentado joven gloria
por dejar la vacada sin marido,
135 y de Ceres ofende la memoria.

Un animal a la labor nacido,
y símbolo celoso a los mortales,
que a Jove fue disfraz y fue vestido,

que un tiempo endureció manos reales
140 y detrás de él los cónsules gimieron,
y rumia luz en campos celestiales,

---

vencer al duro español de que se vistiese con su mortaja (con la mortaja del gusano, esto es, con el capullo del que se obtiene la seda)». A esta alusión zoológica sigue otra con implicaciones astronómicas, pues la constelación de *Can* gobierna la época de máximo calor (la del verano): es decir, ni siquiera en verano se decidía el español a vestir de seda.

130-132 *ejecutoria*: «certificado de hidalguía». El concepto antiguo de honor o nobleza, según el autor, se basaba en la virtud y el esfuerzo (y por eso la bajeza de la gente se calibraba por sus vicios), pero hoy el trabajo se considera una deshonra.

133-135 En este y en los tres tercetos siguientes se refiere irónicamente a la fiesta de los toros: «El joven animado por la plebe pretende gloria por haber dejado viudas a las vacas y ofende la memoria de Ceres (diosa de la agricultura)».

136-141 El retrato del toro, presentado como una suerte de enigma, contiene ingeniosas alusiones y juegos conceptistas entre los que hay alguna reminiscencia gongorina: *un animal a la labor nacido* (nacido para la labranza, para el yugo), al que los mortales tienen como *símbolo celoso* (símbolo de los celos, por los cuernos), que sirvió de disfraz y de vestido a Júpiter (que se transformó en toro para raptar a la ninfa Europa),

¿por cuál enemistad se persuadieron
a que su apocamiento fuese hazaña,
y a las mieses tan grande ofensa hicieron?

145 ¡Qué cosa es ver un infanzón de España
abreviado en la silla a la jineta,
y gastar un caballo en una caña!

Que la niñez al gallo le acometa
con semejante munición, apruebo;
150 mas no la edad madura y la perfeta.

---

que un tiempo endureció manos reales / y detrás de él los cónsules gimieron (porque los primeros gobernantes de Roma habían sido agricultores de manos callosas que se afanaban en el arado) y que, como la constelación correspondiente, se diría que pasta en el cielo, que *rumia luz en campos celestiales* («en campos de zafiro pace estrellas», había escrito Góngora en las *Soledades*, I, 6, aludiendo también al toro y a Júpiter).

142-144 No es fácil decidir cuál es el sujeto implícito de la pregunta, pero su sentido está claro: «¿por qué extraña o supuesta enemistad creyeron («los mortales», «los jóvenes que torean») que la humillación o apocamiento del animal era una hazaña e hicieron tan gran ofensa a las mieses descuidando los cultivos?».

145-150 Arremete ahora contra otras diversiones de la época, como los juegos de cañas, remedo festivo de los antiguos torneos, según parece por influencia árabe (*contagio moro*, dirá Quevedo en el v. 163): «resulta ridículo y patético ver a todo un *infanzón* (véase el v. 91) montando *a la jineta* (con las piernas recogidas y por tanto *abreviado en la silla*) y cansando a un caballo en persecución, por ejemplo, de un gallo; puede estar bien como entretenimiento infantil, pero no es adecuado en la *edad madura*».

Ejercite sus fuerzas el mancebo
en frentes de escuadrones, no en la frente
del útil bruto el asta del acebo.

El trompeta le llame diligente,
155 dando fuerza de ley el viento vano,
y al son esté el ejército obediente.

¡Con cuánta majestad llena la mano
la pica, y el mosquete carga el hombro
del que se atreve a ser buen castellano!

160 Con asco entre las otras gentes nombro
al que de su persona, sin decoro,
más quiere nota dar que dar asombro.

Jineta y cañas son contagio moro;
restitúyanse justas y torneos
165 y hagan paces las capas con el toro.

151-153 «Bien está que el joven ejercite sus fuerzas en la batalla (*en frentes de escuadrones*, «en el frente», podríamos decir), pero no que ejercite la lanza (aludida por el *asta* del árbol) en la frente de un animal que además es *útil* para la labranza».

154-156 Por contraste con los juegos de toros y de cañas, exalta la conveniencia de la actividad militar: «que el trompeta convoque al joven y que su sonido, que adquiere fuerza de ley con la ayuda del viento, sea obedecido por el ejército».

157-159 *pica*: «lanza»; *mosquete*: «escopeta». Frente a la ridiculez de la caña en los aludidos juegos, las armas de guerra revisten al soldado de majestad.

162 *nota dar*: «aparentar, llamar la atención, dar la nota».

164 *justas y torneos*: antiguas competiciones entre caballeros; las justas solían ser combates singulares y los torneos por equipos.

Pasadnos vos de juegos a trofeos,
que sólo grande rey y buen privado
pueden ejecutar estos deseos.

Vos que hacéis repetir siglo pasado
170 con desembarazarnos las personas
y sacar a los miembros de cuidado.

Vos distes libertad con las valonas,
para que sean corteses las cabezas,
desnudando el enfado a las coronas.

175 Y pues vos enmendastes las cortezas,
dad a la mejor parte medicina.
Vuélvanse los tablados fortalezas.

166 *trofeos*: metonímicamente, «triunfos militares». Nótese que Quevedo pasa de la manifestación de una serie de deseos (*restitúyanse*, *hagan paces*) a la solicitud expresa al Conde-Duque (*pasadnos vos*...), y enumera a continuación algunos de los logros del privado en los primeros años de su gobierno.

169-174 En 1623 el gobierno de Olivares dictó una pragmática en reforma de las costumbres indumentarias: alude a la prohibición de usar cuellos grandes y escarolados y sustituirlos, como en tiempos antiguos (*repetir siglo pasado*) por las *valonas* (una especie de cinta más estrecha y más flexible), que facilitaban los movimientos y permitían que la cabeza pudiera volver a inclinarse en señal de cortesía (y sin ofender, por tanto, a los reyes: *desnudando el enfado a las coronas*).

175-177 «Pues ya habéis enmendado lo superficial y externo (entiéndase «los cuerpos y los vestidos»), poned remedio ahora a la mejor parte (es decir, lo interior, las costumbres o el espíritu) y que los tablados de las fiestas se vuelvan fortalezas».

Que la cortés estrella que os inclina
a privar sin intento y sin venganza,
180 milagro que a la invidia desatina,

tiene por sola bienaventuranza
el reconocimiento temeroso,
no presumida y ciega confianza.

Y si os dio el ascendiente generoso
185 escudos de armas y blasones llenos,
y por timbre el martirio glorïoso,

mejores sean por vos los que eran buenos
Guzmanes, y la cumbre desdeñosa
os muestre a su pesar campos serenos.

190 Lograd, Señor, edad tan venturosa,
y cuando nuestras fuerzas examina
persecución unida y belicosa,

178-180 *privar sin intento*: «gobernar sin prejuicios ni malas intenciones», virtud o *milagro que a la invidia desatina*, «que pone fuera de sí a los envidiosos». El elogio de la política de Olivares esconde una crítica al valido anterior, el duque de Lerma.

184 *ascendiente generoso*: «linaje ilustre».

186 *timbre*: «insignia, distinción» y, por extensión, «mérito»; *martirio glorïoso* (nótese la diéresis métrica): alude a un antepasado de Olivares, Guzmán el Bueno, que prefirió el sacrificio de su hijo, capturado por los árabes, a la entrega de Tarifa; de ahí la alusión de los versos siguientes.

188 *la cumbre desdeñosa*: se refiere a la privanza o a la fortuna, ingrata con quienes la alcanzan.

190 *edad tan venturosa*: «una edad tan venturosa como la del pasado».

191-192 *y cuando nuestras fuerzas examina / persecución unida y belicosa*: «ahora que una coalición belicosa pone a prueba nues-

la militar valiente disciplina
tenga más platicantes que la plaza.
195 Descansen tela falsa y tela fina,

suceda a la marlota la coraza,
y si el Corpus con danzas no los pide,
velillos y oropel no hagan baza.

El que en treinta lacayos los divide
200 hace suerte en el toro, y con un dedo
la hace en él la vara que los mide.

---

tras fuerzas»; parece referirse a un episodio concreto, pero pueden ser varios (la hostilidad de Inglaterra, los problemas de Flandes, los planes franceses de coalición contra España...).

193-194 *platicantes*: «practicantes»; la *plaza* es, naturalmente, la de los juegos antes aludidos y opuesta a *la militar valiente disciplina*.

195 Juega con dos de los sentidos del sustantivo *tela*, «espacio público para una fiesta o espectáculo» (la *tela falsa*, por tanto) y «tejido» (la *tela fina*, como la seda también mencionada negativamente en los versos 124-126).

196 La suavidad de la *marlota* (una prenda de fiesta de origen morisco) se opone a la dureza de la *coraza*.

197-198 *velillos*: «piezas de tela sutil o de entramado muy fino que se usaban ocasionalmente para cubrir el rostro»; *oropel*: «adorno de poco valor, bisutería»; *no hagan baza*: «no se usen, no tengan oportunidad». En opinión de Quevedo solo eran lícitos en las procesiones de Corpus.

199-201 Nueva agudeza compleja que se basa en la expresión *hacer suerte* («herir, picar»; recuérdese que hoy los lances del toreo se siguen llamando *suertes*) y en la similitud material entre la *vara* de la lidia (el rejón) y la *vara* de medir (por ejemplo, las telas): «El caballero que reparte (*divide*) esos adornos entre sus lacayos hace suerte en el toro («le clava el rejón»), y con un solo dedo también hace suerte en él («lo hiere»,

Mandadlo ansí, que aseguraros puedo
que habéis de restaurar más que Pelayo.
Pues valdrá por ejércitos el miedo
205 y os verá el cielo administrar su rayo.

---

que es como decir «lo engaña») la vara que los mide» (y que a su vez representa metonímicamente al mercader). Téngase en cuenta que todavía hoy usamos coloquialmente el verbo *clavar* por «engañar a alguien cobrándole un precio excesivo».

202-204 *Pelayo*, primer rey de Castilla, fue el iniciador de la Reconquista. Su evocación es el gran efecto final del poema, pues equipara a Olivares con un rey justiciero que infunde temor en los enemigos y que administra el rayo de la justicia divina, en clara alusión al poder de Júpiter y al origen divino de la monarquía según la concepción antigua.

[61]

La mezcla de fantasía y realidad es consustancial al amor. El protagonista de este poema (un *Amante agradecido a las lisonjas mentirosas de un sueño*, como dice el título de *El Parnaso español*) explica su sueño con las mejores paradojas de la tradición petrarquista, y al desvanecerse su fantasía, tan feliz como engañosa, vida y muerte se confunden. El soneto recoge un tema importante en la poesía amorosa grecolatina, el del sueño erótico, del que el mismo Quevedo ofreció otras variantes (como el amante insomne o en duermevela del soneto «A fugitivas sombras doy abrazos»). La condición erótica y placentera de lo soñado explica el contraste entre la reticencia o contención retórica inicial («Soñé que te... ¿Direlo?») y la retahíla de opuestos (*infierno* y *cielo*, *llamas* y *nieve*...) que culmina con las paradojas de los tercetos, en los que el sueño se confunde con la vela y la vida con la muerte.

AMANTE AGRADECIDO A LAS LISONJAS MENTIROSAS DE UN SUEÑO

¡Ay, Floralba! Soñé que te... ¿Direlo?
Sí, pues que sueño fue: que te gozaba.

[1] *Floralba*: nombre convencional de la amada, suma de *flor* y *alba*, y parecido a otros más frecuentes también usados por Quevedo, como *Floris* o *Flora*. *¿Direlo?*: «¿Lo diré?.

[2] *te gozaba*: «gozaba sexualmente de ti». El verbo *gozar* es ajeno a las convenciones expresivas de la lírica culta de carácter amoroso, pero las prevenciones del poeta lo hacen tolerable en un contexto onírico. La interrogación retórica de los versos siguientes insiste en la excepcionalidad de la situación.

¿Y quién sino un amante que soñaba
juntara tanto infierno a tanto cielo?

5 Mis llamas con tu nieve y con tu hielo,
cual suele opuestas flechas de su aljaba,
mezclaba Amor, y honesto las mezclaba,
como mi adoración en su desvelo.

Y dije: «Quiera Amor, quiera mi suerte,
10 que nunca duerma yo, si estoy despierto,
y que si duermo, que jamás despierte».

Mas desperté del dulce desconcierto,
y vi que estuve vivo con la muerte,
y vi que con la vida estaba muerto.

5-8 La descripción se fundamenta en una mezcla prodigiosa de las *llamas* del amante con la *nieve* de la amada (como el *fuego helado* del petrarquismo) con el consentimiento del dios Amor, que también mezcla en su *aljaba* flechas opuestas (unas provocan odio y otras amor).

9-11 Este primer terceto recoge en discurso directo el deseo del amante todavía en sueños y su incapacidad para distinguir si duerme o no, para separar el sueño de la vigilia.

12 Adviértase que este nuevo oxímoron, *dulce desconcierto*, resulta reforzado por la aliteración, que afecta prácticamente al verso entero (*despèrté del...*).

13-14 La simetría de estos versos, con un quiasmo sintáctico afín al del terceto anterior (vv. 10-11) hace más perfecto y efectivo el contraste, convertido en identidad, entre la vida y la muerte, uno de los más productivos en la poesía amorosa antigua. Quevedo lo plantea partiendo de la idea clásica del sueño como imagen de la muerte («estuve vivo con la muerte», quizá recurriendo a otro eufemismo erótico también conocido por la tradición literaria, el que define la unión amorosa como una especie de muerte) y enunciando el desengaño propio de quien despierta a la triste realidad («con la vida estaba muerto»).

[62]

Este soneto y los dos siguientes pertenecen a la colección *Canta sola a Lisi y la amorosa pasión de su amante*, un conjunto de una cincuentena de composiciones que el autor concibió a modo de cancionero, enderezándolos con exclusividad a una amada a la que *canta sola* (igual que Petrarca a Laura) y a la que no hay necesidad de identificar con una mujer concreta y real. No faltan en la colección los poemas de aniversario, los sonetos palinódicos ni las lamentaciones funerales, elementos que confieren al cancionero quevedesco una estructura narrativa y una dualidad afines a las del *Canzoniere*, con poemas *in vita* y poemas *in morte*. En este poema en concreto, Quevedo vincula dos temas muy importantes para la poesía amorosa de su tiempo: la mirada como vehículo del amor (motivo difundido especialmente por el neoplatonismo) y el silencio del amante (esencial en la concepción del amor cortés desde los trovadores). De la identidad hipotética que preside el soneto (*Si mis párpados fuesen labios*) se deriva una serie de consecuencias basadas en el intercambio de propiedades y características de los términos equiparados: las miradas serían besos, los ojos besarían, beberían, se alimentarían y declararían, en silencio, su sentimiento.

COMUNICACIÓN DE AMOR INVISIBLE POR LOS OJOS

Si mis párpados, Lisi, labios fueran,
besos fueran los rayos visuales

2 Según la doctrina neoplatónica, el amor se comunicaba por la mirada, a través de *rayos visuales*, al modo de aquellos *espíritus*

de mis ojos, que al sol miran caudales
águilas, y besaran más que vieran.

5 Tus bellezas, hidrópicos, bebieran,
y cristales sedientos de cristales,
de luces y de incendios celestiales
alimentando su morir, vivieran.

De invisible comercio mantenidos,
10 y desnudos de cuerpo, los favores
gozaran mis potencias y sentidos;

---

de los que habla, por ejemplo, Garcilaso de la Vega en su soneto VIII: «De aquella vista pura y excelente / salen espirtus vivos y encendidos, / y siendo por mis ojos recibidos, / me pasan hasta donde el mal se siente».

3-4 El encabalgamiento separa al epíteto *caudales* del sustantivo *águilas* (se refiere al águila caudal o real), metáfora de los ojos del amante por su capacidad de mirar directamente *al sol*, metáfora a su vez de la dama (y de los rayos de su mirada en particular).

5 *hidrópicos*: «enfermos de sed». Se refiere, claro está, a los *párpados* (y con ello a los ojos), que siguen siendo el sujeto gramatical de las oraciones de este cuarteto.

6 La repetición expresa del mismo sustantivo, *cristales*, perfecciona el doble sentido metafórico que se le asigna y destaca la afinidad entre amante y amada: «mis ojos están sedientos de tu belleza luminosa».

7-8 La *luz* y los *incendios celestiales* que origina representan metafóricamente a la amada: los ojos del enamorado podrían vivir alimentándose de ellos. Nótese el doble contraste contextual del verbo *vivir*, con el antitético *morir* en este verso y con el homófono *beber* en rima.

9-11 *comercio*: «trato, comunicación»; el sujeto de *gozaran* es *mis potencias y sentidos*, con los que el poeta se refiere a la integridad de su ser, reuniendo las facultades del alma (las tres potencias,

mudos se requebraran los ardores;
pudieran, apartados, verse unidos,
y en público, secretos, los amores.

---

memoria, entendimiento y voluntad) y las del cuerpo (los cinco sentidos), que, privados de carnalidad (*desnudos de cuerpo*), experimentarían el goce de la correspondencia espiritual con la amada.

12-14 *requebrar*: «galantear, hacer la corte». Es decir, que si los párpados fuesen labios, «las pasiones (*los ardores*) se requebrarían en silencio y los amores podrían verse unidos en la distancia y comunicarse secretamente en público».

[63]

El poeta simboliza su afán por conseguir a la amada mediante la imagen de su propio corazón surcando el rubio mar de los cabellos de Lisi. Los «afectos varios» con que el corazón es equiparado son los de cinco personajes mitológicos: Leandro, Ícaro, el ave Fénix, Midas y Tántalo; en tres de los cinco casos, la equiparación se perfecciona con la correspondencia de las metáforas inciales del cabello: *oro undoso* y *golfos de luz* tienen su aplicación al mito respectivo en las expresiones *mar de fuego*, *senda de oro* y *fuente de oro* (y aun en los adjetivos que las matizan, *proceloso*, *mal segura* y *fugitiva*). Bastantes poemas barrocos parten de una situación similar (los hay de Lope, Góngora, Villamediana y del italiano Giambattista Marino, por citar los más próximos), pero Quevedo supera el propósito esencialmente galante de otras composiciones y ahonda en el tema de la frustración del deseo.

AFECTOS VARIOS DE SU CORAZÓN FLUCTUANDO EN LAS ONDAS DE LOS CABELLOS DE LISI

En crespa tempestad del oro undoso,
nada golfos de luz ardiente y pura

1-4 Para entender cabalmente este cuarteto basta con leer los versos en orden inverso, comenzando por una frase condicional (como en el inicio del soneto anterior): *Si el cabello deslazas* («desenlazas, sueltas») *generoso, mi corazón sediento de hermosura nada golfos de luz ardiente y pura en crespa* («encrespada»)

mi corazón sediento de hermosura,
si el cabello deslazas generoso.

5 Leandro, en mar de fuego proceloso,
su amor ostenta, su vivir apura;
Ícaro, en senda de oro mal segura,
arde sus alas por morir glorioso.

---

tempestad del oro undoso. La situación se identifica metafóricamente con una tormenta marítima en la que el agua es el oro *undoso* («con ondas, con olas») del cabello rubio de Lisi, y el corazón del enamorado nada y navega en ese luminoso mar (representado por la sinécdoque *golfos*). El adjetivo *generoso* no tiene solo un valor moral, sino que alude además a la condición social de la dama: «bien nacido, de nacimiento ilustre».

5-6 *proceloso*: «tempestuoso». Leandro cruzaba todas las noches el Helesponto para ver a Hero, que encendía una antorcha para orientar a su amado; una noche la tormenta apagó la antorcha y Leandro se ahogó. Dice el poeta que con esto su corazón, igual que Leandro, «demuestra su amor, lo pone de manifiesto» (el verbo *ostentar* era entonces un cultismo muy notorio) y *apura su vivir* («lo termina y lo perfecciona»).

7-8 Ícaro, hijo de Dédalo, que volaba con su padre provisto de unas alas de cera, se acercó demasiado al sol: el corazón del enamorado también sigue un camino peligroso e inseguro (una *senda de oro*, porque es la del sol en un caso y la del cabello de Lisi en el otro) y, como Ícaro, *arde sus alas* (con valor transitivo, «las quema») para morir gloriosamente.

Con pretensión de Fénix, encendidas
10 sus esperanzas, que difuntas lloro,
intenta que su muerte engendre vidas.

Avaro y rico y pobre, en el tesoro,
el castigo y la hambre, imita a Midas,
Tántalo en fugitiva fuente de oro.

9-11 *con pretensión de Fénix*: «pretendiendo ser como el ave Fénix», que según la mitología moría consumiéndose en el fuego y renacía de sus propias cenizas. El poeta introduce aquí un matiz: su corazón no es igual que el ave Fénix, sino que lo pretende: mientras arden sus muertas esperanzas, *intenta que su muerte engendre vidas*.

12-13 El rey Midas fue víctima de su propio deseo de ver convertido en oro cuanto tocaba, de manera que no podía comer. Nótese la disposición trimembre de estos versos.

14 Quevedo hace más perfecto y sentencioso el cierre del poema haciendo coincidir el endecasílabo con la última metáfora apositiva del corazón, que es como Tántalo, condenado a morir de hambre y sed sin poder alcanzar el agua de la fuente que lo rodeaba (y que era, con sabia aliteración, *fugitiva*, como los cabellos dorados de Lisi).

[64]

Es muy posible que el título asignado a este poema en *El Parnaso español* no se deba al autor, pero lo cierto es que resume con gran sobriedad y precisión el complejo contenido de este soneto amoroso, «que es seguramente el mejor de Quevedo, probablemente el mejor de la literatura española» (Dámaso Alonso) y, sin duda, el más analizado por los especialistas. El tema, que asoma en otras composiciones anteriores de *Canta sola a Lisi* (como el que comienza «Si hija de mi amor mi muerte fuese»), se basa en una paradoja que expresa la posibilidad de vivir sin vivir (es decir, vivir sin vida, o más exactamente vivir en la muerte) gracias a la pasión incombustible del amor. La lógica y la estructura del soneto se adecuan al tema con asombrosa perfección, tanto por la belleza de las metáforas de la muerte y el olvido cuanto por la alternativa entre fórmulas concesivas («Cerrar podrá...», «podrá desatar...») y adversativas («mas no...»), procedimiento que se repite y se intensifica en los tercetos mediante la enumeración de las partes del ser (*alma*, *venas* y *medulas*), abocadas a la caducidad, pero redimidas por el sentimiento amoroso y eternamente vivas en él.

AMOR CONSTANTE
MÁS ALLÁ DE LA MUERTE

Cerrar podrá mis ojos la postrera
sombra que me llevare el blanco día,

1-2 *postrera*: «última». La *postrera sombra* es el sujeto de la oración y simboliza la hora de la muerte, como noche final que acude a arrebatarnos la vida, significada a su vez por *el blanco día*, que subraya la antítesis entre los dos conceptos.

y podrá desatar esta alma mía
hora a su afán ansioso lisonjera;

5 mas no, de esotra parte en la ribera,
dejará la memoria en donde ardía:
nadar sabe mi llama la agua fría
y perder el respeto a ley severa.

Alma a quien todo un dios prisión ha sido,
10 venas que humor a tanto fuego han dado,
medulas que han gloriosamente ardido,

3-4 Aunque el hipérbaton complica el sentido, el poeta sigue enumerando los previsibles efectos de la muerte, y la llama *hora lisonjera* («aduladora, halagadora») porque alivia el *afán ansioso* (nótese la reiteración semántica del adjetivo) del alma, que quedará con ello desatada («desunida, liberada») del cuerpo.

5-6 Se ha discutido mucho la sintaxis de estos versos, pero parece claro que enlazan con lo anterior y que quieren decir que el alma, ya desunida del cuerpo, «no dejará la memoria de su amor (de ahí el verbo *arder*) al llegar a la otra ribera». La imagen se basa en el proceso de la muerte según la mitología antigua (las almas de los muertos bebían las aguas del Leteo, el río del olvido, y atravesaban la laguna Estigia) y se entiende mejor comparándola con unos versos de otro soneto: «De esotra parte de la muerte dura / vivirán en mi sombra mis cuidados, / y más allá del Lete mi memoria».

7-8 El contraste entre vida y muerte se expresa ahora mediante la antítesis entre la *llama*, que simboliza el fuego de la pasión amorosa, y el *agua fría* del río del ovido; el verso siguiente mantiene ese contraste por la oposición entre la inexorabilidad de la muerte, *ley severa*, y el coloquialismo de la expresión *perder el respeto*: «el amor desobedece a la muerte».

9 *todo un dios*: «el dios Amor», que aprisionó el alma del amante (recoge el viejo motivo de la cárcel de amor).

10 *humor*: «sustancia líquida», aquí la sangre de las venas que han alimentado el fuego de la pasión.

11 *gloriosamente*: porque las *medulas* (en época de Quevedo era palabra llana) se han consumido en el fuego del amor para glo-

su cuerpo dejarán, no su cuidado,
serán ceniza, mas tendrá sentido,
polvo serán, mas polvo enamorado.

---

ria del enamorado; como dice en otro soneto, «y el no ser, por amar, será mi gloria».

12-14 Los elementos enumerados en el primer terceto son el sujeto gramatical común a las tres oraciones del terceto final: «alma, venas y medulas dejarán el cuerpo, serán ceniza y serán polvo». Los únicos testimonios antiguos del poema (las ediciones de *El Parnaso español* de 1648 y 1649) leen, en efecto, *dejarán*, pero un gran crítico moderno, José Manuel Blecua, prefirió editar *dejará*, suponiendo la presencia de una correlación que haría más lógico y mejoraría estilísticamente el cierre del soneto («el alma dejará su cuerpo, las venas serán ceniza y las medulas serán polvo»); es una sugerencia digna de atención y aceptada por muchos quevedistas, pero la enmienda es innecesaria, pues no hay error demostrable ni fuente textual para la corrección. Lo importante es, sin embargo, el sentido general, que viene a ser el mismo en ambos casos, porque el amor contradice todas las claudicaciones de la muerte: el alma, las venas y las medulas no abandonarán su *cuidado* («cuita, preocupación amorosa»), la *ceniza* en que se convertirán *tendrá sentido* y el *polvo* será *polvo enamorado* (y ahí no resuena solo la frase bíblica «polvo eres y en polvo te convertirás», sino el recuerdo de poetos elegíacos latinos como Propercio y Tibulo).

[65]

Es uno de los más célebres poemas satíricos de Quevedo y quizá el mejor ejemplo de su portentosa capacidad de invención lingüística y de su aptitud para expresar, como quería el conceptismo, la relación entre objetos dispares. La formulación reiterativa obliga al poeta a una tremenda lid con el ingenio que va *in crescendo* a través de sutiles procedimientos hiperbólicos: comparaciones físicas (*peje espada*, *reloj de sol*, *alquitara*, *elefante*, *espolón*, *pirámide*), alusiones a la proverbial narizota de los judíos («sayón y escriba», «las doce tribus»), o geniales manipulaciones del lenguaje (*nariz superlativa*, *naricísimo infinito*). La popularidad de este y otros sonetos hizo que circulasen profusamente y se conocen versiones diversas que afectan al orden de algunos versos y que contienen otras comparaciones famosas, pero también algunas lecturas que deben considerarse erróneas o menos expresivas (como *alquitara medio viva*, *mal barbado* y *mal narizado*).

A UNA NARIZ

Érase un hombre a una nariz pegado,
érase una nariz superlativa,
érase una nariz sayón y escriba,
érase un peje espada muy barbado,

3 *sayón*: «verdugo de Cristo»; *escriba*: «escribano, y más en particular doctor de la ley judía». Convierte los dos sustantivos en adjetivos para aludir a la tópica desmesura de la nariz de los judíos, y en ambos casos puede apreciarse, además, un sentido de inclinación física (una saya enorme y caída y un escribano en su labor: compárese el v. 6).

4 *peje*: «pez»; téngase en cuenta que también pueden llamarse *bar-*

5 era un reloj de sol mal encarado,
érase una alquitara pensativa,
érase un elefante boca arriba,
era Ovidio Nasón más narizado,

érase un espolón de una galera,
10 érase una pirámide de Egito,
las doce tribus de narices era,

---

bas los filamentos o cartílagos anteriores de algunos peces (y que dan nombre al *barbo*, sin ir más lejos).

[5] La expresión *mal encarado* conserva los dos planos de la metáfora: «mal orientado, torcido» (el reloj) y «malcarado, feo» (el narizotas).

[6] *alquitara*: «alambique», recipiente con un tubo largo y curvo usado para destilar (comparable, pues, a una nariz goteante); la llama *pensativa* (otras versiones dicen *medio viva*) para diferenciarla del objeto, pero también para indicar una mayor inclinación.

[7] La trompa del elefante justifica la comparación, que no alude solo a la nariz desproporcionada, sino a la monstruosidad y deformidad del individuo al completo.

[8] El nombre del poeta latino *Ovidio Nasón* era fácil presa de burlas.

[9] *espolón*: la parte extrema de la proa que va cortando el agua durante la navegación.

[10] *pirámide de Egito*: además de la comparación física, nos sitúa en el contexto histórico y bíblico del verso siguiente.

[11] *las doce tribus* (en otros testimonios, *los doce tribus*, porque el sustantivo era entonces de género indeterminado): alusión al pueblo de Israel, cuyo origen se remontaba a doce familias.

érase un narícisimo infinito,
muchísimo nariz, nariz tan fiera,
que en la cara de Anás fuera delito.

12 *naricísimo*: el sufijo superlativo *ísimo*, con la acentuación esdrújula, y el adjetivo *infinito*, que añade aliteraciones vocálicas, constituyen un extraordinario hallazgo lingüístico de gran comicidad.

13-14 *nariz tan fiera, / que en la cara de Anás fuera delito*: «nariz tan descomunal, que incluso en la cara del judío Anás sería exagerada y aun constituiría un delito». La gracia de la mención de *Anás* (identificado tradicionalmente con el «mal juez» en la Pasión de Cristo y alguna vez relacionado con *Satanás*) reside sobre todo en un nuevo juego onomástico (compárese el de *Nasón* en el v. 8) que induce a entender precisamente «sin nariz, chato». Otra versión recoge un final distinto, y en lugar de este chiste culto y recóndito opta por una comicidad más directa: «frisón archinariz, caratulera, / sabañón garrafal, morado y frito»; además de comparar la nariz con la forma y el tamaño de otras protuberancias (*sabañón garrafal*), alude a un tipo de caballo muy grande (*frisón*), le añade otro elemento superlativo (esta vez como prefijo, *archi*) e inventa el adjetivo *caratulera* («grotesca como nariz de careta»)

[66]

Como los defectos físicos, los hábitos indumentarios han sido objeto tradicional de las burlas, y esta va destinada, como precisa el título de *El Parnaso*, a una *Mujer puntiaguda con enaguas* (es decir, a una mujer muy flaca vestida con una especie de falda interior de forma cónica), y el poeta compara su figura con una sucesión de objetos ridiculizantes que reservan el término real, *mujer*, para la despectiva imprecación del último verso.

MUJER PUNTIAGUDA CON ENAGUAS

Si eres campana, ¿dónde está el badajo?;
si pirámide andante, vete a Egito;
si peonza al revés, trae sobrescrito;
si pan de azúcar, en Motril te encajo.

[1] Es decir, que para ser *campana* (piénsese que también decimos hoy faldas o pantalones acampanados) le falta el *badajo* (la pieza de metal que cuelga en su interior para hacerla sonar), evidente alusión grosera al miembro viril.

[3] *sobrescrito*: «inscripción», como las que llevaban precisamente ciertas peonzas (o perinolas) con indicaciones sobre los lances del juego.

[4] *pan de azúcar*: dulce de azúcar refinado al que se daba forma de cono; la población granadina de *Motril* tenía fama por sus elaboraciones de azúcar.

5 Si chapitel, ¿qué haces acá abajo?;
si de diciplinante mal contrito
eres el cucurucho y el delito,
llámente los cipreses arrendajo.

Si eres punzón, ¿por qué el estuche dejas?
10 Si cubilete, saca el testimonio;
si eres coroza, encájate en las viejas.

Si büida visión de San Antonio,
llámate doña Embudo con guedejas;
si mujer, da esas faldas al demonio.

5 *chapitel*: «capitel, remate de las torres»; el más característico de los edificios castellanos de la época era un tejado con forma piramidal.

6-7 *diciplinante*: «reo sacado a la vergüenza pública», como un penitente que, sin mostrar arrepentimiento (*mal contrito*), lleva el *cucurucho* enhiesto (véase el v. 11).

8 *arrendajo*: «imitación, copia» (o «imitador, remedador»); el sentido deriva del nombre de un pájaro que destaca por su habilidad para imitar el canto de otras aves. La mujer parece la imitación de un ciprés.

9 El *estuche* de las herramientas suele contener un *punzón*.

10 El *cubilete* del juego, cuyo *testimonio* son los dados.

11 *coroza*: cucurucho o capirote infamante que se ponía, entre otras víctimas, a las brujas y alcahuetas, aquí designadas genéricamente como *viejas*.

12 *büida*: «afilada, puntiaguda»; *visión de San Antonio*: «visión horripilante» (pues era proverbial el espanto de las apariciones padecidas por San Antonio).

13 *guedejas*: «mechones».

14 *dar al demonio*: expresión coloquial a modo de interjección.

[67]

La apariencia burlesca de este resumen festivo de las miserias de la vida del hombre, aunque está lejos de la gravedad sentenciosa de los poemas morales, deja traslucir una misma visión desengañada de la existencia: aquí, como dice el título de *El Parnaso*, Quevedo *Pronuncia con sus nombres los trastos y miserias de la vida*, en una exposición perfectamente ordenada, desde la cuna hasta la sepultura, de las desgracias de cada una de las edades. Buena parte del efecto cómico del soneto radica, como en el poema siguiente, en la elección de cuatro rimas cacofónicas: *aca*, *oco*, *uca* y *eca*.

PRONUNCIA CON SUS NOMBRES LOS TRASTOS Y MISERIAS DE LA VIDA

La vida empieza en lágrimas y caca,
luego viene la *mu* con *mama* y *coco*,
síguense las viruelas, baba y moco,
y luego llega el trompo y la matraca.

2 *mu, mama, coco*: onomatopeyas o palabras típicas de la infancia; *mu* se usaba para incitar al sueño («la mu llaman al sueño las mujeres y el mu al que se duerme», dice Quevedo en el *Discurso de todos los diablos*).

3-4 Menciona las enfermedades y los juegos típicos de los niños. El *trompo* es la peonza, y la *matraca*, un artilugio de madera y hierro que producía un ruido molesto (como la carraca o cualquier otro objeto con que los niños dan la tabarra).

5 En creciendo, la amiga y la sonsaca,
con ella embiste el apetito loco;
en subiendo a mancebo todo es poco,
y después la intención peca en bellaca.

Llega a ser hombre y todo lo trabuca,
10 soltero sigue toda perendeca,
casado se convierte en mala cuca.

Viejo encanece, arrúgase y se seca;
llega la muerte y todo lo bazuca,
y lo que deja paga, y lo que peca.

5-6 *en creciendo*: «al crecer»; *sonsaca*: «engaño, embeleco con intención de hurtar». Se refiere a los engatusamientos con que la novia o amante (*amiga*) va sonsacando al muchacho que se deja llevar por el deseo carnal (*el apetito loco*).

7 *mancebo*: «joven».

8 *peca en bellaca*: «da en bellaca» (es decir, que las intenciones del joven ambicioso se acaban convirtiendo en ruines y perversas).

9 *llega a ser hombre*: «llega a la edad adulta»; *todo lo trabuca*: «todo lo revuelve, todo lo confunde» (como *bazuca* en el v. 13).

10 *perendeca*: «mujerzuela, pelandusca».

11 *mala cuca* tiene el sentido de «mala persona, hombre pérfido», pero contiene además una alusión al *cuco* o *cuclillo*, un pájaro taimado que pone sus huevos en nidos ajenos y que es símbolo tradicional del marido cornudo.

13 *lo bazuca*: «lo revuelve, lo trastorna».

14 El hombre con su muerte paga todo lo que abandona al morir (*lo que deja*) y paga también sus pecados (*lo que peca*).

[68]

En el título, atribuible a González de Salas, se advierte ya la voluntad irónica y paródica del soneto (la frase *Aquí fue Troya* indicaba proverbialmente la ruina de glorias pasadas). Se trata, en efecto, de la caricatura de una mujer que ha perdido toda su supuesta belleza, y la burla se basa en la parodia de metáforas tópicas en la descripción de la belleza femenina (*nieve*, *clavel*, *oro*, *rosa*, y no falta la alusión a otros detalles del retrato lírico convencional, como la voz, el rostro arrebolado, los mechones rubios, los ojos o los dientes). Una vez más las rimas degradantes contribuyen a la comicidad: *ajo*, *eja*, *ujo* y *ojo*.

PINTA EL «AQUÍ FUE TROYA»
DE LA HERMOSURA

Rostro de blanca nieve, fondo en grajo,
la tizne presumida de ser ceja,

[1] La descripción tópica de la belleza femenina exigía una piel o un rostro blancos como la nieve, pero en este caso el color de fondo es negro o negruzco como el del *grajo*, un pájaro similar al cuervo (y con la misma infausta simbología); la construcción *fondo en...* se usaba con frecuencia en la fabricación de paños.

[2] *tizne*: «mancha o pintura de hollín», en este caso para fingir las cejas.

la piel que está en un tris de ser pelleja,
la plata que se trueca ya en cascajo;

5 habla casi fregona de estropajo,
el aliño imitado a la corneja,
tez que con pringue y arrebol semeja
clavel almidonado de gargajo.

3 *está en un tris:* «está a punto, está al borde»; *pelleja* tiene, además del obvio sentido despectivo como derivado de *piel*, el valor infamante de «prostituta vieja».

4 *se trueca*: «se convierte, se vuelve», con un acertado matiz monetario que sintoniza con los sustantivos del verso: la *plata*, que indica ya el paso del tiempo (frente al oro convencional: véase el v. 9), se ha depreciado, ha perdido todo su valor y es metal de desecho (*cascajo*).

5 *habla*: «el habla, la voz» es tan confusa, ronca y desagradable, que se parece a una *fregona de estropajo* (piénsese que hoy decimos voz estropajosa), con una «posible alusión a que habla echando saliva, escupiendo, por la asociación metonímica de fregona y agua» (según sugiere J. M. Pozuelo Yvancos).

6 *aliño*: «adorno, atavío, afeite»; la mujer del soneto hace como la *corneja*, otro pájaro negro de mal augurio, por alusión a una conocida fábula de Esopo en la que el grajo se disfraza con plumas ajenas para disimular su fealdad.

7-8 La *tez* (el rostro) de la mujer, maquillada con potingues varios (el *pringue* sería el unto o aceite y el *arrebol* el colorete), parece, por su mezcla de blanco y rojo, un clavel lleno de escupitajos. Téngase en cuenta que el *clavel* era metáfora tradicional en las descripciones de la belleza femenina (por la boca o las mejillas sonrosadas) y que el almidón se usaba para blanquear y dar rigidez a la ropa.

En las guedejas vuelto el oro orujo,
10 y ya merecedor de cola el ojo
sin esperar más beso que el del brujo.

Dos colmillos comidos de gorgojo,
una boca con cámaras y pujo,
a la que rosa fue vuelven abrojo.

9 *guedejas*: «mechones»; *orujo*: «el pellejo de la uva ya exprimida». La efectividad de esta imagen reside en el sentido de «despojo, piltrafa» y en la paronomasia con *oro*, metáfora convencional del cabello.

10-11 *el ojo*: en singular, para indicar el parecido entre los ojos de la cara y el ojo del culo, *merecedor de cola* o rabo porque pertenece a una vieja bruja y endemoniada que ya no puede *esperar más beso que el del brujo*, porque en los aquelarres se reconocía la autoridad de Satanás besando el ano del macho cabrío que lo representaba.

12 *gorgojo*: «gusano» (en particular el que corroe los granos de cereal y aquí en alusión a la caries).

13 Ahora es la *boca* asquerosa y babeante de la vieja la que resulta comparada con la desembocadura del cuerpo, porque tiene *cámaras* («diarrea») y *pujo* (un desarreglo digestivo que provoca muchas ganas de defecar al tiempo que dificulta la evacuación).

14 *Colmillos* y *boca* son los sujetos de *vuelven*. La *rosa*, metáfora tradicional de la boca de hermosos labios («Aquí la rosa de la boca estuvo», escribió Lope de Vega) tiene ahora la aspereza del zarzal, del matorral, del *abrojo*.

[69]

Esta letrilla sobre el poder del dinero es, seguramente, el poema satírico más popular de Quevedo. Lo escribió en su juventud, pues Pedro Espinosa lo incluyó en las *Flores de poetas ilustres de España* (1605, aunque ya estaban listas para la imprenta en 1603), pero siguió difundiéndose profusamente en vida del autor: se conocen varias versiones y aquí presentamos la que parece última (incluida en *El Parnaso español*, con cuatro estrofas añadidas y otros retoques). La letrilla parte de una situación típica de la poesía tradicional (la confidencia de una muchacha a su madre hablándole de su *amigo* o enamorado) y es una muestra perfecta de los alardes conceptistas de que era capaz el ingenio de Quevedo, pues consiste, de hecho, en una sucesión de dilogías y juegos de palabras.

LETRILLA SATÍRICA

Poderoso caballero
es don Dinero.

Madre, yo al oro me humillo;
él es mi amante y mi amado,
5 pues, de puro enamorado,
de contino anda amarillo;
que pues, doblón o sencillo,

6 *de contino*: «continuamente»; el *amarillo* es el color del oro y el de la palidez proverbial de los enamorados.
7 *doblón o sencillo*: monedas de valor diverso (de oro y de más valor el *doblón* y menos valiosa el *sencillo*), relacionadas tam-

hace todo cuanto quiero,
poderoso caballero
10 *es don Dinero.*

Nace en las Indias honrado,
donde el mundo le acompaña;
viene a morir en España,
y es en Génova enterrado.
15 Y pues quien le trae al lado
es hermoso, aunque sea fiero,
poderoso caballero
es don Dinero.

Es galán y es como un oro,
20 tiene quebrado el color,
persona de gran valor,
tan cristiano como moro.

---

bién por el juego de palabras alusivo al carácter de las personas; este «amante», sea «doble e insincero» o «simple y humilde», siempre hace lo que quiere la muchacha.

11 *en las Indias*: «en América, en las Indias occidentales», de cuyas minas era extraído con destino a España.

14 *es en Génova enterrado*: alusión a los banqueros genoveses de la época, que cobraban altos intereses por sus préstamos a la corona española.

15 *le trae*: «lo trae» (con leísmo frecuente en la época y en Quevedo).

16 *fiero*: «feo».

19 *galán*: «apuesto»; *es como un oro*: «es muy guapo y muy limpio, es una maravilla» (expresión figurada que aquí recupera su literalidad).

20 *quebrado*: «pálido, amarillento» (y téngase también en cuenta el matiz financiero del verbo *quebrar*).

Pues que da y quita el decoro
y quebranta cualquier fuero,
25 *poderoso caballero*
es don Dinero.

Son sus padres principales
y es de nobles descendiente,
porque en las venas de Oriente
30 todas las sangres son reales;
y pues es quien hace iguales
al duque y al ganadero,
poderoso caballero
es don Dinero.

35 Mas ¿a quién no maravilla
ver en su gloria sin tasa
que es lo menos de su casa
doña Blanca de Castilla?

23 *decoro*: «dignidad, respeto».
24 *fuero*: «ley».
27 *principales*: «importantes».
29 *venas*: las del cuerpo y los filones o vetas de las minas de oro.
30 *reales*: nueva dilogía («regias» y «monedas»).
31-32 Una idea recurrente en las sátiras sobre el dinero era su poder igualatorio.
36 *sin tasa*: «sin límite» (también con resonancias económicas, pues *tasa* es «impuesto, tarifa»).
37-38 Pondera la importancia del dinero con un nuevo juego de palabras, pues *lo menos de su casa* («lo de menos importancia en su linaje, lo más bajo e insignificante de su estirpe») tiene el título de *doña Blanca de Castilla* (que había llegado a reina siglos atrás al casarse con Luis VIII de Francia, y además la *blanca* era una moneda de escaso valor).

Pero, pues da al bajo silla
40 y al cobarde hace guerrero,
poderoso caballero
es don Dinero.

Sus escudos de armas nobles
son siempre tan principales,
45 que sin sus escudos reales
no hay escudos de armas dobles;
y pues a los mismos robles
da codicia su minero,
poderoso caballero
50 *es don Dinero.*

Por importar en los tratos
y dar tan buenos consejos,
en las casas de los viejos
gatos le guardan de gatos.

39 *da al bajo silla*: «ensalza, da dignidad al hombre de baja condición».

43-46 *escudos de armas nobles*: «blasones, emblemas heráldicos», pero el *escudo* era también una moneda (de ahí la insistencia en la dilogía *reales*) que equivalía a medio *doblón* (véase el v. 7), y por eso sin ellos no hay doblones («no hay nobleza sin dinero», y viceversa).

47-48 *a los mismos robles / da codicia su minero*: las diversas acepciones de los sustantivos *robles* («árboles» y, por metonimia, «naves») y *minero* («yacimiento» y «manantial») duplican también los sentidos de la frase: «hasta los robles codician su manantial» y «sus yacimientos son codiciados por las naves que parten a las Indias».

51 *por importar*: «por ser importante»; *tratos*: «relaciones» (comerciales y carnales).

54 *gatos* («bolsas de cuero, monederos») *le guardan* («lo protegen») *de gatos* («ladrones», en el lenguaje del hampa).

55 Y pues él rompe recatos
y ablanda al juez más severo,
poderoso caballero
es don Dinero.

Y es tanta su majestad
60 (aunque son sus duelos hartos),
que con haberle hecho cuartos
no pierde su autoridad;
pero, pues da calidad
al noble y al pordiosero,
65 *poderoso caballero*
es don Dinero.

Nunca vi damas ingratas
a su gusto y afición;
que a las caras de un doblón
70 hacen sus caras baratas;
y pues las hace bravatas
desde una bolsa de cuero,

55 *recatos*: «prevenciones, pudores».

56 *y ablanda al juez más severo*: en otro poema dice Quevedo que el dinero «ablanda el corazón» de los jueces «untándolos las manos».

60 *duelos*: «fatigas, trabajos»; *hartos*: «muchos».

61 *cuartos*: «partes o porciones» y «monedas de poco valor».

67 *ingratas*: «indiferentes, insensibles».

69-70 *caras* tiene aquí hasta tres sentidos: «anverso o reverso de las monedas», «rostros» y «costosas»; es decir, que las *damas* (en alusión irónica a las mujeres que se venden *baratas*) ponen buena cara y ceden fácilmente a los encantos del dinero.

71-72 *las hace bravatas* (laísmo): el dinero «les hace gestos arrogantes y chulescos»; el contexto sexual y aun prostibulario de la relación entre tal *caballero* y tales *damas* hace bastante proba-

poderoso caballero
es don Dinero.

75 Más valen en cualquier tierra
(¡mirad si es harto sagaz!)
sus escudos en la paz
que rodelas en la guerra.
Y pues al pobre le entierra
80 y hace proprio al forastero,
poderoso caballero
es don Dinero.

---

ble que en la *bolsa de cuero* se encierre (además del sentido obvio de «monedero») una alusión obscena.

77-78 *escudos*: «monedas» (véase arriba, v. 45), pero también «protecciones, armas defensivas», y de ahí la mención de las *rodelas*, un tipo de escudo pequeño y redondo.

79 *le entierra*: «lo entierra».

80 *hace proprio* («propio») *al forastero*: «naturaliza al extranjero, convierte en paisano o coterráneo al forastero».

[70]

Una curiosa muestra del gusto de la literatura del Siglo de Oro por lo picaresco es el desarrollo de las jácaras, poemas de carácter burlesco, habitualmente en verso de romance, que retrataban la vida de los *jaques* o delincuentes con su jerga característica (el llamado lenguaje germanesco o de germanías, propio del hampa). Quevedo escribió por lo menos una quincena y contribuyó más que ningún otro autor a la difusión del género, generalmente cantado (el *escarramán*, de hecho, llegó a ser el nombre de un baile) y convertido ocasionalmente en piezas representables de carácter cómico. La *Carta*, compuesta antes de 1613 y difundida desde ese año a través de pliegos sueltos, fue tan popular que se conocen incluso versiones «a lo divino».

CARTA DE ESCARRAMÁN A LA MÉNDEZ

Ya está guardado en la trena
tu querido Escarramán,
que unos alfileres vivos

[1] *la trena*: «la cárcel».

[2] El nombre y la figura de *Escarramán* se convirtieron en prototipo del rufián.

[3-4] El doble sentido de *prender* («sujetar» y «apresar») convirtió en *alfileres* (pero *vivos*) a los alguaciles en el lenguaje de germanías. Nótense, por otra parte, el uso coloquial con valor causal de la conjunción *que* («porque, puesto que») y el paso de la tercera a la primera persona.

me prendieron sin pensar.
5 Andaba a caza de gangas
y grillos vine a cazar,
que en mí cantan como en haza
las noches de por San Juan.
Entrándome en la bayuca,
10 llegándome a remojar
cierta pendencia mosquito
que se ahogó en vino y pan,
al trago sesenta y nueve,
que apenas dije «Allá va»,
15 me trujeron en volandas
por medio de la ciudad.
Como al ánima del sastre

5 *gangas*: «ocasiones, chollos» (pero el primer sentido de *ganga* es un tipo de «ave», y de ahí la frase *andar a caza de gangas*, «ir a la busca de un buen negocio, de una buena oportunidad»).

6 *grillos*: «grilletes, cadenas», y también «insectos».

7-8 *haza*: «campo de cereal, en particular el ya segado»; las cadenas de Escarramán suenan e incordian tanto como los grillos en las noches de verano (*las noches de por San Juan*).

9 *bayuca*: «taberna».

11-12 *pendencia mosquito*: el segundo sustantivo funciona como adjetivo humorístico que equivale a «ahogado», por los mosquitos que mueren atraídos fatalmente por el vino (el mismo Quevedo dedicó varios poemas a este asunto) y porque esta *pendencia* («reyerta, pelea»), bien *remojada* (*remojar* es «beber»), *se ahogó en vino y pan*, se acabó comiendo y bebiendo.

15 *me trujeron en volandas*: los alguaciles al prenderlo se lo llevaron volando («por los aires y a toda prisa»).

17-19 *corchetes*: «oficiales de justicia encargados de detener a los delincuentes», pero el *corchete* es también una especie de «broche», y de ahí la pertinencia, en un juego similar al de los *alfileres* de la primera estrofa, de la mención del *sastre*, que tiene diversos ecos proverbiales.

suelen los diablos llevar,
iba en poder de corchetes
20 tu desdichado jayán.
Al momento me embolsaron
para más seguridad
en el calabozo fuerte
donde los godos están.
25 Hallé dentro a Cardeñoso,
hombre de buena verdad,
manco de tocar las cuerdas
donde no quiso cantar.
Remolón fue hecho cuenta
30 de la sarta de la mar
porque desabrigó a cuatro

20 *jayán*: «rufián, delincuente», aquí con el valor positivo de quien, hablando con su amada, se define como «hombretón valiente» y «rufián respetado».

21 *me embolsaron*: «me encerraron, me encarcelaron».

24 *los godos*: «los delincuentes más importantes».

25 El nombre o apodo de *Cardeñoso* indica claramente que era, como se decía entonces, *de la carda*, que formaba parte del clan de los pícaros y delincuentes, que se dedicaba a la mala vida.

27-28 Cardeñoso se había quedado *manco de tocar las cuerdas*, pero no porque se hubiese excedido rasgando la guitarra, sino porque *no quiso cantar* («no quiso confesar») durante la tortura de las *cuerdas*: muchos delincuentes, colgados por los brazos o las piernas y sometidos a violencias diversas, acababan lisiados.

29-30 *Remolón* («el que evita trabajar», pero también, en germanía, «el que truca los dados») parecía predestinado a *remar* y fue ensartado como una *cuenta* más en la *sarta* o fila de reos conducidos a galeras; recuérdese el episodio de los galeotes en el *Quijote*, donde aparecen «ensartados como cuentas en una gran cadena de hierro» (I, 22).

31 *desabrigó*: «dejó sin abrigo» al robarles la capa (uno de los delitos más frecuentes de la época).

de noche en el Arenal.
Su amiga la Coscolina
se acogió con Cañamar,
35 aquel que sin ser San Pedro
tiene llave universal.
Lobrezno está en la capilla;
dicen que le colgarán
sin ser día de su santo,
40 que es muy bellaca señal.
Sobre el pagar la patente

32 *el Arenal* de Sevilla, zona propicia para cometer delitos y lugar de reunión de maleantes.

33-34 *su amiga*: «su amante»; *se acogió*: «huyó y se puso a salvo, se refugió» (es decir, que fue acogida como amante por otro rufián, *Cañamar*). El nombre de *Coscolina* también tiene resonancias humorísticas, por el diminutivo y por la homofonía con *coscorrón*, otro vocablo con matices germanescos. A un personaje de la novela picaresca *Estebanillo González* «por su agudeza y brío la llamaban la Coscolina» (entre otros recuerdos de las jácaras de Quevedo).

36 *llave universal*: es decir, la «ganzúa»; no suele advertirse que la mención de *San Pedro* se basa también en la significación del nombre del rufián, *Cañamar*, que, aparte de su sentido recto como nombre común, evoca la actividad de «pescar», con los matices delictivos de un pescador no precisamente santo.

37 *Lobrezno*: por similitud con el germanesco *lobo*, «ladrón»; *está en la capilla*: «está esperando la muerte» (la noche anterior a la ejecución se pasaba en la capilla).

38-39 *le colgarán / sin ser día de su santo*: «lo ahorcarán», y en alusión a la costumbre de colgar una cadena o una cinta al cuello de quien celebraba su onomástica.

40 *muy bellaca*: «muy mala, muy ruin».

41 *pagar la patente*: los presos antiguos exigían a los nuevos una cierta cantidad de dinero (la frase equivalía a «pagar la novatada»); Escarramán se negó y se peleó (*nos venimos a encon-*

nos venimos a encontrar
yo y Perotudo el de Burgos:
acabóse la amistad.

45 Hizo en mi cabeza tantos
un jarro que fue orinal,
y yo con medio cuchillo
le trinché medio quijar.

Supiéronlo los señores,
50 que se lo dijo el guardián,
gran saludador de culpas,
un fuelle de Satanás,

y otra mañana a las once,
víspera de San Millán,
55 con chilladores delante
y envaramiento detrás,

a espaldas vueltas me dieron

---

trar: «nos vinimos a enfrentar») con un antiguo amigo, *Perotudo*, cuyo apodo significa muy probablemente «pedorro».

45 *tantos*: «pedazos, añicos».

46 *un jarro que fue orinal*: «un jarrón que se fue usado como orinal», o viceversa.

48 *le trinché medio quijar*: «le corté media quijada».

49 *los señores*: «los jueces».

51 *saludador*: «soplón», porque los *saludadores* eran unos curanderos que sanaban soplando o escupiendo sobre el enfermo o la llaga; este guardián sopla y delata los delitos ajenos.

52 *un fuelle*: «un soplón».

53 *otra mañana*: «a la mañana siguiente».

55-56 Describe el séquito habitual de los delincuentes camino del castigo. Escarramán iba precedido por *chilladores* que pregonaban sus delitos y seguido por alguaciles con las varas que representaban su autoridad (y de ahí el *envaramiento*).

57 *a espaldas vueltas*: «vuelto de espaldas»; la frase tiene ecos proverbiales, pero aquí sugiere Escarramán que lo azotaron injustamente y a traición (véanse versos 83-84).

el usado centenar,
que sobre los recibidos
60 son ochocientos y más.
Fui de buen aire a caballo,
la espalda de par en par,
cara como del que prueba
cosa que le sabe mal;
65 inclinada la cabeza
a monseñor cardenal,
que el rebenque sin ser papa
cría por su potestad.
A puras pencas se han vuelto
70 cardo mis espaldas ya,
por eso me hago de pencas
en el decir y el obrar.
Agridulce fue la mano;
hubo azote garrafal,

58 *el usado centenar*: «el acostumbrado centenar» de azotes, porque en efecto era costumbre castigar a los delincuentes, casi como primera medida, con cien latigazos.
61 *de buen aire*: «con buena presencia, con elegancia».
62 *de par en par*: al descubierto, y también abierta y desollada por los azotes; lógicamente, la cara de Escarramán no era de alegría (ponía más bien «cara de vinagre» o «de probar vinagre», por decirlo con una locución aproximada a la frase de Quevedo).
66 *cardenal*: «autoridad eclesiástica» y «moratón».
67-68 *rebenque*: «látigo, azote», que, *sin ser papa*, tiene la potestad de *criar* («crear, hacer») cardenales.
69-72 La clave de toda la estrofa está en el sustantivo *pencas*, «tiras de cuero del rebenque» y «hojas o tallos de ciertas hortalizas», en particular los del cardo; también se usaba el sustantivo en la frase hecha *hacerse de pencas*, «resistirse, hacerse de rogar».
74 *garrafal*: «enorme, descomunal» (véase la nota al núm. 65, v. 14).

75 el asno era una tortuga,
no se podía menear.
Sólo lo que tenía bueno
ser mayor que un dromedal,
pues me vieron en Sevilla
80 los moros de Mostagán.
No hubo en todos los ciento
azote que echar a mal,
pero a traición me los dieron:
no me pueden agraviar.
85 Porque el pregón se entendiera
con voz de más claridad
trujeron por pregonero
las sirenas de la mar.
Invíanme por diez años,

75-76 Escarramán iba montado sobre un asno cuya lentitud prolongaba el castigo.

78 *dromedal*: «dromedario»; la comparación se justifica también por la parsimonia y el origen del animal.

79-80 Era tan grande el burro, que a Escarramán lo veían desde la ciudad argelina de *Mostagán*.

81-82 *No hubo en todos los ciento / azote que echar a mal*: «No echó a perder, no se desperdició ni uno solo de los cien azotes».

83-84 Escarramán se justifica diciendo que los azotes no lo agraviaban, no lo deshonraban, porque, como los había recibido en la espalda, se los habían dado *a traición* (véase el v. 57).

86-88 *de más claridad / trujeron por pregonero / las sirenas de la mar*: con la *claridad* del agua, pero también porque las sirenas atraían con su canto a los navegantes y Escarramán será condenado a galeras.

89-96 Una condena por diez años a galeras era prácticamente una muerte segura. En estas dos cuartetas, Quevedo pone en boca de Escarramán varias comparaciones y frases hechas alusivas a la acción de remar: *dar de palos* (apalear el mar, agraviándolo),

90 ¡sabe Dios quién los verá!,
a que dándola de palos
agravie toda la mar,
Para batidor del agua
dicen que me llevarán,
95 y a ser de tanta sardina
sacudidor y batán.
Si tienes honra, la Méndez,
si me tienes voluntad,
forzosa ocasión es esta
100 en que lo puedes mostrar.
Contribúyeme con algo,
pues es mi necesidad
tal, que tomo del verdugo
los jubones que me da,
105 que tiempo vendrá, la Méndez,
que alegre te alabarás
que a Escarramán por tu causa
le añudaron el tragar.
A la Pava del cercado,

---

batidor del agua, *sacudidor* y *batán* («máquina hidráulica con mazos») de las sardinas.

98 *si me tienes voluntad*: «si me tienes aprecio».

101 *contribúyeme*: «ayúdame con dinero».

104 *jubones*: además de las «prendas de ropa», eran en lenguaje germanesco los «azotes» (o, más propiamente, las heridas que producían).

108 *le añudaron el tragar*: «le pusieron un nudo en la garganta», es decir, «lo ahorcaron». Escarramán quiere decir que llegará el día en que la Méndez presumirá (*te alabarás*) de haber tenido un rufián como él.

109-112 Casi todos estos nombres son significativos en el lenguaje de los rufianes: *Pava* («prostituta gorda», o quizá «presumida»), *Chirinos* (por *chirinola*, «juerga» y «banda, pandilla»),

110 a la Chirinos, Guzmán,
a la Zolla y a la Rocha,
a la Luisa y la Cerdán,
a mama y a taita el viejo,
que en la guarda vuestra están,
115 y a toda la gurullada,
mis encomiendas darás.
Fecha en Sevilla, a los ciento
de este mes que corre ya,
el menor de tus rufianes
120 y el mayor de los de acá.

Guzmán (que connotaba presunción nobiliaria y era adoptado típicamente por pícaros y rufianes: basta mencionar el *Guzmán de Alfarache* de Mateo Alemán), *Zolla* (por semejanza con *zulla* «mierda» y *zollipo* «sollozo con hipo»), *Rocha* (que quizá aluda figuradamente a *rochar* «desbrozar» o al germanesco *rociar* «prestar») y *Cerdán* (por *cerdo*, «puerco» y también «cuchillo»). Parece que solo se salva *la Luisa*, porque también el sustantivo común *cercado* significa «prostíbulo».

113-114 *mama* y *taita* eran voces infantiles para llamar a la madre y al padre, pero en germanía se referían a la «alcahueta» y al «proxeneta» que controlaban el burdel (*guarda*).

115 *gurullada*: «cuadrilla, pandilla».

116 *encomiendas*: «saludos», y también, con ironía, «rentas».

117 *ciento*: por los azotes del «usado centenar».

119-120 El final del romance parodia las despedidas convencionales de las epístolas, donde, entre otros saludos y *encomiendas*, solían usarse tópicos de modestia como «el menor de los servidores de vuestra merced» y otros similares; Escarramán se reconoce cortésmente como el *menor* de los rufianes de la Méndez, pero se considera el *mayor* de todos los delincuentes presos.

Índice de notas

El primer número, en negrita, remite al poema y el segundo al verso anotado

Índice de primeros versos